DICTIONNAIRE DES PRÉSAGES
ET DES SUPERSTITIONS

PHILIPPA WARING

DICTIONNAIRE DES PRÉSAGES ET DES SUPERSTITIONS

Traduit et adapté
par Christel ROLLINAT

FRANCE LOISIRS
123, boulevard de Grenelle, Paris

La version originale de cet ouvrage
est parue en langue anglaise sous le titre de :

A DICTIONARY OF OMENS AND SUPERSTITIONS

Édition du Club France Loisirs, Paris
avec l'autorisation des Éditions du Rocher

© Philippa Waring 1978
(Souvenir Press Ltd, Londres)

© Éditions du Rocher 1982,
pour la traduction française

ISBN 2-7242-1605-9

à ERNEST HECHT,
qui peut toujours lire les signes.

INTRODUCTION

> « Il n'y aura pas d'exhalaison naturelle dans le ciel, pas de caprice de la nature, pas de journée hors de saison, pas d'orage ordinaire, pas d'événement habituel qui ne soient dépouillés de leur cause naturelle et considérés comme des météores, des prodiges, des signes, des monstres, des présages et des voix du ciel dénonçant clairement la vengeance d'en haut ! »

> William Shakespeare,
> *Le Roi Jean* (1)

Le docteur Johnson, le plus perspicace et le plus courtois des hommes, nous confie dans un des passages de son journal l'anecdote suivante. Il était persuadé que s'il ne touchait pas tous les poteaux de bois jalonnant une route particulière, un malheur lui arriverait. Il ne pouvait avancer aucune explication logique ; il s'agissait d'un simple pressentiment contre lequel il n'avait pas l'intention d'aller.

La superstition joue un rôle important dans notre vie. Pourtant certaines personnes arguent que la raison triomphe toujours des instincts. Ce qui ne résout pas la question, n'est-ce pas ?

Les présages et les superstitions constituent les instincts

(1) Extrait de *Le Roi Jean* — Acte III, scène IV. Page 509 — Shakespeare, *Œuvres Complètes*, Bibliothèque de La Pléiade, N.R.F. (*N.D.T.*)

9

mentaux qui, depuis des milliers d'années, influent sur notre réflexion. En dépit des progrès de la science et de la technologie, ils restent tapis dans les recoins de notre conscience influençant souvent notre comportement et notre façon de vivre. La rapidité de nos progrès a, peut-être, joué un rôle dans la persistance de ces croyances. L'homme « marche » dans l'espace, les « miracles » de la médecine et les récentes découvertes repoussent sans cesse les limites de notre connaissance mais en ce qui concerne l'avenir, nous sommes aussi anxieux et dubitatifs que l'étaient nos ancêtres dans les temps incertains.

L'historien T. S. Knowlson, dans son ouvrage fascinant, *The Origins of Popular Superstitions and Customs,* publié depuis plus d'un demi-siècle, explique cette constatation succinctement quand il écrit :

« *L'origine véritable de la superstition remonte aux efforts des premiers hommes pour expliquer la Nature et leur propre existence ; au souci de se concilier les faveurs de la Destinée et de la Chance ; au souhait d'éviter les démons qu'ils ne pouvaient comprendre et à l'inévitable tentative de chercher à pénétrer les voies de l'avenir. De ces sources simultanées a émergé le système de base des notions et des pratiques encore en vigueur de nos jours.* »

En schématisant, on peut dire que les superstitions revêtent trois formes, ainsi définies :

1. La conviction que si l'on commet un acte précis, le malheur s'abattra.

2. L'accomplissement d'un rituel spécifique pour favoriser les résultats désirés.

3. La lecture des présages annonçant qu'un événement particulier, bon ou mauvais, se produira.

Les deux premières classifications s'expliquent d'elles-mêmes. La troisième, se référant aux présages, mérite, je pense, d'être quelque peu explicitée. Selon moi, un présage est un événement qui est supposé dévoiler l'avenir, sa caractéristique principale devant être la gratuité de l'événement annonciateur. En d'autres termes, c'est un message concernant notre futur que nous ne recherchons pas mais qu'il est difficile d'ignorer.

Laissons à nouveau la parole à Knowlson :

« *Les présages n'ont pas d'origine ; ils sont aussi vieux que l'homme lui-même. Depuis des temps immémoriaux, les aspects changeants de la nature lui ont enseigné les modifications qui pouvaient intervenir dans sa vie personnelle. Le vol des oiseaux, un lapin croisant son chemin et une infinité d'autres choses ayant été interprétées comme les " signes " que quelque chose protège du bien ou du mal, le plus souvent du mal. Le présage témoigne de la peur quasi universelle avec laquelle l'homme a toujours observé les puissances et les forces environnantes.* »

Être capable de définir et d'expliquer tant les présages que les superstitions ne diminue en rien leur influence. Un vieux cynique tel Francis Bacon, peut donc avec quelque justification souligner que « *les hommes reconnaissent toujours avoir raison mais rarement tort* ». Parions qu'il n'échappait pas à la règle !

« *Voici une constatation intéressante* », écrit-il, « *une citation authentique et sentencieuse peut tendre vers sa propre réalisation en cheminant dans les esprits superstitieux ; en autorisant la chose à perturber leur inconscient, les hommes affaiblissent leurs pouvoirs de vie et, peut-être, transforment-ils, à un moment critique, une maladie latente ou en sommeil en un acte mortel.* »

Aussi pouvons-nous adopter la théorie émise par l'Anglais Gilbert White, dans son ouvrage classique *Natural History and Antiquities of Selborne,* soulignant essentiellement cet état de fait quand il écrit :

« *S'affranchir des préjudices superstitieux est la chose la plus difficile qui soit. Ils se nourrissent de nous-mêmes et grandissent avec nous jusqu'à nous mettre le grappin dessus ; ils produisent les impressions les plus durables et sont si étroitement mêlés à nos constitutions qu'une volonté de fer est requise pour nous en dégager.* »

Il est étrange que bon nombre de superstitions fassent dorénavant partie de notre quotidien. Un certain nombre d'entre elles persistent parce qu'elles concernent des domaines pour lesquels nous sommes toujours très ignorants. Voici une excellente raison pour que ceux qui avouent n'être que légèrement superstitieux ne soient pas trop prompts à critiquer ceux qui éprouvent une réelle appréhension à l'égard de ces questions.

Un des grands mythes de notre époque veut que la science réfute les superstitions quand les faits prouvent — comme on le verra dans cet ouvrage — qu'ils sont adaptés à dessein ou présentés sous des apparences pseudo-scientifiques.

Ce dictionnaire est une très vaste sélection de présages et de superstitions existants encore de nos jours en Occident. Certains se perdent dans la nuit des temps alors que d'autres sont récents ou ont évolué en fonction des progrès humains ou scientifiques.

J'ai compilé les entrées d'après diverses sources, tant orales qu'écrites, en mettant l'accent sur celles qui survivent en Europe, en Grande-Bretagne et aux États-Unis. Il ne faut pas en déduire pour autant que j'ai délibérément écarté certains exemples venant de contrées plus lointaines en raison de leur moindre abondance.

Bien sûr, j'ai découvert que pour une même croyance il existait différentes versions selon les lieux ; dans ce cas, je n'ai retenu que la variante la plus communément acceptée. J'ai accordé la priorité aux coutumes toujours vivaces aux dépens des traditions archaïques dont la lecture aurait pu être agréable mais qui sont dépourvues de signification pour un public moderne.

Pour ce qui est des origines — quand il était possible d'en établir une — là encore, j'ai recherché la version la plus fréquente.

De nombreux remèdes populaires pourraient fort bien trouver leurs racines dans la superstition. A ce propos, je dois préciser que mon seul souci en les mentionnant était d'offrir une meilleure compréhension de la superstition en général.

Rassembler ce matériel a été pour moi une tâche enrichissante et fascinante qui m'a permis de réfléchir à l'élaboration des sociétés de part et d'autre de l'Atlantique.

Il est important de souligner qu'Américains et Européens partagent de nombreux présages et autant de superstitions ;

12

bon nombre de croyances ayant été transmises telles quelles au Nouveau Monde par les premiers immigrants.

Je suis particulièrement reconnaissante à toutes les personnes que j'ai rencontrées de leur ouverture d'esprit face à leurs peurs. J'avais rendez-vous — un vendredi 13, bien sûr — avec les membres de la *National Society of Thirteen Against Superstition, Prejudice and Fear* et, à cette occasion, j'ai pu constater leurs efforts pour défier délibérément la superstition.

A ma connaissance, cet ouvrage est le plus important du genre. Mais, il serait tout à fait erroné de prétendre qu'il s'agit d'un travail exhaustif.

Il reste de nombreux autres présages et superstitions à exhumer, simplement parce que de nouveaux émergent du gouffre de l'oubli chaque jour.

Cette tradition populaire vivante est, d'ailleurs, très bien mise en relief dans ces vers d'Œdipe :

« *Car quand nous songeons que le destin plane au-dessus de nos têtes, notre appréhension ne connaît plus de limites.* »

Philippa Waring,
Somerset Island
Bermuda, 1977.

A

ABEILLES

En tout temps, les abeilles ont joué un rôle important dans la superstition en milieu rural où on les considère encore comme des créatures sages, possédant une connaissance de l'avenir particulière. La tradition veut qu'elles soient originaires du paradis et on les nomme volontiers « Les Petites Servantes de Dieu ». Selon cette optique, il est naturel qu'en tuer une porte malheur. A la campagne, on croit qu'il est essentiel de les prévenir quand une personne de la famille de leur gardien meurt ou se marie. Après un décès, un proche doit aller à la ruche et répéter trois fois la phrase : « Petites fées, Petites fées, votre maître (maîtresse ou quelqu'un d'autre) est mort. » Faute de le faire, les gens superstitieux disent que les abeilles meurent ou s'en vont à tout jamais.

Dans le même esprit, une jeune fille fiancée doit les informer de son prochain mariage ou elles quitteront la ruche, pour ne plus revenir.

Après ces deux rituels, il faut, dit-on, leur accorder un moment de réflexion ; si les abeilles recommencent à bourdonner alors, elles sont satisfaites et demeureront là où elles se trouvent.

Un morceau du gâteau de mariage doit leur être offert et déposé près de la ruche afin que les abeilles y butinent.

Un essaim d'abeilles dans un arbre mort ou dans une haie est un présage de mort pour la famille.

Un essaim égaré qui atterrit dans votre maison ou dans votre jardin porte malheur.

Il ne faut jamais vendre ses abeilles mais les échanger.

Donner une ruche à quelqu'un, c'est lui offrir du miel mais aussi, et surtout, la chance.

En Cornouailles, une croyance dit qu'il ne faut jamais déplacer les abeilles sans les avertir, sinon elles piqueront leur propriétaire et, si on bouge la ruche le Vendredi Saint, elles mourront.

Les abeilles qui deviennent oisives ou paresseuses annoncent une catastrophe quelconque.

Voir des abeilles entrer dans la ruche et ne pas en ressortir dans un délai très court est signe de pluie.

Une abeille volant dans une maison annonce une visite.

Au Pays de Galles, on prétend qu'une abeille qui vole autour du berceau d'un enfant endormi indique qu'il ou elle aura une vie heureuse.

D'aucuns affirment que leurs piqûres sont d'excellents remèdes aux rhumatismes.

De part et d'autre de l'Atlantique, on garantit comme vraie la croyance la plus extraordinaire qui soit : une fille vierge peut traverser un essaim sans dommage ! Ces petites créatures habiles seraient-elles, par hasard, capables de faire la différence ?

ACACIA

On sait qu'en Gaule les jeunes filles qui désiraient perdre leur virginité arboraient des couronnes d'acacia. Pour ne pas s'y piquer les doigts, les garçons n'avaient d'autre choix que de leur offrir bien vite une couronne d'oranger : celle du mariage.

ACCIDENT

Au Japon, une coutume dit que si une tasse ou un verre contenant des médicaments destinés à un malade se renverse accidentellement, cette personne recouvrera la santé dans des délais très brefs.

ÂGE

La plupart des femmes ignorent que la pratique universelle consistant à ne pas révéler son âge (pour des raisons de coquetterie) pourrait très bien, en fait, avoir des origines superstitieuses.

Dans de nombreuses régions de Grande-Bretagne, on croit que dire son âge est signe de malchance ; cette idée vient, apparemment, de l'ancienne prévention qui voulait que numéroter les choses permettait aux esprits de les identifier. Pourtant, une autre coutume anglaise dévoile un truc infaillible pour connaître la vérité à ce propos. En premier lieu, il faut obtenir un cheveu de la dame concernée et l'attacher à un petit anneau d'or. Puis fixer l'ensemble à l'intérieur d'un verre et attendre qu'il commence à osciller. Selon cette croyance, l'anneau frappera sur les parois l'âge de la dame !...

AGNEAUX

En Europe, « être la brebis galeuse » ou « le mouton noir de la famille » n'est guère flatteur. Pourtant dans les campagnes, la naissance d'un agneau noir est un présage de chance pour le troupeau.

Toutefois, en Angleterre, certains pensent que de tels agneaux symbolisent le malheur et deux agneaux noirs annoncent un désastre, tant pour les hommes que pour les animaux.

En revanche, si la première brebis de l'année à mettre bas donne naissance à deux agneaux blancs, le troupeau jouira d'une année prospère.

Le premier agneau que vous rencontrez au printemps vous indique sous quels auspices se déroulera votre année : On dit que si le premier petit agneau est au loin, et vous tourne le dos, votre année sera difficile tandis que s'il vous fait face, il vous promet douze mois d'abondance.

AIGLE

De nos jours, l'aigle est un rapace protégé dans presque tous les pays du monde.

Une superstition veut qu'il possède le privilège de ravir la paix de l'esprit à quiconque lui a volé ses œufs.

Voir l'aigle ou l'entendre au-dessus des plaines est un présage de mort ou de maladie pour ceux d'en bas.

17

AIGUILLE

Il porte malheur de prononcer le mot « aiguille » en se réveillant le matin.

En Allemagne, on pense qu'il est également de mauvais augure de trouver dans la rue une aiguillée de fil noir.

D'après la tradition britannique, casser une aiguille en cousant annonce un mariage.

En d'autres lieux, certaines personnes refusent de prêter une aiguille à quiconque, prétextant que cela « pique » leur amitié.

AIL

La superstition a investi l'ail de puissants pouvoirs, en particulier celui de chasser les mauvais esprits de la maison.

Tout amateur de films d'épouvante ou d'horreur sait qu'un collier d'ail accroché au-dessus des portes et des fenêtres protège de n'importe quel vampire en maraude et aux abois.

En France, on grille souvent des gousses d'ail la nuit de la Saint-Jean. En Extrême-Orient, on croit que la plante possède la faculté de repousser les âmes perdues et elle est utilisée dans certaines cérémonies religieuses.

AJONC

Les fleurs d'ajoncs, en bouquet, sont, dit-on, les messagères de la mort.

Les suspendre dans une maison, c'est vouloir que la mauvaise fortune s'abatte sur l'un des vôtres.

ALBATROS

Depuis les premiers temps de la marine, un albatros volant autour d'un bateau annonce le gros temps. Les gens de la mer vouent un culte particulier aux oiseaux parce qu'une légende dit que chacun d'entre eux est le dépositaire de l'âme d'un marin mort. Pour tous les hommes de la mer, en tuer un signifie que le mauvais sort les poursuivra pour le reste de leurs jours — ainsi que Samuel Taylor Coleridge l'immortalisa dans son grand poème, *The Ancient Mariner*.

ALGUE

L'algue est considérée depuis des siècles comme un excellent présage de temps quand elle est accrochée sous le porche d'une maison.

Si le temps sec et ensoleillé arrive, elle se recroqueville mais quand la pluie vient, elle gonfle et s'humidifie.

En Grande-Bretagne, les habitants des régions côtières soutiennent que les algues séchées, conservées à l'intérieur, protègent des mauvais esprits et empêchent la maison de prendre feu.

ALLIANCE

Depuis les tout premiers temps, l'anneau de mariage symbolise l'union d'un homme et d'une femme ; la forme circulaire représentant, elle, l'éternité.

Le fait de porter l'alliance à l'annulaire gauche, bien que très ancien, n'a rien à voir avec la superstition.

Selon les apparences, pendant des siècles, on a cru qu'une veine particulière partait de ce doigt vers le cœur ; on en a donc déduit que c'était le doigt idéal pour accueillir un symbole d'amour.

Il est maléfique de laisser choir une alliance durant une cérémonie de mariage ; seule la personne dirigeant le service peut la ramasser, sinon la vie du couple tournerait mal.

L'infortune peut également atteindre un couple dont la femme perd son alliance. Pour éviter les ennuis, le mari devra racheter une alliance, la replacer au doigt de son épouse, tout en récitant le serment du mariage.

ALOUETTE

La gentille petite alouette et nombre d'oiseaux sauvages qui chantent furent pendant des siècles capturés et vendus dans de petites cages en Europe.

Cette horrible pratique, aujourd'hui interdite par la loi, fut associée à une croyance voulant que ces oiseaux chantent mieux s'ils avaient les yeux crevés par une épingle chauffée au rouge. Nul n'ignore que nombreux furent mutilés de cette façon...

On entend souvent dire que manger trois œufs d'alouette le

dimanche matin avant que les cloches de l'église ne sonnent, donnait une belle voix.

Les Écossais prétendent que les « mots » que l'alouette chante sont compréhensibles pour ceux qui s'étendent sur le dos dans un pré et écoutent sans faire le moindre bruit. Que l'on comprenne ou non, de toute façon, c'est une manière agréable de passer son temps par un beau jour d'été !

ALPINISME

Depuis des temps immémoriaux, dans les Alpes, on raconte qu'une escalade est plus facile pour les alpinistes portant la langue d'un aigle dans le col de leurs vêtements.

AMOUR

La majorité des superstitions relatives à l'amour paraissent s'adresser aux jeunes filles et aux moyens dont elles disposent pour trouver un prétendant.

Ci-dessous, nous nous contentons de répertorier les plus fréquentes et les plus connues.

Dans le Sud des États-Unis, on dit que si une jeune fille tient un miroir à l'envers au-dessus d'un puits, elle verra l'image de son futur mari ; en Grande-Bretagne, qu'une jeune fille dormant avec un miroir sous son oreiller rêvera de son amoureux.

Les jeunes Américaines peuvent aussi apercevoir leur futur mari, si elles consentent à se soumettre à ce rituel complexe : elles doivent se tenir au bord d'un trottoir et compter dix voitures rouges, ensuite, chercher une fille rousse portant une robe violette. Ces conditions satisfaites, elles n'ont plus qu'à garder leurs yeux grands ouverts en attendant de repérer un homme avec une cravate verte. Après quoi, le premier jeune homme qu'elles aperçoivent leur est destiné !...

Toujours aux États-Unis, les choses sont cependant beaucoup plus simples pour un jeune homme ; il lui suffit d'avaler la dernière tranche de pain à l'heure du thé et la prochaine fille qu'il rencontrera sera sienne et, en prime, il recevra dix mille dollars !...

A l'aube de la photographie, on disait que des fiancés ne

devaient pas se faire photographier ensemble ou leur mariage ne serait jamais célébré.

Tout aussi étrange, une croyance voulait qu'une jeune fille qui bavardait avec son petit ami assise sur une table, ne se marierait pas avec lui.

Les gens de la campagne prétendent qu'une jeune fille qui ne regarde pas vers le Nord, la première fois qu'elle quitte sa demeure le matin, restera vieille fille et le même sort est réservé à celle qui lit le texte de la célébration du mariage.

Il n'y a pas que des pièges à l'intention des amoureux. La superstition dit aussi que si un jeune homme arrache une branche de laurier et qu'il la partage avec sa petite amie, tant qu'ils la conserveront, leur amour sera heureux.

Si votre amoureux se montre déloyal avec vous et si, cependant, vous souhaitez retenir son affection, les Allemands conseillent d'allumer trois bougies par le mauvais bout et de réciter trois fois le Notre Père. Cette action ranimera, paraît-il, sa passion pour vous.

Faire la cour à une femme porte bonheur.

La tradition exige pour qu'un couple connaisse le bonheur, une cour d'un an et des fiançailles de trois mois.

On dit qu'il porte malchance à un homme de faire une proposition de mariage dans un bus, un train ou tout autre lieu public mais une jeune fille à qui on demande sa main à un bal et qui refuse, pour quelque raison extraordinaire, aura beaucoup de chance !

Si, alors qu'il fait sa demande en mariage, un jeune homme est interrompu par une autre jeune fille, on dit qu'un jour elle sera sa seconde épouse.

Quant à un homme qui a déjà été refusé trois fois, il serait bien avisé de rester célibataire !

ÂNE

Du pauvre vieil âne, la tradition dit qu'il doit sa réputation à la stupidité dont il fit montre dans le jardin d'Éden quand Dieu lui demanda son nom et qu'il ne s'en souvint pas. Néanmoins, l'âne sert très bien l'homme et annonce le temps.

Quand l'âne brait et dresse ses longues oreilles — aussi clair que le temps puisse être à ce moment — il pleuvra.

On dit que la croix sur l'échine de l'âne apparut après que le Christ en eut monté un à Jérusalem, le dimanche des Rameaux.

En conséquence, certaines personnes à la campagne affirment qu'un enfant qui a la coqueluche guérira s'il s'assied sur cette croix et que l'âne décrive neuf cercles.

En Europe, certains prétendent qu'un âne connaît l'heure de sa mort et que le moment venu, il va se cacher pour mourir. Cette croyance a donné naissance à la sentence : « tu ne verras jamais un âne mort », et à la superstition qui veut qu'en voir un porte chance.

ANIMAUX

De nombreux fermiers britanniques assurent encore de nos jours que permettre à quiconque d'exprimer son admiration ou ses espérances quant à un animal participant à un concours agricole porte tort à la bête et qu'elle ne remportera aucune distinction. Cependant, pour conjurer le maléfice, il suffit de formuler des souhaits terribles tels que « faites que cette créature se rompe le cou ! ».

ANNÉE BISSEXTILE

La superstition nous enseigne que les années bissextiles sont favorables à toutes les nouvelles entreprises et que toute chose commencée le 29 février sera couronnée de succès.

Une telle année permet à une jeune fille de déclarer son amour à l'homme qu'elle aime sans embarras et avec tous les espoirs.

Les Écossais prennent un plaisir particulier à perpétuer cette dernière tradition, cependant il y a une condition que les jeunes filles doivent observer, sinon l'homme pourra repousser leurs avances sans craindre un retour de flamme : chaque fille doit porter un jupon de flanelle écarlate dépassant de sa robe !

APHTE

Les Anglais, décidément très superstitieux, prétendent encore qu'avoir un aphte indique que vous avez menti.

« APPELER LE MORT »

De nombreux Noirs américains et africains tiennent toujours pour vraie une antique superstition.

Si une personne malade, consciemment ou inconsciemment, prononce le nom d'un défunt, sa propre mort ne tardera pas. Cette affirmation semble basée sur un raisonnement psychologique puisque souvent des individus à l'approche de la mort revoient des scènes de leur vie personnelle.

Une prolongation de cette croyance veut que la dernière personne dont le nom est prononcé par un agonisant sera la prochaine à s'éteindre.

En Allemagne, il existe une croyance qui veut que si vous appelez un défunt par son nom trois fois de suite, il apparaîtra — toutefois, ceci ne marche que la veille de Noël.

Aux Indes, imaginer entendre quelqu'un appeler votre nom au crépuscule est un présage de mort.

ARAIGNÉE

Autrefois, l'araignée entrait dans la composition de moult potions pour guérir des maladies telles que la goutte, le paludisme, la coqueluche et l'asthme.

Il convenait soit de l'écraser, soit de la manger avec d'autres ingrédients ou encore d'avaler une partie de sa toile, et même de porter autour du cou un petit sac de mousseline contenant des araignées vivantes !

De nos jours cependant, on la considère plus comme un présage de bonne fortune, surtout si elle descend du plafond et s'immobilise devant votre visage.

Qui ne connaît le vieil adage :

> « Araignée du matin, chagrin.
> Araignée du midi, profit.
> Araignée du soir, espoir. »

On dit que si une araignée grimpe sur vos vêtements, vous recevrez de l'argent bientôt. Et, si cette promesse vous est faite par une créature rouge et petite connue sous le nom d' « araignée de l'argent », c'est encore mieux.

Chacun sait que tuer une araignée amène la pluie.

Voir une araignée tourner sur sa toile signifie que vous recevrez bientôt de nouveaux vêtements.

La bonne réputation des araignées remonte sans doute au Moyen Âge quand parmi tant d'autres insectes, elle infestait la plupart des demeures. Son goût pour les autres insectes, en particulier les mouches, jouait un rôle important en affaiblissant les germes des maladies. En conséquence, l'araignée devint très en faveur parmi les populations. Cette opinion est d'ailleurs résumée dans ces lignes : « si vous voulez réussir, laissez l'araignée vivre ». Et, c'est toujours vrai aujourd'hui !

ARBRES

Depuis des temps très reculés, les arbres tiennent une place importante dans la vie de l'homme. Nos ancêtres croyant qu'ils abritaient les esprits du bois, une multitude de superstitions se développèrent.

Autrefois, abattre un arbre était un crime puni de mort. (En Grande-Bretagne, notamment, il existe toujours une loi interdisant l'abattage de certains arbres.) Dans maintes sociétés primitives, on soutenait qu'un homme qui coupait une branche d'un arbre quelconque aurait un membre atrophié, voire perdu.

Le lecteur trouvera ci-dessous les superstitions les plus fameuses à travers le monde.

Le *pommier* est associé à bien des superstitions, y compris celle voulant que si une pomme demeure tout un hiver sur l'arbre, un membre de la famille du propriétaire mourra. Un pommier en fleur qui donne déjà des fruits signifie un décès prochain.

Si les rayons du soleil tombent sur l'arbre, le jour de Noël, les récoltes seront abondantes ; pour en être sûr, placez un morceau de pain grillé sur la fourche du plus grand arbre du verger !

Du *pommier sauvage,* on prétend que s'il penche bien et fleurit hors saison, les naissances et les mariages seront plus nombreux, alentour, que les décès.

Les mythologies de plusieurs civilisations affirment que le premier homme a été créé à partir du *frêne* et, en conséquence, bien des croyances lui sont attachées.

En Grande-Bretagne, si les graines ailées du frêne n'apparaissent pas, leur absence augure de la mort d'un monarque régnant. Trouver une feuille de frêne ayant, de chaque côté, un nombre égal de découpes, porte bonheur ; mais, en fait, c'est très rare. Si vous en trouvez une, ramassez-la avec précaution et conservez-la, elle vous promet le bonheur.

En certains lieux, une jeune fille peut découvrir qui sera son futur époux en plaçant une feuille de frêne dans sa chaussure gauche. Le premier homme qu'elle rencontre ensuite lui est destiné.

Le frêne a le don de prédire le temps : si les feuilles du frêne sortent avant celles du *chêne,* il pleuvra mais si le chêne bourgeonne avant le frêne, les précipitations ne seront pas importantes.

Le *peuplier* ou « arbre aux frissons » est entouré de moult superstitions. On affirme que s'il tremble constamment c'est parce que la croix sur laquelle fut crucifié le Christ était en peuplier. L'arbre en a été tellement bouleversé que ses branches n'ont jamais cessé de trembler depuis lors. Il a, dit-on, le pouvoir de remédier à la fièvre. Voici comment procéder : faites une entaille dans son écorce, cachez un morceau d'ongle du patient et rabattez l'écorce. Souvenez-vous que ce rite de conjuration doit se dérouler à la fin de la nuit, sinon la fièvre se réinstallera.

Le *laurier* n'est, dit-on, jamais frappé par la foudre. Certaines personnes le savent encore qui portent des branches de laurier au-dessus de leur tête lors d'un orage.

Des feuilles de laurier qui se dessèchent sur une branche annoncent une mort prochaine.

Ses feuilles sont aussi un test de bonne fortune quand elles sont jetées dans le feu — si elles crépitent violemment, la chance arrive, si elles sont « muettes », prenez garde ! Des branches de laurier accrochées dans une maison éloignent la maladie et un brin sous votre oreiller vous promet de beaux rêves.

L'admiration quasi universelle pour cet arbre est, sans doute, due aux Anciens Grecs qui affirmaient qu'il était consacré à Apollon et à son fils, Asclépios.

Une croix de *bouleau,* placée au-dessus de la porte d'entrée, protège la maison et ses occupants des mauvais esprits et de l'infortune.

En Europe, on dit qu'un jeune *cerisier* portera beaucoup de cerises si une femme qui a récemment mis au monde son premier enfant mange ses premiers fruits.

Les noyaux de cerises vous prédisent également quand vous vous marierez ; il suffit de compter un par un les noyaux qui se trouvent dans votre assiette et de répéter « Cette année, l'année prochaine, un jour, jamais. »

Le *sureau* a des connotations religieuses ; on dit, en effet, que Judas se pendit à un sureau. Pour cette raison, les gens de la campagne ont toujours été très circonspects à son sujet. D'aucuns affirment, cependant, que la foudre ne le frappe jamais. On ne doit pas placer de branches de sureau dans une maison. L'utiliser comme bois de chauffe attire la malchance.

Si un *sapin* est touché ou calciné par la foudre, la superstition considère cela comme un présage de la mort du propriétaire de la terre.

En général, on entend dire que l'*aubépine* porte chance. Une croyance établit avec autorité qu'aucune de ses fleurs ne doit être apportée dans la maison d'un défunt. Ceci mis à part, une branche d'aubépine accrochée au-dessus de la porte d'entrée éloigne les mauvais esprits tandis qu'abattre l'arbuste attire le malheur. D'un autre côté, l'aubépine rend à l'humanité le grand service de prévoir le temps : lorsqu'elle fleurit, le printemps est proche et la dernière gelée déjà loin.

Dans plusieurs pays, si vous faites un vœu, en ayant dans les cheveux des branches de *coudrier,* il sera exaucé. Rappelons que les baguettes des sourciers sont en bois de coudrier.

Les Gallois croient qu'il est extrêmement malchanceux d'abattre un *genévrier ;* le faire, c'est signer son arrêt de mort. L'arbre aurait sauvé l'enfant Jésus durant la fuite de ses parents vers l'Égypte d'où sa réputation d'éloigner tant les mauvais esprits que la maladie.

On ne doit jamais utiliser de *lilas* blanc pour décorer un intérieur, ni en offrir à une personne malade.

En fait, on ne peut pas dire que le lilas soit un arbre bénéfique.

L'*érable* assure, dit-on, une longue vie aux enfants s'ils passent sous ses branches alors qu'ils sont encore très jeunes.

Un *myrte,* poussant dans un jardin et y fleurissant, signifie que la maisonnée est très heureuse. Les Anglais disent, eux, qu'un des membres de la famille se mariera bientôt.

Dès que les branches du *mûrier* commencent à bourgeonner, la superstition veut que les gelées soient terminées pour l'année.

Depuis les tout premiers temps, le *chêne* est considéré comme un arbre sacré et la mauvaise chance assaille quiconque l'abat. Lorsque ses feuilles sont très frisées, elles indiquent le beau temps.

La noix de galle souvent trouvée sur les feuilles de chêne est engendrée par les insectes. Certains prétendent que si, en ouvrant une, vous y découvrez un ver, vous deviendrez riche, une mouche, malheureux et une araignée, malade.

Le gland, fruit du chêne, peut aussi être utilisé comme charme d'amour, dit une autre croyance : il faut en immerger deux dans un bol d'eau ; s'ils flottent de conserve, les jeunes gens se marieront tandis que s'ils dérivent chacun de leur côté, il en ira de même pour le jeune couple.

Si le *prunier* fleurit en décembre, il présage une mort dans le ménage durant l'hiver.

Les Écossais croient que les branches de *sorbier* offrent une protection contre les sorcières et les mauvais esprits si on les accroche au-dessus de la porte d'entrée des maisons ou des étables.

Pour les fermiers, le *noyer* est un arbre de très bon augure. S'il donne une récolte abondante, ils savent que le prochain hiver sera rigoureux mais qu'en revanche, la récolte de blé de l'été suivant sera très bonne.

Le *noisetier,* en général, indique lui aussi un hiver rigoureux, s'il donne beaucoup de noisettes et vice versa.

Le *saule pleureur,* emblème traditionnel du chagrin, est très souvent associé à ceux qui sont malheureux en amour. On a coutume de croire que si une personne délaissée porte un rameau de saule pleureur, « le cœur de l'arbre » fera sienne sa souffrance.

L'*if* est, depuis des siècles, considéré comme l'arbre gardien de la mort et, un peu partout en Europe, on le rencontre dans le moindre cimetière. En conséquence, on pense qu'il porte malheur d'en abattre un ou même d'élaguer une seule de ses branches.

L'if étant supposé vivre plus de neuf siècles il symbolise donc l'immortalité. D'aucuns avancent que c'est la raison pour laquelle certaines églises ont été construites si près de lui.

ARC-EN-CIEL

La vieille superstition voulant qu'on puisse trouver à l'extrémité d'un arc-en-ciel un chaudron d'or a ravi notre enfance, en dépit du fait qu'on ne sache jamais où se trouve la fin de l'arc-en-ciel !

Depuis l'aube des temps, l'humanité a reconnu dans la beauté du phénomène par lui-même une source de plaisir et, par implication, de bonne fortune.

Dans les pays scandinaves, la tradition veut qu'il soit traité avec une certaine réserve puisque, dit-on, l'arc-en-ciel est la voie céleste empruntée par les âmes des enfants pour rejoindre les dieux.

Bien sûr, l'apparition d'un arc-en-ciel est interprétée en tant que présage de mort pour les gosses du voisinage.

Pour le reste de l'Europe, l'arc-en-ciel est signe de chance (faites un vœu quand vous en voyez un) et aussi un moyen de prévoir le temps. Par exemple, voir un arc-en-ciel le matin est signe de pluie pour le lendemain tandis que s'il apparaît l'après-midi, il fera beau.

Les Irlandais croient, quant à eux, qu'un arc-en-ciel visible un samedi annonce une semaine orageuse.

De plus, un arc-en-ciel dirigé vers l'Ouest indique qu'il pleuvra encore tandis qu'à l'Est, le temps se remettra au beau très bientôt.

ARGENT

L'argent ne pousse pas quand on le sème mais il pousse quand on le perd. S'il faut en croire les Alsaciens, de nombreux arbres ont peuplé les forêts à l'endroit même où des bûcherons avaient perdu des pièces d'argent.

Pour être sûr d'avoir toujours de l'argent, une vieille superstition vous conseille de porter sur vous une pièce tordue et une pièce trouée — et de ne jamais les utiliser pour faire vos achats.

Vous ne devez jamais avoir de l'argent dans plus d'une poche ou vous perdrez tout.

La superstition offre également plusieurs conseils pour en gagner.

L'ancienne coutume de cracher sur la première pièce reçue durant le travail matinal était basée sur la croyance que le geste aiderait son nouveau possesseur « à se tenir au travail » et par là, lui assurerait la richesse.

Vraisemblablement, une des plus anciennes croyances concernant l'argent est la superstition — toujours bien en vie aujourd'hui — que vous ne serez jamais riche si vous raccommodez un vêtement que vous avez sur le dos. Parions qu'il n'y a pas grand monde capable d'expliquer pourquoi !

ARGENTERIE

Un couplet, très fameux dans les campagnes anglaises, renferme une vieille superstition :

> « Le couteau tombe, l'homme crie,
> la fourchette tombe, la femme crie,
> la cuiller tombe, l'enfant braille. »

ASCENSION (LE JOUR DE L')

Dans certains coins de Grande-Bretagne, notamment au Pays de Galles, on considère encore que travailler le jour de l'Ascension porte malheur et favorise les accidents.

Les Provençaux cueillaient jadis à l'aube de ce jour une branche d'une plante grasse nichée dans le creux d'un rocher. Pour se concilier paix et prospérité, le paysan l'accrochait à la poutre maîtresse de sa maison.

Jadis, on prétendait que la tête d'un agneau était toujours visible parmi les nuages, ce jour-là. Mais de nos jours, seules subsistent les croyances superstitieuses à propos du temps. S'il pleut à l'Ascension dit un adage, les récoltes seront maigres et

29

les épidémies parmi le bétail nombreuses ; s'il fait beau, l'été sera long et chaud.

ASTHME

Une croyance remontant au xvie siècle a la vie dure dans certaines régions rurales d'Europe. Elle prétend que l'asthme peut être guéri en consommant de la viande de chat crue ou en ingérant de la bave de mule. Toutefois, si cela vous dérange quelque peu, sachez que quinze jours de diète en n'absorbant que des carottes bouillies seront tout aussi efficaces !

ASTROLOGIE

L'astrologie et la divination outrepassent les frontières de la superstition. Ces arts, vastes et divers, méritent plus qu'une simple mention. Le lecteur est, sans aucun doute, familiarisé avec les colonnes de l'horoscope qui fleurissent dans la plupart des quotidiens. Les livres disponibles sur ces deux sujets suffisent, quant à eux, à remplir une bibliothèque.

Aux sources de ces pratiques, nous retrouvons les Anciens qui vénéraient les astres qu'ils voyaient au-dessus de leur tête ; aujourd'hui, nous avons affaire à une science florissante bien que la croyance de base voulant que les mouvements des astres influencent la vie des gens demeure inchangée. Les douze signes du zodiaque nous sont, bien sûr, tout à fait familiers et bien que les diseurs de bonne aventure essayent de donner l'impression que « lire » les signes est facile, nous savons qu'en fait, déduire une information précise et intelligible requiert des détails infinis et une analyse soigneuse.

ASTRONAUTES

La superstition a déjà trouvé son chemin dans l'univers de l'accomplissement technologique de l'homme : les vols spatiaux.

Les astronautes évitent avec soin les traditionnelles couleurs maléfiques. La majorité de ceux qui ont participé aux missions spatiales croit qu'il est nécessaire que de petits ennuis ou incidents techniques interviennent pendant la phase de simulation du vol pour que la mission soit couronnée de succès — (ceci évoque les croyances rencontrées chez les gens de théâtre).

Les récents changements de conditions atmosphériques ont été imputés aux lancements de fusées ou à l'explosion d'armes nucléaires ; bien d'autres phénomènes ont été mis sur le compte de l'intrusion de l'homme dans les espaces célestes inconnus.

Il n'est pas inintéressant de préciser que, d'une façon ou d'une autre, toutes les superstitions particulières à ce domaine ont été ravivées dans l'esprit de bien des individus par l'échec de la mission Apollo 13, chiffre porte-malheur par excellence !

AU REVOIR

La plupart d'entre nous agitent la main pour dire au revoir à des hôtes jusqu'à ce qu'ils soient hors de vue.

Une superstition — encore vivace à la campagne — dit que c'est un geste maléfique quand hôtes et invités le font, ces gens pourraient très bien ne jamais plus se revoir.

En Allemagne, une croyance veut qu'en rendant visite à des gens qui ont des enfants vous deviez toujours vous asseoir avant de partir, faute de quoi vous emporteriez l'insouciance des enfants.

AUBÉPINE

L'aubépine est connue pour porter malchance et un bouquet dans une maison attire le malheur.

Dans le Suffolk (Grande-Bretagne), les gens croient qu'il porte malheur de placer des fleurs d'aubépine dans une chambre, d'autres pensent qu'utiliser en mai un balai en bois d'aubépine « balayera » le chef de famille.

AUTOMOBILE

L'automobile est une invention récente, pourtant elle est déjà entourée d'un nombre de superstitions qui va croissant avec les années.

Seul, le plus téméraire des automobilistes commentera des accidents ou se vantera d'un record quelconque avant d'entreprendre un voyage.

Ne laissez pas dans une automobile dont vous vous séparez

vos fétiches. Installez-les dans votre nouvelle voiture : en le faisant, vous transférez votre chance.

Nombre d'automobilistes en sont venus à croire que certaines voitures portaient la poisse et que, quoi que vous fassiez, elles iront d'un ennui mécanique à un autre, voire d'un accident à un autre. De telles voitures pourraient très bien avoir été acquises un vendredi 13 ou avoir une immatriculation dont la somme des chiffres donne le nombre portemalheur par excellence.

Il porte bonheur, dit-on, de rester fidèle à une marque d'automobiles après avoir joui d'une période sans ennui avec un véhicule.

De nombreux vendeurs de voitures d'occasion disent que celles ayant appartenu à des gens riches sont très demandées parce qu'on suppose que leur nouveau propriétaire héritera d'un peu de leur chance.

Mais, il se pourrait que la plus fameuse de toutes ces superstitions soit celle voulant qu'il pleuvra dès que vous aurez terminé de laver votre voiture. Bien sûr, ceci n'est que le prolongement d'une croyance plus ancienne qui enseignait qu'à tout acte en succédait un autre de même nature. — Ici, en faisant « pleuvoir » de l'eau sur sa voiture, l'automobiliste invite les dieux de la pluie à faire de même. Et bien plus souvent qu'ils n'y sont tenus !

AVIONS

De nos jours, le personnel navigant des lignes aériennes frémit d'horreur comme un seul homme en entendant les mots « atterrissage forcé » et « se planter » avant un vol. Sur de nombreuses lignes aériennes, on continue à croire qu'un atterrissage forcé ou une avarie seront suivis de deux autres. De nombreux pilotes et membres d'équipage portent de petites amulettes et ces gens partagent une aversion universelle pour les fleurs à bord, en particulier les rouges et les blanches. Les équipages de l'Air Force croient qu'en « touchant du bois », ils s'attirent la bonne fortune. Le bois doit être vivant, c'est-à-dire, celui d'un arbre sur pied. Le bois utilisé pour les tables, les fauteuils est dit « mort » et n'est donc pas de bon augure. Un pilote est aussi supposé préserver sa chance en vidant le contenu de ses poches sur le sol après l'atterrissage en signe de sacrifice et d'offrande. Les pilotes américains bouclent toujours les ceintures de sécurité inutilisées avant le décollage pour ne pas offenser les dieux de l'inconnu.

AVRIL, LE JOUR DES FOUS

L'origine du Jour des Fous, le 1er avril, se perd dans la nuit des temps. Dans sa forme moderne, cette coutume semble née en France au xvie siècle.

En 1564, les Français décrétaient que le 1er janvier serait désormais le premier jour de l'année. Auparavant, le premier jour de l'année tombait le 25 mars (c'est aujourd'hui, le jour de la fête de l'Annonciation).

Il semble qu'à cette époque, les gens avaient l'habitude d'échanger des cadeaux pour célébrer la nouvelle année. L'ancienne date (25 mars) tombait durant la Semaine Sainte, aussi, le clergé insista-t-il pour que cette réjouissance soit repoussée au 1er avril. Par conséquent, quand le jour de l'an nouveau fut déplacé en janvier, les Français prirent l'habitude de rendre visite à leurs amis dans l'espoir de les « berner », de leur faire croire que c'était encore le Jour de l'An.

Depuis ces modestes débuts, la tradition a essaimé à travers toute l'Europe et concerne, à présent, la majeure partie du globe terrestre.

B

BAGUETTES

Là où on utilise des baguettes pour manger, une croyance prétend qu'en casser une est de très mauvais augure.

Au Japon, on dit que si un enfant casse autre chose que son assiette quand il mange avec des baguettes, il deviendra muet. Toutefois, cette affirmation ressemble plus à un encouragement pour acquérir les bonnes manières qu'à une superstition...

BÂILLER

En dépit de la facilité avec laquelle on peut se faire bâiller soi-même — surtout si quelqu'un bâille sous notre nez, n'est-ce pas ? — le bâillement a une place dans la superstition.

L'habitude de mettre sa main devant sa bouche en bâillant n'est pas une simple question de savoir-vivre. En effet, une croyance voulait que lorsqu'une personne bâillait, les mauvais esprits saisissaient l'occasion pour se glisser dans sa bouche et donc, dans son corps.

En Turquie, on va jusqu'à dire que bâiller est dangereux. Cet acte permet à l'âme de s'échapper à moins de fermer la bouche rapidement.

Les Indiens d'Amérique du Nord prétendent qu'un bâillement indique que la Mort vous appelle et pour éviter qu'elle ne vous fauche, ils vous conseillent de mordre très vite le médius et le pouce de votre main, sans préciser laquelle.

BAIN

Dans les Îles Britanniques, il existe une vieille superstition

34

relative à la première baignade d'une personne, tant en mer qu'en rivière. Cet adage très connu en témoigne :

« Qui se baigne en mai reposera bientôt en terre
Qui se baigne en juin chantera un joli refrain
Mais qui se baigne en juillet dansera comme une mouche. »

Jadis, les gens pensaient que le fait de se laver ne débarrassait pas seulement le corps des impuretés mais aussi le cœur des péchés. Cette opinion de l'époque semble être à l'origine du dicton.

En de nombreux endroits, on prétend que se laver à grande eau chasse la chance. D'ailleurs, au Pays de Galles, les mineurs veillent à ne pas se laver le dos par crainte que la mine ne leur tombe dessus.

Voir une personne nue se baigner porte chance, à condition, toutefois, que ce soit par hasard. Parions que la personne ainsi surprise n'est pas du même avis !

Les baigneurs remarqueront avec intérêt que la vieille superstition affirmant qu'il est mauvais de baigner les pieds en premier « parce que les pieds sont placés au-dessous de la tête et donc inférieurs » trouve à présent résonance auprès des médecins qui conseillent de mouiller la tête avant d'entrer dans l'eau afin de réduire les risques de céphalées et de crampes.

BAISERS

Les hommes primitifs croyaient que l'air qu'ils respiraient possédait quelque pouvoir magique et s'embrasser était considéré comme un acte sacré — un acte au cours duquel l'homme et la femme mêlaient leurs âmes.

Selon deux traditions britanniques, si un homme bronzé embrasse une fille, elle peut attendre une proposition de mariage. Mais si une fille embrasse un homme moustachu et qu'un des poils reste sur ses lèvres, elle est destinée à mourir vieille fille !

De nombreuses personnes disent encore qu'on ne doit pas autoriser les enfants à s'embrasser avant qu'ils ne sachent parler, sinon ils grandiront idiots et accorderont leur affection sans discernement.

On dit aussi qu'il est dangereux d'embrasser quelqu'un sur le bout du nez et que le malheur s'abattra sur quelqu'un à qui on pose un bisou sur la joue en se penchant au-dessus de son épaule. Autrefois, on disait qu'un tel baiser précédait un coup de couteau dans le dos !

On connaît également un vieux dicton qui dit en substance « quand le genêt est hors de saison, le baiser est hors de faveur ». Mais au fait, savez-vous que cet arbuste fleurit toute l'année ?

BALAI

Nul n'ignore que le balai est le moyen de locomotion favori des sorcières.

Cette croyance s'est révélée erronée puisque l'on sait à présent que les sorcières ne « voyageaient » que par le truchement de leurs drogues.

Quant à son utilisation quotidienne, de nombreuses personnes croient qu'un balai neuf doit être étrenné pour balayer quelque chose dans la maison avant de balayer la poussière à l'extérieur, sinon, vous mettez votre chance à la porte.

Au nord de l'Angleterre, on croit qu'acheter un nouveau balai en mai porte malheur : il « balayera vos amis ».

Dans le Yorkshire, on affirme que si une jeune fille enjambe un manche a balai, elle sera fille mère.

Emmener un vieux balai avec soi dans une nouvelle demeure c'est emporter toute sa mauvaise fortune, et il est vrai qu'un balai neuf, du pain et du sel sont connus pour assurer un avenir heureux dans une nouvelle maison.

Balayer à la nuit tombée porte malheur et chasse l'argent.

Si un enfant saisit un balai et s'en sert, des hôtes inattendus vont arriver.

N'enjambez jamais un balai, ce geste vous vaudrait mauvaise chance tout comme un balai qui tombe quand vous passez à proximité.

Ajoutons que le présage est funeste si vous empruntez un balai, si vous en prêtez un — ou pire encore, si vous en brûlez un.

Une superstition africaine garantit qu'une des pires choses que vous puissiez faire est de battre un homme avec un balai puisque à moins qu'il s'en saisisse pour vous rendre la pareille en sept coups, il deviendra impuissant. Cependant, si un tel avatar arrive à une femme, on dit qu'elle perdra son mari et on ne peut prescrire aucun remède à cette situation extrême...

BALAYER

Un peu partout à travers le monde, on considère qu'il est maléfique de balayer la poussière hors d'une maison ; en le faisant, vous pourriez très bien balayer votre bonne chance. Cependant, il est tout à fait indiqué de balayer la poussière vers le centre de la pièce et ensuite d'en disposer comme bon vous semble : ainsi, vous ne courrez pas le moindre risque.

On croit aussi qu'il porte malheur de balayer le Jour de l'An ou le Vendredi Saint.

En mai, il ne faut jamais utiliser un balai en branches de bouleau. On pense que c'est condamner à mort le chef de famille.

BALEINE

Dans la superstition, la baleine a toujours été une créature porte-bonheur et le malheur guettait ceux qui les tuaient.

Toutefois, l'apparition de ces mammifères en des endroits où on ne les voit généralement pas annonce de grandes catastrophes.

Pendant des années, les épouses des pêcheurs de baleines ont cru qu'elles devaient garder le lit et jeûner pendant que ceux-ci étaient en mer, faute de quoi, leur campagne serait mauvaise.

BAPTÊME

On rencontre presque autant de superstitions relatives au baptême d'un enfant qu'il en existe au sujet des bébés.

On a coutume de croire qu'un nouveau-né doit être baptisé dès que possible après sa naissance pour éviter qu'il ne coure le risque d'être emporté par les fées ou les mauvais esprits. En attendant la cérémonie, pour le protéger, on peut le couvrir d'un vêtement appartenant à son père quand le danger est imminent.

Dans de nombreux pays européens, on renforce cette protection en accrochant au faîte du berceau des herbes, du pain, du sel et un morceau de métal.

Dans le nord de l'Angleterre, une superstition veut qu'un enfant qui ne pleure pas lorsqu'on le baptise sera méchant et désobéissant puisque l'eau bénite n'aura pas triomphé des mauvais esprits.

Il importe également de ne pas essuyer l'eau baptismale du visage, elle doit sécher naturellement.

Si le bébé porte une coiffe de baptême, il devra la porter au moins pendant les douze semaines suivantes.

Une petite fille ne doit pas être baptisée avec la même eau qu'un garçon, prétend une croyance allemande, sinon elle grandira avec une barbe !

Aux États-Unis, certains affirment qu'on doit recueillir l'eau baptismale et la faire boire à l'enfant afin qu'il ou elle devienne un excellent chanteur.

En diverses régions du monde, on croit qu'appeler un enfant par son prénom avant qu'il ait été baptisé porte malheur.

Les Écossais croient que les enfants qui meurent avant d'avoir reçu les sacrements du baptême deviennent des fantômes et qu'on les voit souvent dans les bois ou les endroits isolés se lamenter sur leur triste sort.

C'est dans le Comté de Chester qu'on rencontre la superstition la plus extraordinaire à propos des enfants non baptisés ; on y affirme, en effet, qu'ils ne peuvent pas mourir.

Au nord de l'Angleterre, on croit que le premier enfant baptisé dans une église neuve sera réclamé par le Diable. L'origine de cette tradition réside, semble-t-il, dans l'ancienne coutume d'enterrer vivant un enfant ou un homme dans les fondations d'une église afin d'assurer au nouvel édifice une bonne sonorité !

Les Gallois croient qu'un baptême succédant à un enterrement est un funeste présage ; dans le même esprit, pour donner une vie heureuse et comblée à un enfant, son baptême devra être suivi par une cérémonie de mariage.

Dans de nombreuses superstitions, le baptême revêt une importance souveraine ; nombre de légendes enseignent que ce rituel fortifie les enfants maladifs et faibles et leur octroie une croissance vigoureuse.

En fin de compte, pour sceller l'avenir d'un enfant, il est essentiel de passer à table. Le banquet doit se tenir dès la sortie de l'église ; les mets doivent être le plus abondant possible et surtout bien arrosés. L'origine du dicton « Arroser la tête du bébé » remonte à l'époque où des orgies accompagnaient tous les baptêmes.

BARQUE

Gardez-vous de prononcer le mot « chat » si vous êtes dans une barque avec des Dieppois ou le mot « lapin » si vos compagnons sont Bretons. Ces deux créatures étant du plus mauvais augure pour la pêche.

BASE-BALL

Les joueurs de base-ball américains ont été décrits par un des leurs, Christy Mathewson du New York Giants, comme étant les « enfants de la superstition ».

Ils sont réellement très prompts à croire en d'étranges choses.

Leurs croyances bénéfiques, si importantes, sont réputées leur accorder chacune un coup gagnant.

Ainsi, par exemple, un joueur qui voit une femme qui louche dans la tribune ne marquera aucun point pendant toute la partie. En revanche, s'il voit une femme rousse, c'est un jour de chance — en particulier, si celle-ci lui donne une épingle à cheveux.

Les gants influencent, eux aussi, la chance. On dit qu'il est essentiel qu'un joueur soit certain que les doigts de ses gants sont pointés vers le sol lorsque avant le jeu il se trouve dans le vestiaire de sa propre équipe.

Naturellement, certaines superstitions concernent la batte de base-ball. On dit que chaque batte contenant un nombre donné de coups gagnants, il ne faut pas la prêter à un compagnon de jeu hormis si l'on désire voir sa chance tourner.

Une batte brisée est signe d'infortune.

Nulle équipe ne prospérera si l'un de ses membres abandonne une batte en travers de la porte du vestiaire.

Un chien qui traverse le terrain de jeu porte la poisse aux joueurs.

Pour finir, mentionnons une croyance encore vivace dans le milieu du base-ball et qui n'étonnera personne : jamais saison ne commencera un vendredi !

BEAUTÉ

D'après une superstition existant en Europe, et en particulier en Grande-Bretagne, le plus sûr moyen d'acquérir la beauté est de se baigner dans la rosée le premier matin de mai.

Les Allemands recommandent de boire chaque jour plusieurs tasses de café froid, alors que les Hongrois affirment que le tour est joué si l'on prend un bain dans du sang humain... Quelle épouvantable idée !

BÉBÉS

De par le monde, on rencontre une multitude de croyances superstitieuses concernant les bébés. Faute de place, nous ne mentionnerons ici que les plus connues.

Balancer un berceau vide, c'est vouer le nouveau-né à une mort précoce.

Pour protéger un bébé des démons et des sorcières, il faut placer sur le seuil de la maison un couteau puisque le fer ou l'acier annihile leurs pouvoirs maléfiques.

En Irlande, on dit que cracher sur un nourrisson lui porte chance ; au Pays de Galles, pour arriver aux mêmes fins, le procédé est plus agréable, il suffit d'enduire de miel la tête du rejeton.

Concernant la naissance proprement dite, la mère aura une délivrance facile si l'on prend garde de ne fermer ni portes, ni fenêtres pendant la durée du travail.

Si l'enfant s'est présenté les pieds en avant, dit une autre croyance anglaise, un accident le rendra boiteux très jeune à moins que l'on ait frotté ses jambes avec des feuilles de laurier. Toutefois, certains soutiennent que de tels enfants ont le pouvoir de guérir les douleurs musculaires et que, devenus adultes, ils sont très recherchés dans les campagnes.

Un ou une enfant dont la mère est morte en couches, est, lui aussi, réputé posséder des pouvoirs curatifs et l'on fait appel à lui pour donner « le baiser de vie » à ceux qui souffrent d'affections respiratoires.

En de nombreux pays, on croit que laisser un enfant se regarder dans un miroir avant qu'il ait six mois est maléfique, et qu'il mourra avant la fin de l'année.

Ailleurs, on dit que couper les ongles des mains ou des pieds d'un bébé de moins d'un an fera de lui un voleur. La mère sera donc bien avisée de rogner les petits bouts d'ongles au lieu et place d'une paire de ciseaux.

Au Pays de Galles, pour assurer une saine croissance à un enfant, on verse l'eau de sa toilette au pied d'un arbre feuillu et l'on dit qu'un enfant sevré ne doit, sous aucun prétexte, être remis au sein sinon il deviendrait un homme très mal embouché !

Les mères doivent toujours habiller leur bébé en commençant par les pieds à moins qu'elles ne souhaitent qu'il grandisse en mauvaise santé ; la superstition veut que le pied étant inférieur à la tête, il soit couvert avant elle.

Embrasser un nouveau-né est un geste naturel, n'oublions pas que les enfants étant les messagers de la Chance, cette habitude porte bonheur.

Certaines personnes de la campagne disent qu'un enfant né avec des dents sera égoïste ; qu'un enfant qui naît avec la main droite ouverte sera généreux. Cependant, un enfant qui saisit son premier objet de la main gauche sera malheureux. Un exemple de plus pour souligner la mauvaise réputation attribuée à la gauche.

Dans plusieurs pays européens, on croit que peser un enfant est funeste ; l'enfant étant un don de Dieu, évaluer sa générosité est une insulte.

Une légende d'Europe centrale raconte qu'aucune mère ne doit jamais donner tous les vêtements de son enfant après qu'il ou elle a fini de les porter ; le faire signifie qu'elle en aura à nouveau besoin sous peu, qu'elle le désire ou non !

Une superstition juive dit que l'œil du diable est aux aguets

41

dès que quelqu'un commente la beauté d'un bébé ; on peut conjurer ce mauvais sort en prononçant trois fois en yiddish : « Que le mauvais sort retombe sur celui qui te l'a jeté ! »

Les Juifs croient également qu'on ne doit jamais regarder un enfant dormir ; cette action équivalant à regarder la mort pourrait très bien y conduire.

Aux États-Unis, les jeunes mamans couvrent leur bébé d'une vieille serviette ou d'un vieux linge afin qu'il ne devienne pas égoïste.

Quand on berce un petit enfant pour la première fois, il faut le prendre du côté gauche, faute de quoi, il deviendra gaucher.

On croit aussi qu'un nourrisson sevré au début du printemps aura les cheveux gris de bonne heure.

Une autre superstition américaine conseille de ne jamais faire sauter un bébé dans les airs au risque qu'il ne devienne simple d'esprit. Mais, si vous avez un enfant chauve, consolez-vous, il ou elle sera brillant élève.

En Louisiane, on croit que l'on peut prédire l'avenir d'un enfant en plaçant à sa portée une Bible, un jeu de cartes et une pièce d'argent. Si l'enfant saisit la Bible, il aura une vie heureuse, s'il prend le jeu de cartes, il sera joueur et s'il s'empare de la pièce, ses entreprises financières seront couronnées de succès.

En Grande-Bretagne, une vieille croyance dit que si l'on permet à un nouveau-né de faire pipi dans la cheminée, il ou elle sera propre de bonne heure et se conduira bien dans la vie.

Habiller un bébé en noir est fatal et signifie que le petit ne vivra pas au-delà de l'enfance.

Dans plusieurs comtés en Angleterre, on raconte qu'à sa première sortie une femme qui vient d'accoucher doit se rendre à l'église et nulle part ailleurs. Si elle l'ignore à dessein, elle attire la malchance sur elle, bien sûr, mais également sur ses amis et les gens qui la rencontrent. A la campagne, certains prétendent même que si une telle « impie » rend visite à une autre femme, cette dernière aura un enfant un an plus tard.

BÊCHE

Il est maléfique d'attirer l'attention d'une personne en agitant une bêche dans sa direction ; on pense que c'est attirer la mort sur elle à moins qu'elle ne vous lance une poignée de terre.

Un présage encore plus sombre dit que transporter une bêche dans une maison symbolise le creusement d'une tombe pour un des vôtres.

BELETTE

La belette est une créature de mauvais augure où qu'elle se trouve.

Si l'une d'entre elles rôde autour d'une maison en poussant son cri perçant, la mort arrive.

Croiser une belette est de mauvais augure surtout si elle se sauve vers la gauche. Tout ira encore plus mal, si elle est blanche.

Il semble que les belettes aient gagné leur mauvaise réputation parce qu'on croyait, jadis, que les sorcières prenaient leur forme pour aller exécuter leurs diaboliques méfaits.

Dans certaines contrées d'Europe, on dit qu'il est impossible pour un homme de capturer une belette endormie.

BERCEAU

On connaît deux superstitions contradictoires concernant les berceaux :

En Europe, on pense que balancer un berceau vide signifie que vous en aurez à nouveau besoin dans un an.

Au Nord de l'Angleterre et aux Pays-Bas, le même geste risque d'entraîner la mort du dernier enfant qui y a dormi.

BERGER

La croyance populaire veut que les bergers soient dotés de pouvoirs surnaturels. Les montagnards affirment qu'il est sage de se signer si on croise un berger inconnu.

Rencontrer un troupeau de moutons qui descend des alpages lorsque s'allume l'Étoile du Berger est bénéfique.

Un vieil adage dit : « Bon berger ne compte pas ses

agneaux. » Si le faisant, il se trompait, le loup mangerait ceux qu'il a omis et la maladie terrasserait ceux qu'il a comptés en trop.

BÉTAIL

Durant des siècles, l'idée que le bétail était une des cibles favorites des sorcières a subsisté. En conséquence, un grand nombre de sortilèges ont vu le jour.

Ainsi, pour protéger les animaux d'une étable, les Irlandais éparpillent des primeroses sur le sol et accrochent un rameau de sorbier ou d'arbre à grives à la porte.

Les Écossais maintiennent, eux, que les vaches doivent être brossées derrière les oreilles et à la base de la queue, faute de quoi les sorcières s'empareraient de leur lait.

Le bétail est également source de présages et si vous voyez un bœuf ou une vache faire irruption dans votre jardin, l'un de vos proches mourra bientôt.

Une superstition irlandaise dit que si vous rencontrez une femme avant un homme alors que vous menez votre bétail à la foire, vos affaires seront infructueuses.

Si vos vaches broutent très près les unes des autres, si elles s'étendent côte à côte ou si elles meuglent excessivement, c'est signe de pluie.

A l'inverse, si elles paissent en terrain découvert, le beau temps arrive.

En certains points d'Europe, une autre croyance veut que le bétail tourné à l'Est alors que sonne minuit la veille de Noël, s'agenouille pour adorer l'enfant Jésus ainsi que leurs aïeux l'avaient fait des siècles auparavant. D'aucuns prétendent même qu'ils acquièrent la parole pour cette seule nuit.

On devine aisément pourquoi, être témoin de ce spectacle ne porte pas chance aux humains !...

BEURRE

Une superstition affirme qu'il faut jeter une pincée de sel dans le feu avant de commencer à faire le beurre sinon le lait ne bouillonnera pas.

En Grande-Bretagne, sur certaines côtes, on affirme que le

lait ne caille pas quand la mer monte. En France, on partage cet avis.

Les Écossais croyaient que le jeu favori des sorcières était d'empêcher le lait de tourner en beurre. C'est la raison pour laquelle leurs barattes étaient en bois de sorbier, essence bien connue pour effrayer ceux qui ont scellé un pacte avec le diable.

En Bretagne, d'aucuns placent de nos jours une motte de beurre près du lit de mort d'un cancéreux. Au retour de l'enterrement, ils doivent l'enfouir dans la terre et avec elle le cancer qui s'y était réfugié.

BIBLE (LA)

Depuis des siècles et des siècles, la Bible a été source de présages.

Si on la laisse ouverte, elle protège des mauvais esprits, affirme-t-on. Mais, un peu partout, elle sert surtout à la divination.

En Angleterre et en Amérique du Nord, ouvrir la Bible au hasard le Jour de l'An et désigner du doigt un passage, prédit au lecteur les événements pour l'année qui vient.

Aux États-Unis, une croyance des plus fantasques veut qu'un jeune homme puisse utiliser les Proverbes pour déterminer le caractère de sa petite amie et savoir si, oui ou non, il peut l'épouser.

En premier lieu, il doit connaître son âge et chercher le verset correspondant dans le premier chapitre des Proverbes. Ledit verset lui fournira un aperçu de la nature de la jeune fille et de son tempérament — mais pour ce faire, il faut, bien sûr, que l'intéressée lui ait donné son âge exact !

Une jeune fille peut obtenir réponse à la même question en plaçant la clé de sa porte dans la section de la Bible dite « Cantique des Cantiques ». L'anneau de la clé doit saillir et l'Ancien Testament être ficelé avec sa jarretelle ou son bas. Elle demande alors à deux personnes de la tenir en glissant un doigt dans l'anneau et prononce ces versets du plus beau chant de Salomon :

« Fort comme la Mort est l'Amour ;
inflexible comme Enfer est Jalousie ;
ses flammes sont des flammes ardentes :
un coup de foudre sacré.
Les Grandes Eaux ne pourraient éteindre l'Amour
et les Fleuves ne le submergeraient pas.
Si quelqu'un donnait tout l'avoir de sa maison en échange de
l'Amour,
à coup sûr, on le mépriserait. »

Si la Bible à ces mots tourne entre les mains ou choit sur le sol, la jeune fille se mariera. Si elle ne bouge pas, son lot sera de demeurer vieille fille.

BIJOU
Aux États-Unis, on prétend que la malchance s'abattra sur le propriétaire d'un bijou qui aurait été refait, sans suivre avec fidélité le dessin original.

BLAIREAU
Jadis, en Europe, le blaireau était très en faveur auprès des joueurs. Une légende rapportait qu'une des dents de l'animal les protégeaient et que s'ils avaient tenu un pari ils ne pouvaient le perdre !

BOSSU
Une ancienne superstition dit que toucher la bosse d'un bossu porte chance.

Selon une opinion très répandue jadis, les gens contrefaits étaient considérés diaboliques par nature ; ils n'apportaient que du mal à l'humanité à cause de leur cruelle affliction. Ainsi, en touchant « avec charité » un être aussi mauvais, on pensait qu'une personne recevait de l'aide la mettant à l'abri des forces invisibles de la nature.

Donc, si les rois, autrefois, choisissaient un bossu comme bouffon, ce n'était pas uniquement pour amuser leurs courtisans mais aussi pour se concilier les faveurs de la chance...

Aujourd'hui, on peut toujours voir des bossus à proximité de certains casinos célèbres, démontrant ainsi l'impact permanent de la superstition... et gagnant bien leur vie avec les pourboires qu'ils en tirent !

BOUGIES

Les superstitions et les présages associés aux bougies sont légion de par le monde. L'une des plus anciennes est utilisée pour les prédictions :

Si une bougie n'éclaire pas, c'est signe de tempête. Si, là où il n'y a pas le moindre souffle d'air, la flamme d'une bougie vacille, le mauvais temps est imminent.

Si la flamme est bleue, elle indique le gel ou une mort en mer.

Si une bougie coule et que la cire forme un « linceul », c'est un présage de mort pour la personne assise le plus près.

La superstition veut qu'il soit important d'allumer des bougies lors des principaux événements de la vie : naissance, mariage et mort, afin que les mauvais esprits soient tenus en respect à ces moments cruciaux.

Jadis, on avait coutume de dire qu'une bougie qui faisait des étincelles indiquait que la personne assise en face recevrait une lettre. De nos jours, on dit plus volontiers qu'elle annonce l'arrivée d'étrangers !

Les Français et les Allemands croient que la bougie est un test de virginité puisque, seule, une jeune fille pure peut ranimer la flamme d'une bougie qui s'éteint.

Dans le nord de l'Angleterre, la bougie est utilisée comme sortilège d'amour ; si deux épingles sont piquées dans une bougie allumée, au moment où la flamme les atteindra, l'amoureux cherché arrivera. Pour que le charme réussisse, il n'est pas inutile de réciter, de plus, les paroles suivantes : « Ce n'est pas seulement la bougie que je pique, mais aussi le cœur de (ici le nom de l'être aimé) que j'aiguillonne. Qu'il dorme ou qu'il veille, qu'il (ou elle) me parle. » Il est, cependant, difficile d'imaginer qu'en tirant quelqu'un du sommeil, on le mettra d'humeur amoureuse !

Allumer une bougie à la flamme d'un feu empêche de devenir riche et laisser une bougie se consumer seule attire l'infortune.

Heurter une bougie, par inadvertance, est signe de mariage.

La charmante coutume d'allumer des bougies à la fenêtre à Noël — voire dans l'arbre — trouve ses origines dans l'idée qu'elles indiquent la route de Bethléem à la Sainte Famille.

On prétend qu'elles assurent encore à ceux qui respectent cette tradition une année de joie, de chaleur et d'abondance.

BOUILLOIRE

La superstition avertit les jeunes filles qu'elles ne doivent pas placer une bouilloire le bec tourné vers le mur, sous peine de ne jamais rencontrer l'homme de leur vie.

Faisant fi des dommages que la vapeur fera à la peinture !

BOUTS DE SEIN (hommes)

En Europe centrale, une superstition prétend qu'il est possible de dire d'après la couleur des bouts des seins d'un homme s'il engendrera des enfants. Roses, c'est non, bruns, c'est oui !

BOUTON

Une superstition courante veut que si vous boutonnez mal un vêtement, vous êtes bon pour une journée semée d'embûches. Toutefois, pour conjurer le mauvais sort enlevez-le et recommencez !...

Trouver un bouton annonce que vous allez vous faire un nouvel ami.

Quelle mère américaine n'a pas récité ce couplet à sa fille pour qu'elle découvre la profession de son futur mari en comptant les boutons de sa chemise ? « Un médecin, un juge, un marchand, un chef, un homme riche, un homme pauvre et un mendiant, voleur. »

En Grande-Bretagne, les jeunes gens déterminent leur avenir en se référant à un dicton très semblable. A la différence près qu'eux comptent les noyaux après avoir mangé une corbeille de fruits.

BOUTON-D'OR

Depuis des générations, les enfants s'amusent à placer un

bouton-d'or sous le menton de leurs camarades pour savoir s'ils aiment le beurre. Si la réponse est positive, une lueur jaune apparaît — mais elle est toujours là quand le soleil brille...

BOXEURS

Les boxeurs sont, comme tant d'autres sportifs, enclins à croire aux présages et aux superstitions.

Beaucoup de grands champions portent des amulettes personnelles allant de la patte de lapin au billet de dix dollars !

Pour un lutteur voir un chapeau déposé sur un canapé ou sur un lit avant un combat est de mauvais augure.

Aucun combattant n'aime être le premier sur le ring... On rapporte qu'arriver avant son adversaire porte malheur. Dans le même esprit, aucun challenger pour un titre ne plongera sous les cordes avant le champion.

Les chaussures neuves sont maléfiques et donc proscrites de tous les combats.

Pour finir, on affirme qu'un boxeur qui ne crache pas dans la paume de ses gants avant d'affronter son adversaire défie les dieux de la chance.

BRÉCHET

Le bréchet ou « os de la victoire » doit sa réputation bénéfique à sa ressemblance avec le fer à cheval.

L'une des plus populaires superstitions le concernant veut que si deux personnes tiennent ses extrémités et le brisent, celle qui aura en main la plus grande partie de l'os pourra faire un vœu : il sera exaucé.

Dans le Nord de l'Angleterre, une jeune fille qui obtient le bréchet durant le repas de Noël doit l'accrocher au-dessus de la porte de sa maison, le jour du Nouvel An. Et, le premier homme qui passera au-dessous deviendra son époux.

BRISE

Les marins seraient bien avisés de retenir cette superstition fréquemment rencontrée en Europe. Une brise — ce qui n'est pas la même chose que le vent — peut être abattue en grattant de l'ongle le grand mât.

49

BROUILLARD

Les habitants de l'État de New York répètent encore ce charmant couplet — qui est probablement d'origine britannique — quand le brouillard obscurcit le ciel à un endroit particulier :

« Brouillard sur la colline
apporte de l'eau au moulin ;
brouillard sur le marais
apporte du soleil à la porte. »

BRUANT JAUNE

Le bruant jaune est un oiseau de mauvais augure pour les gens superstitieux parce que les étranges marques sur ses œufs seraient faites par le Diable, son maître.

Pour cette raison, jadis, on le persécutait en détruisant ses œufs et son nid afin, disait-on, de conjurer le mauvais sort.

BRUYÈRE

On affirme que la bruyère blanche porte chance parce que c'est la seule variété qui soit dépourvue des taches de sang des Pictes qui furent si sauvagement massacrés dans les landes et les marais. Cette association avec les effusions de sang fait également référence à l'Écosse, où on maintient que la « bruyère ne poussera jamais sur les tombes des Clans ».

Beaucoup de gens qui visitent les régions des landes repartent avec un brin de bruyère blanche à leur boutonnière ou accroché au pare-chocs de leur voiture.

La plante est, également, connue pour aider un alcoolique à cesser de boire.

BÛCHE

Dans le Massif Central, une tradition veut qu'un homme armé veille sur la bûche qui se consume dans l'âtre pendant que la maisonnée assiste à la messe de minuit. Si d'aventure les esprits et les démons qui errent la nuit de Noël réussissaient à éteindre le feu, redoutez de terribles catastrophes !

BULLES

En Grande-Bretagne et aux États-Unis, voir des bulles flotter à la surface d'une tasse de thé ou de café annonce au buveur de prochaines rentrées d'argent.

C

CADAVRE

De tout temps, les superstitions à propos des dépouilles mortuaires ont existé. Quelques-unes parmi les plus extraordinaires ont été infirmées et discréditées par les progrès de la médecine.

Pourtant, on entend toujours dire qu'un corps qui reste chaud plusieurs heures après le décès présage d'une autre mort imminente dans la même famille.

Parmi les plus anciennes superstitions concernant le transport des corps, l'une prétend que toute terre empruntée par un convoi funéraire deviendra une servitude de passage. Nous avons la preuve que cette croyance est sans fondement, pourtant elle subsiste en maints endroits.

Les gens de la campagne prétendent que si un cadavre est transporté à travers un champ, les récoltes suivantes y seront abondantes.

Tous les marins pensent qu'avoir un cadavre à bord d'un navire porte malchance. Quand un homme est jeté à la mer, ils ne regardent pas le corps s'enfoncer dans les flots parce que la superstition leur promet qu'en le faisant leur tour ne tardera guère.

On dit aussi que si un animal saute au-dessus d'un cercueil, il annonce une catastrophe ; la seule façon de conjurer le sort est de retrouver la créature et de l'abattre sur-le-champ

En Europe, une coutume veut que toucher un mort étendu dans son cercueil avant l'inhumation assure la bonne fortune au vivant et permet au disparu de gagner en paix sa dernière demeure.

Aux États-Unis, on soutient qu'afin d'éviter que les défunts ne viennent hanter vos rêves il faut leur toucher le front.

CAFÉ

En Amérique du Nord, les buveurs de café croient qu'ils peuvent lire leur avenir à la surface de leur tasse.

Si les bulles flottent dans leur direction, l'argent arrive, disent-ils et, si elles se dirigent en sens inverse, les temps seront durs.

CALVITIE

Selon une ancienne superstition anglaise, la calvitie — affliction de plus d'un homme — aurait un remède. Autant l'avouer tout de suite, il n'a rien de plaisant. Jugez plutôt : étalez sur les endroits chauves des excréments d'oie en franche quantité !

Il ne fait aucun doute que les hommes préféreront une superstition qui est, en fait, une mesure préventive, la voici : ne coupez jamais vos cheveux quand la lune décroît, vous les rendriez fragiles et ils tomberaient.

CANCER

Une croyance superstitieuse encore très vivace dans certains coins d'Europe veut que les crapauds aient le pouvoir d'extraire les tumeurs cancéreuses de l'organisme ; on connaît plusieurs exemples d'individus ayant avalé de petits crapauds ou de petites grenouilles dans l'espoir que ces batraciens « mangeraient » la maladie. Il ne fait aucun doute que toute rémission attribuée à ce procédé doit, en fait, être imputée à l'absence réelle de tumeur.

Dans les régions ouest de Grande-Bretagne, on entend encore dire occasionnellement qu'un cataplasme préparé avec la terre d'un cimetière guérit le cancer !

CANE

Les œufs de cane grisâtres sont de mauvais augure pour leur propriétaire.

La seule façon de conjurer le mauvais sort est de détruire le volatile dès qu'il pond des œufs anormaux. L'infortunée cane devra également être pendue la tête en bas, après avoir été tuée, pour s'assurer que les mauvais esprits qu'elle abritait s'échappent.

CANICHE
Pendant quelques années, en certaines régions d'Allemagne, un bruit extraordinaire courut à propos du caniche noir. D'aucuns en auraient vu un à proximité des tombes d'hommes d'église ou de prêtres ayant, d'une façon ou d'une autre, failli à leurs devoirs ou rompu leurs vœux. Quant à la signification de cette croyance, nul ne l'a jamais expliquée !

CANNE
Confrontés aux châtiments corporels, les écoliers britanniques croient encore qu'un crin de cheval — surtout s'il a été arraché à un animal vivant — serré dans la paume de la main brisera la canne de l'instituteur qui les a punis.

CAROTTES
Depuis de nombreuses années, on entend dire que manger des carottes garantit une bonne vue.

Durant la Seconde Guerre mondiale, l'histoire était largement répandue que les pilotes de la R.A.F. ne mangeaient que ce légume afin d'être de meilleurs pilotes de nuit que les Allemands. Cette affirmation était principalement destinée à masquer l'existence et l'utilisation du radar. Pourtant, elle n'est pas dénuée de fondement puisque les carottes contiennent des sels minéraux améliorant certains troubles de la vision.

Les carottes furent également utilisées dans des philtres d'amour et réputées être de puissants aphrodisiaques.

Manger des carottes bouillies, en grandes quantités, aide les gens qui souffrent d'asthme puisque certains de leurs constituants soulagent la constriction des voies respiratoires.

CATHERINETTE
Un peu partout en France, une coutume désormais tombée

en désuétude, voulait que le jour de la Sainte-Catherine, une catherinette offre un verre de liqueur à tous les hommes qu'elle rencontrait sur son chemin. Pour connaître le nombre d'années la séparant du mariage, elle devait tout simplement compter les refus qu'on lui avait opposés.

CAUCHEMAR

Les cauchemars ne rentrent pas dans le propos de ce livre, mentionnons néanmoins une superstition, tout aussi intéressante qu'ancienne, rapportée par certains paysans. D'après eux, on peut éviter de faire des cauchemars en accrochant ses chaussettes ou ses bas au pied du lit avec une épingle. Dans le Yorkshire, d'aucuns conseillent de les déposer sur la pelle à charbon pour obtenir le même résultat !

A l'origine, les gens pensaient que le cauchemar était causé par un esprit formidable s'installant sur une personne endormie et lui donnant, ainsi, l'impression d'étouffer.

En Europe, pendant des lustres, on a placé un couteau ou tout autre objet métallique au pied du lit puisqu'il était de notoriété publique que le fer et l'acier effrayaient les hôtes de la nuit.

CAVITÉS NATURELLES

Les cavités naturelles des arbres, des rochers, ou des pierres monumentales sont réputées, depuis des milliers d'années, avoir le pouvoir de délivrer de la maladie toute personne passant à travers. La théorie veut que quand le corps passe dans la cavité, il abandonne l'affection et la personne ressort de l'autre côté en pleine forme.

Dans le monde entier, on trouve un nombre incroyable de guérisons attribuées aux cavités naturelles ; de la même façon, maintes pierres sont prétendues avoir les pouvoirs curatifs les plus miraculeux.

Parmi les maladies qu'elles sont censées guérir, on recense : la coqueluche, le rachitisme, la tuberculose et les furoncles.

En d'autres lieux, on affirme qu'une femme stérile peut devenir féconde en passant à travers un tel trou.

Il est également intéressant de remarquer que la superstition veut qu'une personne guérie de cette manière partage une certaine affinité avec la roche ou l'arbre. En conséquence, elle devra s'assurer que l'arbre, par exemple, ne subira aucun dommage, ni ne sera arraché. Si cela devait se produire, la personne aurait à souffrir des mêmes maux.

CEINTURE

En pays toulousain, pour faciliter les couches d'une femme, on lui offrait autrefois une ceinture semblable à celle de Notre-Dame de La Daurade.

CENDRES

A travers le monde, les cendres symbolisent la fertilité. En de nombreux endroits, les cendres des feux rituels comme ceux de la Saint-Jean devaient être étendues sur les cultures pour assurer de bonnes récoltes.

Dans plusieurs pays européens, les cendres des feux pascaux étaient mélangées aux graines pour enrichir les prochaines semailles. Dans le même esprit, elles étaient mêlées à la nourriture du bétail et même à celle des poulets pour leur assurer une croissance vigoureuse et saine.

En maints endroits, on prétendait que les cendres étaient porteuses de sortilèges bénéfiques : en France, elles préservaient de l'orage et de la foudre si elles étaient éparpillées sous les fondations des maisons ; en Angleterre et aux États-Unis, on les utilisait pour se protéger des sorcières et des esprits des démons.

Pour les Anciens, les cendres d'un être humain incinéré étaient réputées favoriser les récoltes ; ils croyaient que portées par les vents, elles amenaient la pluie pour fertiliser la terre et la protéger.

En Angleterre et au Pays de Galles, on trouve toujours trace d'une superstition tenace : si les cendres d'un feu sont étendues légèrement devant l'âtre, la veille du Nouvel An, et que des empreintes de pas conduisant vers la porte sont remarquées au matin, un membre de la famille mourra dans l'année. Cependant, si les pas vont vers l'âtre, un enfant verra le jour.

CERCLE

Si un des cercles de métal d'une barrique de bière ou d'un fût d'eau se dessertit, sans raison, la veille de Noël, les Européens y voient un présage de mort dans la famille durant l'année qui vient.

CERCUEIL

En Allemagne, on dit d'une personne qui s'allonge dans un cercueil — même pour rire — qu'elle invite la mort.

Aucun vêtement appartenant à un être vivant ne devra être déposé sur un corps dans un cercueil. On croit que la décomposition du vêtement dans la tombe entraîne le déclin de son propriétaire.

Cette superstition explique pourquoi tant de personnes refusent de donner leurs vieux vêtements aux personnes âgées et aux infirmes.

CHAÎNES (de lettres)

A travers les âges, les chaînes de lettres ont soulevé des polémiques à propos de l'impact qu'elles pouvaient avoir sur l'esprit des personnes les plus évoluées.

A l'origine, elles étaient utilisées pour transmettre des remèdes utiles d'une personne à une autre. Ensuite, ces lettres sont devenues porteuses de prétentions extravagantes promettant la fortune à qui les passerait et proférant de sinistres menaces à qui romprait la chaîne.

Les toutes premières chaînes de lettres datent du Moyen Age, époque à laquelle elles contenaient des remèdes simples et des prières à réciter. Elles étaient vendues par des voyageurs ou des diseurs de bonne aventure et, on accordait grand crédit à leur efficacité.

Durant les cent dernières années — on ne peut que le déplorer — elles ont dégénéré vers ce qu'il est convenu de nommer mendicité. Elles commandent aux gens d'envoyer de l'argent à la première personne dont le nom est mentionné sur la liste d'accompagnement, puis de recopier la lettre et de l'adresser à une douzaine d'autres personnes ou plus, qui à leur tour enverront une somme convenue aux personnes suivantes.

Ces missives affirment que chaque « maillon » recevra une somme considérable dans les semaines à venir. Mais malheur à qui rompt la chaîne !

Cependant, il ne fait aucun doute que les chaînes de lettres aient une place dans les annales de la superstition, mais il faut savoir qu'elles ne sont pas crédibles, et le destinataire peut très bien les détruire sans hésitation.

CHAISE

En quittant la maison d'un hôte, ne repoussez jamais la chaise sur laquelle vous étiez assis contre un mur. Ce geste n'est pas seulement un signe de malchance mais indique, de plus, que vous n'y reviendrez jamais.

Dans l'Ohio (États-Unis), il existe une superstition dont l'origine est indéterminée qui affirme que si trois chaises sont alignées sur le même plan — même par hasard — un décès surviendra dans la maison ou dans la famille.

CHANDAIL

Abréviation populaire de « (mar)chand d'ail », ce nom a été donné au tricot des vendeurs de légumes des Halles de Paris.

Mettre son chandail à l'envers est une étourderie qui vous vaudra des railleries. Le mettre devant derrière annonce une bonne surprise.

D'aucuns affirment que pour se protéger de la noyade, il suffit d'enfiler les manches d'un chandail avant de passer la tête.

CHANDELEUR

Pour avoir de l'argent toute l'année, le jour de la Chandeleur, il faut tenir d'une main le manche de la poêle avec laquelle on fait sauter la première crêpe et un louis d'or.

En Charente, pour que les poules soient bonnes pondeuses on leur offre un morceau de crêpe.

CHANTER DANS SA BAIGNOIRE

Chanter dans sa baignoire est un passe-temps favori pour beaucoup d'entre nous — jusqu'à ce que, bien sûr, quelqu'un frappe à la porte pour nous demander d'arrêter et de sortir !

En réalité, il faut savoir que cette activité a — en Europe tout au moins — diverses significations. Ainsi, chanter dans sa baignoire le matin porte malheur d'après un proverbe disant « qui chante avant le petit déjeuner pleurera avant que le jour ne soit tombé ». Le soir, vous ne courrez apparemment aucun danger.

Dans le même esprit, on conseille de ne pas rire avant de prendre son premier repas ou la journée se terminera par un malheur. « Il vaut mieux être le premier à sourire que le premier à rire » avertit un autre adage, toujours très en vogue.

CHANSON

Il porte malchance de chanter avant de se lever. Mais les superstitions les plus nombreuses concernent le fait de chanter à table.

« Qui chante à table, meurt à l'atelier », dit une ancienne superstition britannique, et une autre version avertit qu'une jeune fille qui passe outre, épousera un alcoolique.

En France, on prétend que cela entraîne la pauvreté tandis que les Américains pensent plus simplement que cela conduit à une déception. Il en va de même pour celui qui chante dans la rue, affirment-ils.

CHAPEAU

Si vous portez un chapeau, soyez prudent en le mettant puisqu'une vieille tradition vous promet une journée de malchance si vous le mettez à l'envers. Pour conjurer le sort, sachez qu'il existe une solution, toutefois, assez onéreuse — acheter un nouveau chapeau !

Aux États-Unis, on dit que si une femme met le chapeau d'un homme, c'est un signe — inconscient ou non — qu'elle désire qu'il l'embrasse !

CHARBON

Le charbon appartenant à la symbolique du feu porte chance et depuis des générations, les paysans en conservent de petits bouts dans leurs poches pour éloigner l'infortune.

On prétend encore qu'un morceau de charbon dans une poche ou dans un sac à main porte chance.

Dans certaines régions d'Europe, à Noël, on offre quelquefois un boulet de charbon. Si vous le déposez dans l'âtre en faisant un vœu, soyez certain qu'il sera exhaussé.

Trouver un morceau de charbon sur une route porte chance (et plus il y en a, mieux c'est, quand on songe à son prix...). Dans certains coins de Grande-Bretagne, on conseille, de plus, de jeter ce morceau au-dessus de l'épaule gauche, pour s'attacher la chance, et de poursuivre son chemin sans se retourner.

Dans les régions côtières, un morceau de charbon échoué sur le rivage doit être offert à un marin pour le protéger de la noyade.

Au temps où l'on consommait plus de charbon que maintenant, on pensait qu'il était très malchanceux de donner à un voisin des charbons ardents pour qu'il allume son feu le matin de Noël.

CHASSE

Parmi les chasseurs de divers pays, on retrouve une vieille tradition assurant à soi-même un jour de succès si une jeune fille, encore vierge, enjambe votre fusil avant que vous ne sortiez.

On dit également, en bien des lieux, que si vous manquez votre premier tir, les auspices sont défavorables pour le reste de la journée.

CHAT

Le chat occupe une place privilégiée dans les superstitions.

Les Anciens le tenaient en haute estime et les Égyptiens reconnaissaient en lui une divinité : le mâle, représentant le Dieu-Soleil et la femelle, la Déesse-Lune.

La croyance qui veut que cette créature ait neuf vies trouve son origine dans cette vénération ainsi que dans son opiniâtre instinct de conservation.

En tous lieux, exception faite de l'Amérique, le chat noir est un présage et un symbole de chance, de bonheur. Si l'un d'entre eux croise votre chemin, n'omettez pas de faire un vœu. Si un égaré vient vous demander asile, la croyance populaire vous assure la prospérité ou, tout au moins, une rentrée d'argent.

L'Europe et l'Amérique considèrent avec la même méfiance les chats blancs.

Un Européen à robe « écailles de tortue » serait un signe de malchance.

Durant des siècles, tous les chats étaient supposés avoir partie liée avec les sorcières. On affirmait également que ces dernières avaient la faculté de se transformer en félin pour aller accomplir leurs sinistres forfaits.

Parmi les croyances les moins inquiétantes, concernant les chats, voici les plus communes :

Si un chat domestique éternue, c'est un signe de bonheur pour la maisonnée. Mais, s'il éternue trois fois, tous les membres de la famille risquent d'attraper un rhume.

Toujours au chapitre de l'éternuement, les gens de la campagne prétendent que c'est un signe annonciateur de pluie.

Un chat, le dos au feu, indique une tempête.

Un chat qui gratte le pied d'une table, un changement de temps.

Nombre de paysans croient qu'un chat qui se lave derrière les oreilles annonce une longue période d'humidité ; s'il se lèche la queue, il faut s'attendre à de la pluie.

Les marins, eux, prétendent qu'entendre un chat miauler à bord d'un navire augure de sérieux ennuis et s'il saute ou mordille des objets, il y aura la gale à bord.

Dans le Wisconsin (États-Unis), la croyance populaire veut qu'un chat qui se lave, assis dans l'encadrement d'une porte, annonce la visite d'un homme d'église.

En dernier lieu, entendre pleurer un chat avant de partir en voyage est de mauvais augure. S'il pleure, retournez voir ce qu'il veut.

Sachez également qu'un chat acheté — quel qu'il soit — ne sera jamais un bon chasseur de souris.

CHAT NOIR

La plus connue des superstitions concernant les chats noirs

est celle qui veut que si l'un d'entre eux croise votre chemin, c'est signe de chance. Cette croyance a la vie dure et est illustrée par plusieurs exemples historiques rapportant que la mauvaise fortune ne s'est jamais abattue sur ceux qui vénéraient les chats noirs.

On dit aussi, qu'un tel chat se promenant dans votre maison vous promet la chance et, bien sûr, qu'en tuer un porte malheur.

De plus, l'animal est réputé posséder des pouvoirs curatifs. Ainsi, quelques gouttes de son sang étalées sur des affectations bénignes les guériraient.

Dans de nombreuses civilisations antiques, les chats noirs étaient utilisés pour certains rituels destinés à apaiser les dieux. Mais précisons bien vite qu'on ne les sacrifiait jamais. Très recherchés, ils changeaient souvent de mains contre d'importantes sommes d'argent.

Ceux qui accordent une foi aveugle aux pouvoirs de ces félins insistent toujours sur le fait qu'ils doivent être entièrement noirs ; une petite médaille ou le moindre poil blanc suffit à les disqualifier à leurs yeux.

L'origine de cette superstition remonte aux anciens Égyptiens qui révéraient les chats en général, une de leurs divinités les plus importantes était Bastet, une chatte noire.

Bien d'autres superstitions circulent au sujet des félins en général, le lecteur se reportera donc au mot CHAT pour en savoir plus.

CHATOUILLER

On connaît les éclats de rire des bébés quand on les chatouille. Pourtant, en Géorgie (États-Unis), les gens superstitieux prétendent que chatouiller un enfant le fera bégayer lorsqu'il commencera à parler.

CHAUDRON

Autrefois, les vieilles Bretonnes interrogeaient les signes pour savoir où se trouvait l'âme d'un défunt. Elles saisissaient un chat noir et l'emprisonnaient dans un chaudron de cuivre. Si l'infortuné chat était toujours en vie le lendemain matin, l'âme était un purgatoire. S'il avait trépassé, l'âme était déjà chez Lucifer.

CHAUSSETTES

En général, on dit qu'il est de bon augure de mettre d'abord sa chaussette ou son bas gauche en s'habillant ; c'est également un signe de bonne fortune de mettre un de ces vêtements à l'envers ou de s'apercevoir qu'ils n'appartiennent pas à la même paire. Mais souvenez-vous que la chance n'est assurée que si vous gardez vos chaussettes dépareillées !

On note, ici, avec intérêt que de temps en temps, la gauche a de bons côtés.

Si vos bas ou vos chaussettes descendent sans raison, celui ou celle que vous aimez pense à vous.

Si, en enfilant bas ou chaussettes, vos orteils heurtent le talon, une lettre importante vous est promise.

Une ancienne tradition juive veut que quelle que soit la première chaussette que vous enfilez vous devez toujours mettre votre chaussure gauche avant la droite puisque, en terminant de cette façon, vous vous assurez une journée de chance.

Une autre superstition très voisine veut qu'il ne faut jamais habiller entièrement une jambe avant de passer à l'autre.

CHAUSSURE

En Angleterre, l'habitude d'attacher derrière la voiture de jeunes mariés une vieille botte ou une vieille chaussure est une autre tradition liée à la cérémonie de mariage dont les origines sont presque impossibles à établir de façon certaine.

Pendant des générations, on a cru qu'attacher une bottine à une voiture portait bonheur et chance aux nouveaux mariés. Avant l'invention de l'automobile pour arriver aux mêmes fins, on jetait la chaussure derrière le jeune couple.

Il y a plusieurs mentions de ce rituel dans la Bible et les historiens pensent, de nos jours, que l'acte originel n'était pas en rapport avec la chance mais symbolisait que la femme passait de l'autorité de ses parents à celle de son époux. Le lancer de la chaussure par le père de la jeune fille signifiait que la jeune mariée devenait « la propriété » de son époux.

En fait, chez certains peuples archaïques, une pratique enseignait au mari de prendre une chaussure appartenant à sa femme et de la placer au pied du lit durant la nuit de noces, en signe d'autorité. Il est intéressant de remarquer qu'avant l'apparition de la coutume du bouquet promettant à la demoiselle d'honneur qui le saisit son mariage prochain, les jeunes femmes devaient lancer leur chaussure droite dans le même but !

Jadis, une vieille chaussure portait chance de différentes façons. En maints endroits en Grande-Bretagne, on entend encore dire que brûler un vieux soulier empêche les maladies infectieuses d'envahir une famille : il est certain que l'odeur peut faire hésiter le moins aventureux des microbes ! Les mêmes gens prétendent, de plus, que le malheur s'abattra sur quiconque pose une paire de chaussures sur une table. Le faire conduit à la pendaison et chasse l'argent de la maison. La peine de mort étant abolie en Grande-Bretagne, un tel fait est moins vraisemblable qu'il ne l'était. Les vieilles gens disent aussi que vous risquez d'avoir à affronter une querelle avec un proche.

L'antinomie est également présente dans les superstitions. Ainsi, on sait qu'il porte malheur d'offrir à autrui une paire de chaussures neuves mais, d'un autre côté, cela prolonge la vie du donneur !

Dans un certain nombre de pays, on dit qu'à moins que, durant votre vie, vous ne donniez une paire de chaussures neuves à quelqu'un, votre fantôme ira certainement pieds nus.

Toujours au même chapitre, des amoureux ne doivent pas s'offrir de chaussures.

Il est également maléfique de marcher avec une seule chaussure — ne serait-ce qu'à cause des entorses !

On pense qu'il est de mauvais augure de se tromper de pied en mettant ses chaussures ou de les laisser croisées au sol.

La tradition juive dit qu'une personne qui marche avec un seul soulier ou une seule pantoufle condamne à mort un des siens.

En Extrême-Orient, on vous avertit que si vous laissez une

paire de chaussures à l'envers, vous vous querellerez avec quelqu'un dans la journée.

Dans les campagnes anglaises, une superstition affirme que si une paire de chaussures neuves grincent à l'excès, cela signifie que la personne qui les porte ne les a pas payées.

Très récemment, quelques experts ont suggéré que les superstitions relatives aux chaussures étaient, sans doute, issues des époques où une chaussure permettait de sceller un marché — enlever et remettre sa chaussure ponctuait un accord en bonne et due forme.

CHAUVE-SOURIS

L'inquiétude que cette créature suscite dans l'esprit de bien des gens a fait qu'on la considère comme messagère d'importants présages à plusieurs titres.

Si une chauve-souris vole près de vous, affirme une superstition très répandue, méfiez-vous : quelqu'un œuvre pour vous trahir ou pour vous ensorceler !

Si l'une d'entre elles vole trois fois au-dessus de votre maison ou même à l'intérieur, c'est un présage de mort ou de très mauvaise fortune pour quelqu'un que vous connaissez.

Une chauve-souris qui heurte une construction annonce la pluie alors que plusieurs chauves-souris volent au crépuscule, c'est-à-dire avant leur heure normale de sortie, augurent de la venue du beau temps.

Certains prétendent que la chauve-souris est, entre tous les animaux, celui qui porte bonheur et qu'une personne qui voudrait s'attacher la chance doit porter sur elle un de ses os.

En Europe, une croyance veut qu'un homme qui garde au fond d'une de ses poches l'œil droit d'une chauve-souris ait le pouvoir d'être invisible !

En Afrique et en Australie, entre autres continents, on raconte que toute chauve-souris est une réincarnation d'être humain et qu'en tuer une raccourcit la vie d'un homme.

A propos des chauves-souris, la croyance la plus extraordinaire et la plus tenace veut que si l'une d'entre elles se prend dans la chevelure d'une femme, elle s'y emmêlera tant et si bien que la seule façon de s'en débarrasser sera de couper les cheveux. En dépit des recherches faites pour établir s'il

existait un quelconque fonds de vérité dans cette affirmation
— et les résultats prouvent qu'il n'y en a pas — l'animal est
détesté par la majorité des femmes sur toute la terre.

CHEMINÉE

Dans le Val de Loire et en Sologne, les vieilles personnes
affirment qu'inaugurer une nouvelle cheminée à la Sainte-
Jeanne d'Arc ou à la Saint-Laurent vaut sept ans de malheur.
Tous les autres jours — à l'exception du vendredi — sont bons
à condition de jeter trois grains de sel dans les premières
flammes.

CHEMIN DE FER

Il existe une superstition, toujours vivace, au pays de Galles
et dans certains coins en Angleterre voulant que le malheur
s'abattra sur vous, si vous parlez en passant sous un pont de
chemin de fer. Ceci s'applique tant si vous êtes dans un train
que si vous marchez sous un pont, près d'une gare.

Les origines de cette croyance résident, elles aussi, dans la
crainte de la sorcellerie. En effet, on pensait qu'être enfermé
(sauf chez soi), c'était courir le risque de rencontrer les
sorcières tapies sous l'arche d'un pont, dans le cas présent.

CHENILLE

Pour se concilier la chance, les gens du Yorkshire jettent
par-dessus leur épaule gauche une chenille velue quand ils en
trouvent une.

CHEVAL

En raison du rôle important que le cheval a joué dans la vie
de l'homme depuis les tout premiers temps, il n'est pas
surprenant de trouver une infinité de superstitions à son sujet.

Dans la Grèce antique, le cheval était vénéré et il ne fait
aucun doute que beaucoup de superstitions trouvent leurs
origines dans ce fait.

Les Anglais croient qu'un cheval noir porte chance et un à
robe pie, malchance. Sur le continent, on maintient le
contraire.

Les paysans anglais sont très inquiets lorsqu'ils rencontrent un cheval blanc au cours d'un déplacement et crachent au sol pour conjurer le mauvais sort.

De nos jours, les éleveurs de chevaux disent encore qu'un cheval avec des « bas blancs » sur le devant des pattes est chanceux tandis qu'un animal avec les mêmes marques sur la patte avant gauche et la patte arrière droite est malchanceux.

Toutefois, la meilleure combinaison de toutes est, peut-être, un animal ayant une étoile blanche sur le front et une seule « chaussette » blanche sur les jambes. On doit préciser que cette « chaussette » ne doit pas dépasser de plus de quelques centimètres la jambe du cheval ; dans le cas contraire, celui-ci est prédisposé à broncher.

De nos jours, on tresse la queue d'un cheval dans un souci esthétique mais, à l'origine, cette coutume était une pratique superstitieuse. Ainsi, en Grande-Bretagne, on croyait qu'un cheval avec des rubans dans les crins était protégé des machinations des sorcières.

Un cheval ayant un sillon dans le cou suffisamment large pour qu'un homme puisse y placer un pouce est réputé avoir une grande chance, puisqu'il est marqué par « l'empreinte du pouce du Prophète », cela signifie que l'animal est issu de la lignée d'une des cinq poulinières de Mahomet.

Une autre croyance bien ancrée veut qu'il existe un seul mot pour contrôler n'importe quel cheval, quel que soit son tempérament. Ce mot de l'homme de cheval est tout à fait secret et ne peut être transmis qu'à un véritable homme de cheval. Donc, c'est bien triste, mais il ne peut être révélé ici !...

Pour les Américains, la plus sinistre rencontre qu'ils puissent faire est une fille rousse montée sur un cheval blanc. On raconte qu'une période de malchance presque illimitée suivra une telle vision.

Toujours outre-Atlantique, on croit aussi qu'il est possible de choisir la robe d'un poulain avant qu'il ne naisse en tenant un vêtement de la teinte souhaitée devant la jument.

Pour conclure, ajoutons qu'un cheval qui s'ébroue pendant un voyage est signe de chance et que des chevaux la croupe tournée vers une haie présagent une tempête.

CHÈVRE

Si la chèvre a une place dans la superstition, c'est parce qu'on l'a souvent associée à Satan et, en particulier, au dieu Pan, mi-homme, mi-chèvre.

On dit que le Diable se métamorphose en chèvre quand il souhaite agir sans être remarqué. Sans trop de risque, on peut avancer qu'il doit son pied fourchu à l'animal.

Certains paysans anglais disent que nul ne peut voir une chèvre vingt-quatre heures sur vingt-quatre ; ils affirment qu'à un certain moment elle doit aller rendre hommage à son maître, le Diable et qu'ensuite, elle réapparaît avec sa barbichette peignée.

En dépit de cette croyance, maintes personnes en Europe considèrent qu'un sabot de chèvre et les poils de sa barbe sont d'excellents talismans pour tenir le Diable en respect.

Dans certains coins d'Amérique on entend dire qu'une chèvre peut éloigner la maladie d'une maison. Il faut l'attirer sur les pâturages et l'encourager à brouter aussi près que possible de la chambre du patient, puis la chasser. Alors, elle s'en va avec la maladie !

CHEWING-GUM

Aux États-Unis, une superstition fait du chewing-gum un « philtre » d'amour.

Ainsi, quand un jeune homme offre à sa petite amie un chewing-gum — investi de pouvoirs magiques — si cette dernière le prend et le mâche consciencieusement, elle sera dorénavant incapable de résister à ses charmes.

CHICORÉE

La chicorée posséderait le pouvoir de rendre une personne invisible.

A un niveau plus quotidien, on dit qu'elle est messagère de bonne fortune et aide en particulier, ceux qui partent en expédition.

Pour cette raison, de nombreux pionniers américains — et plus tard les chercheurs d'or — gardaient en poche une racine de cette plante.

De nos jours, à certains endroits, on lui reconnaît encore le pouvoir d'ouvrir les serrures et d'abattre les obstacles.

CHIEN

La tradition a toujours affirmé que le chien possédait la faculté de voir les fantômes et de « sentir » la mort ; une infinité de croyances entourent l'animal depuis des siècles.

Il se peut que l'animal soit réceptif à une modification des tissus humains, puisque l'on connaît plusieurs exemples de chiens montrant une grande détresse quelques heures avant le décès de leur maître bien-aimé.

On dit qu'un chien sait toujours faire la différence entre une personne gentille et une personne méchante, et le manifeste en remuant la queue ou en aboyant.

Un chien qui aboie, sans raison, devant une porte ouverte annonce une mort et un chien qui aboie quand un enfant naît indique que celui-ci aura une vie malheureuse.

Bien des peuples, y compris les Indiens d'Amérique et les Hindous, croient qu'on peut faire passer les mauvais esprits ou la maladie d'un être humain dans un chien. Pour ce faire, il faut lui adresser rituellement les doléances du patient puis le conduire hors de la maison ou de la communauté.

Les Tziganes pensent que si un chien s'introduit dans votre jardin et y creuse un grand trou, il vous annonce une mort.

Les Irlandais disent que si la première rencontre que vous faites le matin est un chien furieux, vous n'aurez pas de chance.

On prétend que si un chien inconnu vous suit, c'est signe de bonne fortune et que si un chien noir et blanc croise votre chemin lorsque vous vous rendez à une réunion de travail, vos affaires seront couronnées de succès.

Un chien hurlant à l'extérieur d'une maison, la nuit, est un présage de mort ou de malheur. Si vous le chassez et qu'il revient, l'événement est encore plus certain.

Si un chien pousse un hurlement, ou trois, puis garde le silence, une mort vient de se produire.

Aux États-Unis, d'un chien endormi avec les pattes et la queue étendues, on dit qu'il annonce un décès. Cependant, la mort ne concerne pas forcément la famille. Pour savoir de quel côté viendra la nouvelle, il faut regarder dans quelle direction pointe la queue de l'animal.

Si un chien gambade entre un couple d'amoureux, ils auront une dispute et rompront leurs fiançailles.

Si un chien passe entre les jambes d'une femme, il la prévient que son mari — ou son père — la punira pour une offense.

L'animal fournit également des renseignements sur le temps.

S'il mange de l'herbe, se roule au sol, se gratte un long moment, il annonce la pluie.

Si une violente tempête couve, bien avant, le chien se cache sous une table ou se réfugie dans un coin tranquille.

En Normandie, on raconte que tous les chiens sont les suppôts de Satan, sauf les chiens de berger.

CHIFFRES

Les chiffres tiennent une place importante dans la superstition et on les rencontrera sous diverses entrées de ce dictionnaire.

Depuis l'aube des temps, l'homme les utilise pour la divination du futur. Cette science, la numérologie, dépasse de beaucoup le propos de ce livre. Pourtant, il est intéressant de remarquer que les Romains mirent au point leur système d'après l'apparence des doigts, ainsi, le « V » représentait la main ouverte et le « X », deux mains croisées.

Parmi les nombreuses superstitions associées aux chiffres, voici une sélection des plus connues.

Une personne née le premier jour du mois, est, dit-on, chanceuse tandis que le numéro « 1 » pour une maison porte malheur. La même chose est valable pour le « 2 » ; toutefois ceci ne s'applique pas à une femme puisque le chiffre « 2 » a une aura féminine.

D'innombrables exemples illustrent les pouvoirs du chiffre « 3 », d'où sa réputation bénéfique ; le « 4 » est de sinistre présage en Extrême-Orient et même associé à la mort. Le « 5 » est un chiffre magique, le « 6 » est connu pour son ambiguïté, pourtant, ceux nés ce jour ont le don de prophétie. Le « 7 » est un chiffre sacré et toute nouvelle entreprise placée sous ses auspices sera couronnée de succès. Le « 8 » présente peu d'intérêt. Le « 9 » passe pour être un chiffre porte-bonheur ; il est très utilisé par les guérisseurs et les faiseurs de sortilèges. Le « 10 » n'a pas d'autre association que les Dix Commandements ; le « 11 » est décidément malchanceux. Le « 12 » a toujours été quelque peu énigmatique et, peut-être, est-ce sa seule raison d'être quoique plusieurs religions le tiennent pour bénéfique. Le « 13 », bien sûr, est universellement réputé porter malheur. Chaque pays a curieusement ses propres critères pour conjurer les maléfices du « 13 ». Est-il besoin de préciser qu'ils sont légion ?

Même de nos jours, nos enfants à l'école apprennent la table de multiplication de 12 mais ne la dépassent jamais. Pourtant, il n'y a aucune raison de ne pas aller jusqu'à la table de 13... On peut penser qu'il s'agit d'une réminiscence inconsciente des époques où le « 13 » appartenait à l'inconnu et donc, était chargé de possibilités et de présages.

Pour conclure, rappelons que chiffres et nombres possèdent un genre — une des plus anciennes superstitions prétend que les nombres impairs sont masculins et les nombres pairs, féminins.

CHINOISERIES

On croit que les ornements chinois, particulièrement ceux représentant des animaux, ne doivent jamais être tournés vers une porte sinon, ils permettent à la bonne chance du lieu de « s'échapper [par la porte] ».

L'origine de cette superstition réside dans une association d'idées. Du temps où la richesse d'un homme était mesurée par les animaux qu'il possédait, les laisser s'échapper l'appauvrissait. C'était donc une chose à éviter.

De nos jours, les chinoiseries, remplaçant les animaux sur pied, véhiculent la même idée.

CHOLÉRA

Dans plusieurs comtés de Grande-Bretagne et même dans certaines villes importantes, on rencontre une croyance superstitieuse affirmant que la présence du choléra peut être décelée en lançant un morceau de viande crue, en l'air. Si la maladie est dans les environs, la viande noircit immédiatement.

En Australie, on prétend que, pour guérir, les cholériques doivent se rendre dans une église et y dormir.

CHOU

Le chou, vieux légume favori du potager, est un présage de chance s'il pousse « double », c'est-à-dire avec deux têtes sur un seul pied.

CHOUCAS

En Grande-Bretagne, le choucas jouit d'une mauvaise réputation. Quand il est perché sur une construction ou quand il descend dans une cheminée, il annonce une mort prochaine dans la famille. Il est étrange que les Anglais n'aient aucune superstition concernant un groupe de choucas.

Pourtant, ailleurs en Europe, plusieurs de ces oiseaux piquant sur une maison présagent soit que le cercle de famille s'agrandira, soit que les habitants auront des rentrées d'argent. Si un groupe de choucas tournoient autour d'une maison en croassant, c'est signe de pluie et s'ils s'installent tard pour la nuit, ils indiquent le mauvais temps.

CIELS EMBRASÉS

Les Britanniques connaissent les ciels embrasés en tant qu'indications de temps si l'on en croit ces vers que la plupart d'entre eux ont appris étant enfants et transmis pour en avoir souvent vérifié la valeur :

« Ciel rouge le soir fait la joie du berger,
ciel rouge le matin fait l'inquiétude du berger. »

Ces présages se sont avérés justes pour les raisons météorologiques suivantes : Le climat de la Grande-Bretagne est gouverné par des vents dominants venant de l'Ouest. On sait que le soleil se couchant à l'Ouest, si l'air est sec, la luminosité prendra une teinte rouge qui se réfléchira sur les nuages à l'Est — c'est-à-dire sur ceux qui ont déjà dépassé la Grande-Bretagne et qui ne peuvent plus l'affecter. Le matin, l'inverse est vrai, puisque le soleil a changé de position et que la lumière tombe sur les nuages qui arrivent de l'Ouest. Donc, si un matin, vous voyez le ciel embrasé, gare à la pluie ! Mais vous pouvez vous consoler en pensant à une autre superstition : « pluie à sept heures, soleil à onze heures ».

CIERGE

En Bretagne, pendant une cérémonie nuptiale, on allume un cierge à côté de chacun des mariés. Le premier à s'éteindre désigne celui qui quittera la terre le premier.

CIGARES

Les jeunes filles d'une fameuse ville américaine du Massachusetts — celle des sorcières de Salem — sont persuadées que si elles marchent, par inadvertance, sur un mégot de cigare, elles épouseront le premier homme qu'elles croiseront !

CIGARETTES

L'origine de la superstition affirmant qu'allumer trois cigarettes à la même allumette ne porte pas chance remonte à la guerre des Boers.

On disait qu'un tireur d'élite pouvait repérer l'endroit où des hommes étaient embusqués comme la première cigarette était allumée, viser à la seconde et faire feu à la troisième.

Tout groupe d'hommes qui tenaient un tant soit peu à la vie se contentait donc d'en allumer deux !

CIGOGNE

Jadis, la tradition voulait que la cigogne ait pour tâche d'apporter les bébés à leur maman. D'ailleurs, l'oiseau demeure un puissant symbole attaché à la naissance.

Il n'est donc pas surprenant que la vision des cigognes volant au-dessus d'une maison augure d'une naissance et votre chance est sans pareille si un couple de cigognes s'installe chez vous.

La tradition crédite aussi l'oiseau d'avoir évolué autour de la croix du Christ en signe de compassion.

73

A cause de ces différentes associations, il est du plus mauvais augure d'en tuer une.

La cigogne est également renommée pour sa dévotion à ses petits. En Europe — en particulier en Alsace — on dit que si un couple d'amoureux voit un couple de cigognes, ils concevront bientôt un enfant.

CIMETIÈRE

Depuis des temps immémoriaux, on prétend que le premier corps mis en terre dans un nouveau cimetière est toujours réclamé par le Diable.

On dit également que creuser ou labourer un sol dans lequel un corps a été inhumé porte malchance et que les graines semées à cet endroit ne pousseront jamais.

Une très vieille croyance affirmait que le vent du Sud favorisait la putréfaction des corps ; c'est pour cette raison que le côté Sud des églises a toujours été regardé comme le côté le plus saint et pendant des générations, les gens ont insisté pour y être enterrés.

Seuls, ceux qui s'étaient suicidés ou les corps des enfants mort-nés étaient mis en terre du côté Nord.

Les tombes doivent, bien sûr, toujours être orientées d'Est en Ouest de sorte que les défunts reposent les pieds à l'Est et la tête à l'Ouest. Ainsi, ils pourront se lever quand viendra, de l'Est, l'appel du Jugement Dernier.

Dans de nombreux pays européens, les gens croient qu'enjamber une tombe porte malchance et ce, d'autant plus, si un enfant mort-né ou en enfant non baptisé y repose.

En parallèle à la longue histoire de la profanation des tombes, on a toujours considéré qu'il était maléfique de déranger une tombe (vous pouvez toujours réveiller un fantôme) et que seul le mal sera le lot de ceux qui utilisent des pierres tombales ou n'importe quel objet provenant d'un cimetière pour la construction d'un nouvel immeuble. D'une telle construction, on dit qu'elle court le risque de s'écrouler parce que « la mort est en son sein ».

CISEAUX

Une superstition très vivace dit qu'il porte malheur de

ramasser soi-même une paire de ciseaux qu'on a laissé choir. Il est préférable qu'un tiers le fasse pour vous ou si vous êtes seul et incapable de demander assistance, la mauvaise chance peut être conjurée de deux façons ; la superstition vous conseille soit de marcher dessus légèrement avant de les ramasser, soit de frotter les ciseaux dans vos mains jusqu'à ce qu'ils deviennent chauds avant de les réutiliser.

Le pouvoir des ciseaux est issu d'une ancienne tradition voulant que tout objet façonné en acier pouvait « couper » la chance.

Si, en tombant, une des lames de votre paire de ciseaux se fiche dans le plancher, c'est un présage de mort tandis que s'ils se séparent en deux parties, ils annoncent un grand malheur.

Les couturières sont persuadées qu'il est de mauvais augure de faire tomber une paire de ciseaux, cette maladresse précède une commande pour un deuil.

Beaucoup de gens affirment qu'il est maléfique d'accepter en présent une paire de ciseaux sans donner en retour une petite pièce de monnaie.

En Afrique, on entend une bien curieuse superstition ; si l'on ouvre et ferme une paire de ciseaux pendant une cérémonie de mariage, ce geste rendra le marié impuissant !

CLAQUER LES PORTES

En Europe, une porte qui claque est de mauvais augure puisque l'on croit que cette action pourrait très bien, par inadvertance, attraper un esprit errant qui passait par là et l'emprisonner.

De plus, le malheur qui en résulte est extrême dans le cas où la personne responsable est, de surcroît, réputée pour son étourderie.

CLÉS

Si une femme possède un trousseau de clés qui rouille en dépit de ses efforts répétés pour le garder propre, c'est un bon présage puisque cela signifie que quelqu'un parmi ses amis ou sa famille envisage de lui laisser ses biens après son décès.

Cette superstition, en vigueur dans les Midlands (Grande-

Bretagne), est prétendue vraie et aurait été constatée plusieurs fois.

En Europe, on dit qu'un enfant peut être protégé des mauvais esprits en dormant avec une clé sous son oreiller

CLIN D'ŒIL

Les très jeunes filles américaines respectent une superstition leur assurant l'amour de leur petit ami — pour aujourd'hui et pour toujours — si elles adressent un clin d'œil à la plus grande étoile qu'elles voient briller dans le ciel avant de se mettre au lit.

CLOCHES

Sur le continent européen, les cloches des églises sont réputées éloigner les esprits mauvais. Pendant un temps, on croyait même que si elles sonnaient pendant une tempête, elles distrayaient l'esprit du mauvais génie de son travail et ainsi, calmaient les éléments.

En Angleterre, on dit que si deux cloches sonnent dans une maison, au même instant, quelqu'un est sur le point de partir.

Une cloche qui sonne sans raison apparente est de tout aussi mauvais augure.

CLOU

En Grande-Bretagne, on dit que trouver un clou sur une route porte bonheur.

Il est juste que le clou est considéré comme une excellente protection contre les esprits depuis l'époque romaine, à cause du fer, métal sacré servant à sa fabrication.

Un clou rouillé renferme plus de bénéfices qu'un clou brillant et s'avère plus efficace s'il est porté sur soi ou placé sur le linteau de la porte de la cuisine pour protéger la famille.

COCCINELLE

La bête à bon Dieu, ce gentil petit insecte, tire son nom d'une très ancienne croyance voulant qu'elle représente la vierge Marie ; en conséquence, nul ne sera surpris d'apprendre qu'il faut être fou pour en tuer une.

Si une coccinelle se pose sur vous, c'est signe de chance mais il ne faut pas la chasser.

Les gens de la campagne accordent de l'importance au nombre de taches qu'elle a sur le dos puisque si vous les comptez quand l'insecte est sur votre main, elles représentent chacune un mois de bonheur.

Une autre superstition affirme que l'insecte comprend le langage humain ; l'explication est simple. Certains paysans vous diront que si une coccinelle est sur votre main et que vous lui donniez un ordre, elle obéira. En réalité, la coccinelle prend son vol pour fuir votre paume chaude et moite !

COCHER DE LA MORT

En Bretagne, une légende raconte que chaque année, la nuit de la Saint-Sylvestre, le cocher de la mort part à la recherche de son successeur pour les douze mois à venir. Tant que les douze coups de minuit n'ont pas sonné, il s'évertue à trouver le dernier trépassé de l'année mort en état de péché. Celui qui ne désire pas tenir ce triste emploi doit se confesser avant la tombée du jour.

COCKTAIL

Que vous aimiez l'alcool ou non, souvenez-vous avant de préparer un cocktail de la vieille superstition disant qu'il ne doit jamais être agité avec un couteau sinon vous auriez mal à l'estomac.

COING

Certains paysans croient que ces grosses baies vertes étaient, à l'origine, « les fruits défendus » du jardin d'Éden et, bien sûr, les consommer c'est courir au malheur.

Néanmoins, ils sont récoltés et utilisés pour la fabrication des confitures.

COLIBRI

A la Martinique, une tradition veut qu'un colibri qui picore le petit déjeuner d'une jeune fille lui annonce qu'elle se mariera dans l'année.

COLOMBE

La tradition veut que Satan ne puisse pas se métamorphoser en colombe. En conséquence, on considère depuis les temps les plus reculés que l'oiseau est sacré.

En voir une voler près de la fenêtre d'un malade ou frapper la vitre, est un présage de mort.

Aucun mineur n'acceptera jamais de descendre dans une mine si l'une d'entre elles est aperçue près du puits.

On dit aussi qu'elle est messagère de Vénus et, en tant que telle, c'est un oiseau de bon augure — en particulier pour les amoureux.

Selon une tradition indienne, l'oiseau abrite l'âme d'un amoureux défunt : en tuer une est donc un acte funeste.

COMÉDIENS ET COMÉDIENNES

Il y a peu de gens plus enclins à croire aux présages et aux superstitions que les comédiens et les comédiennes ; ceci est, sans aucun doute, dû à leur tempérament artistique. Toujours à la merci des goûts versatiles du public, ils recherchent le moindre signe les encourageant dans leur art et essayent d'éviter, autant que faire se peut, les chausse-trappes.

Il est tout à fait impossible de dresser une liste de toutes leurs superstitions — en particulier parce que certaines ne concernent qu'une seule compagnie, voire un seul individu, et changent au fil des ans. En voici, néanmoins, quelques-unes parmi les plus vivaces et les plus réputées.

Pour les gens de théâtre, les choses se gâtent dès qu'ils pénètrent dans leur loge... et, bien sûr, jamais aucune ne portera le numéro 13 !

Accrocher des images ou des photos dans une loge porte malheur.

Aucun comédien n'aime être « surveillé » par un autre membre de la troupe quand il ou elle se maquille devant son miroir.

La patte de lapin — qui sert pour l'application du fard — possède un charme réputé pour attirer la bonne fortune. Elle doit se trouver en permanence dans la valise de maquillage ; la perdre annonce une catastrophe. Les valises de maquillage ne doivent jamais être bien rangées ; en renverser une est un mauvais présage. (Une autre variante intéressante est en vigueur chez les choristes ; ces jeunes filles croient que si elles répandent de la poudre de riz sur le sol, cela leur portera chance... à condition qu'elles y esquissent un pas de danse immédiatement.)

Les perruques, quant à elles, seraient les messagères de la chance et tous les comédiens qui en portent n'en ont pas nécessairement besoin...

On peut lire un présage dans le simple fait de se déchausser : si les chaussures retombent toutes les deux à plat, c'est-à-dire sur leurs semelles, et restent d'aplomb, c'est bon signe ; si elles se renversent la mauvaise fortune ne tardera guère. Et précisons qu'aucun acteur ne courra le risque d'une catastrophe en déposant ses chaussures sur une chaise dans sa loge. Les usages veulent que les comédiens quittent toujours leurs loges du pied gauche ; et encore, que leurs chaussures doivent crisser lors de leur entrée sur la scène le soir de l'avant-première pour que le spectacle marche bien. Faire un faux pas en entrant sur scène provoque l'embarras mais aussi un trou de mémoire à un moment quelconque de la représentation. Accrocher l'une ou l'autre partie d'un costume à un accessoire du décor annonce que certaines répliques seront « escamotées » — à moins que le comédien ne retourne sur ses pas pour refaire son entrée. Au contraire, si un acteur tombe spontanément au cours d'une représentation, il est assuré d'avoir un autre engagement dans le même théâtre.

En ce qui concerne les costumes, aussi loin que l'on remonte, les plumes de paon n'ont jamais eu droit de cité puisqu'elles sont signe de malchance. Elles sont toujours de mauvais augure même si elles sont portées par une spectatrice. Aux États-Unis, la simple image d'une autruche sur la scène porte malheur.

Quant aux accessoires, seules les fleurs artificielles peuvent être utilisées mais la couleur jaune doit être évitée coûte que coûte. Dans le même esprit, les us et coutumes interdisent l'utilisation de nourritures réelles, de boissons ou de bijoux sur scène, seules les imitations sont autorisées, faute de quoi, le spectacle échouerait.

Le soir de la Première, on ne peut pas souhaiter bonne

chance à un acteur sans offenser les dieux, aussi n'est-il pas rare d'entendre les comédiens échanger le mot de Cambronne avant de faire leur entrée.

On ne lancera pas une pièce un vendredi à moins que la compagnie ne veuille faire un four.

Il est intéressant de savoir que les gens de théâtre prétendent que certaines pièces portent malheur (*Robin des Bois*) et d'autres bonheur (*Cendrillon*). Il est de notoriété publique que *Macbeth* de Shakespeare est une pièce maléfique, on croit que la fameuse « Chanson des Sorcières » a le pouvoir d'attirer les démons. Seul l'acteur le plus fou songerait à fredonner l'air de cette pièce pendant la répétition.

Aux États-Unis, les comédiens du « boulevard » sont persuadés de s'attirer le mauvais sort s'ils changent le style du costume dans lequel ils ont remporté leur premier succès — certains s'évertuent même à conserver l'original lui-même.

Si un comédien ou une comédienne « frappe à la mauvaise porte » en cherchant le directeur du théâtre ou un agent artistique, c'est un signe d'échec.

Encore une dernière remarque concernant les gens de théâtre : une ancienne tradition allemande et scandinave dit que pour apprendre un rôle sans difficulté, il convient de placer le livre ou le script en question sous son oreiller avant de se coucher. Le lendemain matin, vous vous éveillerez en le sachant par cœur. — Enfin, c'est ce que la coutume veut !

COMÈTES

Depuis des siècles, on considère les comètes en tant que présages d'infortune. D'une manière étrange, cela s'est avéré vrai en certaines occasions.

Dans le même esprit, des orages et d'inhabituels désordres du champ électrique ont annoncé des catastrophes comme le fit le phénoménal orage qui s'abattit sur le Michigan et l'Ohio (États-Unis) quelques minutes seulement avant la terrible attaque japonaise de Pearl Harbor.

CONCUBINS

Maintes sociétés ont pour règle de considérer que tout homme et femme vivant ensemble, en dehors des lois du mariage, sont messagers de malchance pour la communauté tout entière.

De tels couples sont dit avoir partie liée avec le diable.

Autrefois, il n'était pas inhabituel de voir leurs effigies brûlées en place publique. D'autres villageois les empêchaient de dormir en tambourinant ou en jouant du cor devant chez eux. Ce tapage servait, avouait-on, à faire fuir les démons que le couple abritait. Mais rien n'interdit de penser qu'en fait, on désirait que le couple quitte les lieux !

CONQUE

Les jeunes Martiniquaises amoureuses font leurs confidences à une conque. Elles l'offrent ensuite à l'élu de leur cœur. Le jeune homme connaîtra les pensées de la jeune fille en approchant le coquillage de son oreille.

COQ

Le coq est tenu en haute estime par les ennemis des revenants et des mauvais esprits.

Ce gallinacé aurait, pense-t-on, annoncé la naissance du Christ, c'est la raison pour laquelle on dit que le Jour du Jugement Dernier, tous les coqs — y compris ceux des clochers — feront une telle cacophonie qu'ils réveilleront les vivants et les morts.

Partout, on s'accorde à dire que les coqs blancs portent chance mais, en Europe, les noirs sont soupçonnés être les suppôts du Diable. Un coq qui chante lorsque vous partez travailler, vous annonce une bonne journée.

Cependant, s'il chante tôt dans la soirée, il fera mauvais le lendemain et s'il chante à la nuit tombée, c'est un présage de mort.

Si un coq chante devant la porte du jardin, un étranger arrivera dans la journée et un coq qui ne quitte pas son perchoir annonce la pluie. C'est un volatile très sensible, en fait !

On dit que le coq guérit certains maux. Pour cela, il faut frotter sa dépouille sur le corps du patient, puis la jeter à la mer, il part alors en emportant la maladie.

Dans plusieurs pays, on entend dire que pour être efficaces, certains remèdes doivent être pris au chant du coq.

COR

Dans les Ardennes, le cor est un sinistre présage. On y prétend en effet qu'entendre le son du cor et les hurlements d'un chien venant d'un bois alentour annonce la naissance d'un enfant mort-né.

CORBEAU

Le corbeau est l'oiseau le plus prophétique que l'on connaisse, grâce à sa prémonition du malheur tant personnel que collectif. Ne dit-on pas : « avoir la clairvoyance du corbeau » ?

Les Indiens d'Amérique du Nord l'appellent « le messager de la mort ».

La plus fameuse superstition qui lui est associée concerne les célèbres corbeaux de la Tour de Londres. On croit qu'ils disparaîtront lorsque la famille royale régnante s'éteindra et, que leur départ sera le signe de la ruine de la Grande-Bretagne.

Partout, cet oiseau est de mauvais augure.

Si l'un d'entre eux croasse au-dessus d'une maison, la maladie ou la mort ne tardera guère.

Pour expliquer ces croyances, certains avancent que le corbeau a un odorat très développé et qu'il perçoit l'odeur de la putréfaction à des distances considérables.

Si un corbeau vole autour d'une cheminée en croassant alors qu'un malade est à l'intérieur de la maison, le destin de cette personne est scellé.

Certains chasseurs de cerf à l'approche soutiennent qu'entendre le corbeau est de bon augure pour la chasse.

Les corbeaux qui font face à un soleil voilé présagent d'un temps chaud tandis que si on les voit se lisser le plumage, la pluie arrive.

Quand ils volent les uns vers les autres, c'est un présage de guerre.

CORBILLARD

Dans plusieurs comtés de Grande-Bretagne, on croit qu'il porte chance de voir un corbillard vide venir vers soi, mais malchance si l'on se retourne pour le regarder

CORNE

Bien qu'il soit malchanceux de conserver une corne dans une maison, une tradition américaine dit qu'une corne de bœuf est une puissante protection contre le Diable.

En Grande-Bretagne et en Espagne, les bois de cerf éloignent, dit-on, l'œil du Diable.

CORNEILLE

Il est de mauvais augure que les corneilles quittent un endroit où elles étaient installées ; elles annoncent un malheur aux propriétaires de la terre : aucun héritier ne naîtra, par exemple.

Au contraire, dans d'autres pays européens, les corneilles portent chance, prospérité et santé à quiconque possède la terre sur laquelle elles s'installent.

On croit que les corneilles sentent quand l'arbre dans lequel elles nichent est sur le point de s'écrouler.

Les paysans prétendent aussi que si les corneilles construisent leurs nids dans les branches élevées d'un arbre, l'été suivant sera beau alors que si elles s'installent dans les branches basses, il faut s'attendre à la pluie et au mauvais temps. Si à un moment donné, elles se rassemblent, gare au vent et à la tempête !

CORPS DE MÉTIER

Les gens de nombreux corps de métier, en particulier les artisans, les charpentiers, les couturiers refusent souvent de nettoyer leurs ateliers ou leurs locaux, aux époques où le travail est rare : ils craignent d' « écarter » toute commande ultérieure.

Le laveur de carreaux, dont la vie est dominée par la maudite échelle, est le plus sensible aux présages ; la superstition qu'il respecte le plus l'oblige à ne jamais modifier la façon de dresser son échelle.

Dans bien des professions, on souscrit à l'idée que certains jours sont plus favorables que d'autres pour effectuer certaines tâches.

Et qui n'a jamais entendu dire qu'il portait malheur de parler de ses projets personnels avant qu'ils ne soient devenus réalité ?

COTON

Si vous trouvez du coton accroché à votre robe ou à votre costume, vous recevrez une lettre importante.

Cette croyance universelle ajoute de plus que le coton dessinera la forme d'une lettre indiquant l'initiale de votre correspondant.

COU

En Europe, bien des gens pensent qu'un cou ankylosé signifie qu'un jour ou l'autre vous serez pendu.

COUCOU

Le premier chant du coucou annonce le printemps. Cette affirmation a donné le jour à de nombreuses superstitions et présages intéressants.

Au Pays de Galles, on dit qu'entendre le coucou avant le 6 avril porte malheur, mais si vous l'entendez le 28 pour la première fois, une année entière de prospérité vous attend.

Pour les Anglais, l'entendre alors qu'on est encore couché est signe de malchance ; au contraire, si vous êtes déjà à l'extérieur, c'est bon signe.

Sous nos latitudes, entendre le coucou après le mois d'août est de mauvais augure — en particulier en septembre et en octobre — puisque l'oiseau devrait se trouver dans les pays de migration. L'entendre à cette époque signifie qu'il ne vous reste plus une année entière à passer sur terre.

Avoir de l'argent dans ses poches quand le coucou chante pour la première fois est signe de chance ; faites sonner votre monnaie et vous ne serez jamais à court d'argent.

Si le chant de l'oiseau vient de votre droite, vous aurez de la chance toute l'année (le contraire est également vrai). Si vous faites un vœu, à ce moment précis, il sera exaucé.

Quand vous entendez le coucou pour la première fois, si votre regard est tourné vers le sol, vous mourrez dans douze mois. Les Écossais prétendent que le nombre d'appels que vous lance le coucou correspond au nombre d'années qui vous restent à vivre.

Lorsqu'une personne entend le coucou pour la première fois, on pense que quoi qu'elle fasse et quel que soit son état de santé, il en ira ainsi pendant les douze prochains mois.

Une superstition s'adressant aux jeunes gens veut que si en entendant le chant de l'oiseau pour la première fois, ils se déchaussent et trouvent un cheveu, ce dernier sera de la couleur de ceux de leur future épouse.

Les vieilles filles accordent une attention particulière au nombre de notes que lance le coucou pour saluer le printemps ; ce nombre est censé leur indiquer combien d'années elles ont encore à attendre avant de trouver chaussure à leur pied.

Il renseigne les vieilles gens sur leur espérance de vie, en leur adressant un « coucou » par année.

De nos jours, certains affirment encore que si le coucou pond ses œufs dans le nid d'autres oiseaux peu méfiants, c'est parce que trop occupé à répondre à de telles questions, il n'a pas le temps de construire un nid à sa progéniture.

D'autre part, il convient de préciser que le coucou a donné son nom à une plante avec laquelle il n'a rien à voir.

COUDES

D'après une superstition partagée par les Anglais et les Américains, un coude qui démange indique que vous dormirez bientôt dans un lit inconnu.

Les habitants de Boston vont plus loin et disent que vous partagerez votre lit avec une personne du sexe opposé !

En Grande-Bretagne et en Inde, si vous vous cognez le coude par hasard, attendez-vous à la malchance ; à moins que très rapidement vous ne cogniez l'autre.

On rencontre une étrange croyance enseignant que pour prendre sa revanche sur quelqu'un qui vous a mené la vie dure, il suffit de se mordre le coude et la personne se fera tremper par un orage diluvien.

Mais au fait, essayez donc de mordre votre coude !

COUDRIER

Une vieille superstition normande assure que si on frappe de trois coups de baguette de coudrier une vache elle sera une meilleure laitière.

COULEURS

Les couleurs tenant une place importante dans la superstition, ce dictionnaire y fait souvent allusion.

Vis-à-vis d'elles, chacun a des goûts et des dégoûts particuliers et croit que certains coloris lui sont bénéfiques ou maléfiques.

Et la superstition a, elle aussi, des idées bien précises sur le sujet.

Ainsi, le bleu, représentant le ciel, a toujours été considéré comme une couleur porte-bonheur ; tout comme le blanc — en admettant qu'il s'agisse d'une couleur — grâce à sa connotation sacrée.

Hormis sa popularité pour les robes de mariage, le blanc a été très en faveur pendant des générations pour les chemises de nuit ; on pensait qu'il détournait l'attention des mauvais esprits qui sont naturellement effrayés par cette sainte couleur.

Le noir caractérise lui aussi de nombreuses superstitions et plus souvent en bien qu'en mal (pensez aux chats, aux moutons et aux oiseaux noirs, par exemple) bien que nombre de gens en aient peur.

Il est intéressant de savoir que porter le deuil n'est pas seulement une marque de respect envers le défunt, mais aussi la continuation d'une coutume romaine affirmant qu'en présence de la mort nous sommes tous des créatures inférieures.

Certaines couleurs sont liées à l'astrologie et les planètes elles-mêmes ont chacune une couleur spécifique. Vu sous cet angle, porter la couleur correspondant à son signe n'est pas une mauvaise idée. La science moderne a réussi à prouver ce que la superstition maintenait depuis des siècles, à savoir que les couleurs influençaient le psychisme humain.

Le rouge a toujours été associé à la passion parce que c'est la couleur du sang ; la superstition l'investit de forts pouvoirs pour lutter contre la sorcellerie et les mauvais esprits. C'est la raison pour laquelle le rouge a droit de cité à certaines cérémonies et que nombre de vêtements d'apparat sont pourpres.

L'orange suggère la santé et l'émotion alors que le jaune — attribut du soleil — est stimulant.

Le vert est également une couleur très recherchée qui a toujours représenté la satisfaction et symbolisé à la fois la nature et les sentiments de paix et d'équilibre.

Dans l'Angleterre ancienne, la croyance populaire résumait ainsi les caractéristiques des couleurs : le bleu pour la chance, le vert pour la santé, le rouge pour la richesse et le rose pour quelque chose d'agréable.

COUPS

En Irlande, entendre frapper un coup, trois nuits de suite ou vers minuit est un présage de mort pour un des membres de la famille.

De la même façon, en Écosse, trois coups frappés à des intervalles réguliers d'une ou deux minutes annoncent une issue fatale.

Un coup frappé près du lit d'une personne malade est également un présage de mort et ce, dans toutes les Îles Britanniques.

En Virginie (États-Unis), une superstition des plus étranges veut que frapper à la porte d'une maison et ne pas recevoir de réponse est signe de mort. Cependant, on peut trouver plus vraisemblable de dire qu'il n'y a pas âme qui vive !

COURLIS

Pour les marins, le courlis est un oiseau de mauvais augure. S'ils en voient un voler au-dessus d'eux en poussant son cri caractéristique, une tempête couve et il vaut mieux ne pas prendre la mer.

L'entendre crier la nuit est un très sinistre présage.

COURSES

Comme tant d'autres sportifs, les pilotes automobiles

affectionnent des fétiches censés leur porter chance qui leur sont personnels.

Une des quelques superstitions rencontrées à l'échelle universelle est qu'il porte malheur d'entrer dans la voiture du côté du pot d'échappement — encore faut-il qu'elle en ait un !

Avant l'apparition de la télévision qui, aujourd'hui, les traque avec acharnement des pistes à la ligne de départ, les pilotes de l'ancienne école croyaient que poser pour une photographie ou signer des autographes avant une course était de mauvais augure.

COUTEAUX

La plus ancienne superstition concernant les couteaux dit que les croiser à table est un présage d'infortune et indique des intentions malveillantes.

Dans le même esprit, la coutume de déposer soigneusement couteaux et fourchettes de part et d'autre de l'assiette nous vient du temps où l'homme tenait son couteau dans sa main en mangeant, et le seul moyen qu'il avait de montrer qu'il n'entretenait aucune intention mauvaise, envers qui que ce soit présent à cette table, était de déposer son couteau près de son assiette.

Tartiner un toast avec un couteau ou en faire tourner un sur le plateau d'une table porte malheur.

Évitez de laisser tomber un couteau d'une table si vous êtes amoureux parce que cela augure une rupture ; cependant, si vous êtes déjà marié c'est le signe que vous allez recevoir une visite.

Si une personne vous offre un couteau, n'omettez pas de lui donner une pièce de menue monnaie pour assurer que l'amitié qui vous lie ne sera pas ruinée.

Une autre tradition, bien enracinée et presque universelle, prétend qu'un couteau fabriqué en fer est une protection contre les sorcières et les mauvais esprits, et, en Écosse, on vous conseille de mettre un couteau sous votre oreiller, la nuit, pour éviter que les fées ne vous enlèvent durant votre sommeil.

Dans le sud de l'Angleterre, on dit aussi qu'un couteau caché sous le rebord de la fenêtre tiendra le Diable en respect.

COUTURE

On croit qu'il porte malheur de recoudre un vêtement qu'on a sur le dos ou de coudre quelque chose de neuf sur quelque chose d'ancien.

En France et en Grande-Bretagne, on prétend que si le fil « fait des nœuds » quand on coud, l'ouvrière se disputera avec quelqu'un dans de brefs délais ; tandis qu'aux États-Unis, si une couturière perd son dé à coudre cela porte chance à la personne pour qui elle cousait — hormis si c'était pour elle et, dans ce cas, les augures sont loin d'être bons...

Dans les pays méditerranéens, les vieilles femmes disent qu'emmêler une aiguillée de fil, en raccommodant un vêtement, octroie santé et prospérité à son propriétaire.

CRACHER

Pour le plus grand nombre d'entre nous, cracher est un acte grossier et sale ; il n'en est pas moins vrai que c'est un geste de conjuration dans la superstition et ce, à l'échelle universelle.

Les détails des croyances varient mais toutes semblent avoir une origine commune : le crachat serait l'âme de l'homme. Cracher, c'est donc faire une offrande pour apaiser les dieux.

Sans conteste, dans maintes cérémonies rituelles, le crachat est utilisé pour éloigner les mauvais esprits, exorciser les démons et guérir certaines maladies.

Depuis les Romains, quelques personnes considèrent le crachat comme un antidote à la contagion et comme un moyen de renforcer la peau dans les batailles.

A l'origine, on pensait que cracher dans ses mains avant de lutter — ou de menacer de se battre — rendait le lutteur plus résistant.

Les pêcheurs crachent, eux aussi, dans leurs filets avant de les immerger. Il se peut que ce soit une façon — même inconsciente — d'honorer les dieux des profondeurs marines.

Aux États-Unis, on affirme qu'il faut cracher pour éloigner l'infortune quand on voit une chenille ou une personne qui louche ; que la salive guérit les piqûres d'insectes et que le moyen le plus efficace et le plus rapide pour réveiller un pied endormi est de cracher sur les orteils !

En Bretagne, pour savoir si l'eau d'une fontaine est potable on y crache : si la salive disparaît rapidement, c'est oui !

Après avoir loué la santé d'un enfant, un Corse bien intentionné crache à terre et ajoute : « Dieu le bénisse. »

CRÂNE

A l'extrême sud des États-Unis, on rencontre toujours une superstition originaire de Grande-Bretagne, voulant que la mousse blanchâtre recueillie sur le crâne d'un homme assassiné ait des pouvoirs curatifs et magiques, surtout comme philtre d'amour.

Au début, on recommandait cette potion pour guérir la fièvre et les maux de tête, mais adoptée par le Nouveau Monde, ses pouvoirs ont été étendus.

Sans doute, pensait-on que le crâne d'un homme dont la vie avait cessé brutalement contenait encore une bonne partie de sa force vitale et qu'elle pouvait être utilisée dans des buts bien précis.

En Irlande, on a prétendu pendant des lustres que si un homme prêtait serment sur un crâne et qu'il mentait, la mort le faucherait peu de temps après.

CRAPAUD

Un peu partout dans le monde, le crapaud est réputé être de bon augure puisque sa présence, dit-on, indique beaucoup d'eau ; mais en tuer un apporte la pluie !

Les Anglais, eux, l'ont associé à la sorcellerie et, en conséquence, certains paysans croient qu'il est le messager du malheur.

Pendant des siècles, les malfaiteurs ont cru que s'ils portaient sur eux un cœur de crapaud ils ne se feraient jamais pincer.

On peut être tenté de penser que si les superstitions à propos de cette créature sont encore si abondantes c'est parce que l'une d'entre elles concerne le mariage ; on affirme que si une jeune mariée rencontre un crapaud en se rendant à l'église, son mariage sera heureux et prospère

CRÊPE

La crêpe est considérée un peu partout dans le monde comme messagère de bonne fortune.

On a suggéré qu'elle devait sa réputation aux différents composants qui servent à sa fabrication, puisque bon nombre sont eux-mêmes bénéfiques.

CROCODILE

Les Indiens croient que les crocodiles émettent un gémissement plaintif semblable à celui d'un être humain en détresse pour attirer leurs victimes.

Aussi étrange que cela paraisse, ils sont également convaincus qu'ils versent leurs « fameuses larmes » sur la tête de leurs victimes après avoir dévoré leurs corps et qu'ensuite ils s'empressent de la manger !

CUILLER

Une croyance, très répandue, veut qu'il porte malheur de remuer quoi que ce soit avec une cuiller de la main gauche.

Trouver deux cuillers dans une soucoupe annonce un mariage dans la famille.

En Écosse, la main dont se sert un enfant lorsqu'il saisit une cuiller pour la première fois présage de son avenir. S'il utilise la main droite, la bonne chance l'accompagnera toute sa vie tandis que le malheur sera son lot quotidien, s'il emploie la gauche.

Si vous renversez une cuiller sur la table, attendez-vous à une visite et si c'est une cuiller à soupe, ce pourrait très bien être une famille entière !

Si une cuiller tombe le cuilleron au-dessous, vous aurez bientôt une surprise mais si elle repose sur le cuilleron, gare aux déceptions.

CUIR

La popularité du cuir tient pour beaucoup à la superstition remontant à la nuit des temps qui voulait qu'il possède le pouvoir d'effrayer les démons et les esprits malfaisants.

CUISINER

A la campagne, beaucoup de ménagères disent encore que toute nourriture mélangée dans le sens inverse des aiguilles d'une montre ne sera jamais bonne. Par là, inconsciemment, elles honorent la tradition des anciens adorateurs du Soleil qui croyaient que toutes les fonctions importantes devaient être dirigées d'Est en Ouest.

En Cornouailles, une croyance veut que nul ne peut faire disparaître une tache de fruit d'un vêtement, si le fruit a été consommé hors saison.

Cette affirmation conforte l'ancienne idée de l'existence d'une relation entre l'objet et ses composants, fussent-ils séparés.

CYGNES

Les cygnes sont, bien sûr, des oiseaux protégés mais, pour la superstition, ils sont de mauvais augure. Si vous en tuez un, vous mourrez dans l'année.

On dit aussi que lorsque le cygne allonge sa tête et son cou au-dessous de ses ailes durant la journée — position dans laquelle il dort — il annonce un orage.

Deux superstitions peu communes valent la peine d'être mentionnées ici. La première soutient que les œufs du cygne n'éclosent que pendant un orage. La seconde dit qu'en raison de son association avec le dieu grec Apollon, dieu de la musique entre autres choses, il chante quand il meurt, d'où l'expression « le chant du cygne ». En fait, ces deux affirmations ne contiennent pas une once de vérité.

Une superstition d'origine écossaise dit que voir voler de conserve trois cygnes présage d'une catastrophe pour le pays.

D

DAME BLANCHE

Les Dames Blanches sont des fées qui apparaissent aux agonisants trois jours avant leur décès. Elles s'invitent aussi aux mariages et aux naissances mais elles n'augurent de la mort que si elles portent des gants noirs.

En Bretagne et en Berry, les Dames Blanches sont les « lavandières de la nuit » parce qu'au clair de lune elles lavent leurs linges blancs dans les fontaines et les lavoirs isolés avec des battoirs d'or. Elles sollicitent l'aide des égarés pour tordre les suaires et les linceuls. Mieux vaut ne pas la leur refuser, elles vous casseraient le bras et vous briseraient la main !

DÉMANGEAISON

Les superstitions entourant ces irritants petits chatouillements qui, soudain, apparaissent sur le corps pour des raisons diverses, ont des explications très intrigantes d'après la tradition.

A l'entrée « main », nous rapportons les récompenses pécuniaires à attendre si les paumes de vos mains vous démangent.

Si votre oreille droite vous chatouille, quelqu'un, quelque part, dit du bien de vous. L'inverse est naturellement vrai. Si c'est la gauche, quelqu'un vous dénigre.

Si votre nez vous démange, vous serez prochainement soit ennuyé, soit embrassé.

Si vos pieds vous tourmentent, vous ferez un voyage pénible.

Si votre genou vous dérange, avant longtemps, vous serez agenouillé en un étrange lieu. (Pour les Américains de Boston, cela signifie que vous jalousez quelqu'un !)

Une tête qui gratte porte bonheur.

Si votre cheville droite vous agace, grattez-vous avec plaisir puisque vous allez recevoir de l'argent. S'il s'agit de la gauche, vous aurez à payer sous peu des factures en souffrance !

Mais le plus agréable des présages concernant les démangeaisons est certainement le sourcil irrité puisqu'il annonce que vous dormirez sous peu avec quelqu'un.

DEMOISELLES D'HONNEUR

La coutume des demoiselles et des garçons d'honneur à un mariage est un héritage du temps où les cérémonies étaient fréquemment perturbées par des malfrats essayant d'enlever la mariée. La présence de ces jeunes gens et jeunes filles permettait de prévenir un tel outrage.

Toutes les demoiselles d'honneur rêvent d'attraper le bouquet de la mariée puisqu'il leur promet leur propre mariage.

Mais elles croient à bien d'autres présages.

Si une demoiselle d'honneur fait un faux pas en se dirigeant vers l'autel, elle restera vieille fille.

Être demoiselle d'honneur trois fois porte malheur — et à moins de tenir l'emploi quatre fois de plus, vous ne vous marierez jamais. (Encore et toujours le bénéfique chiffre sept !)

Si une mère de famille, âgée et respectable, se trouve dans l'assistance, la mariée aura de la chance puisque cette femme concrétise l'état heureux et plénier de la vie conjugale.

DENTS

En France, grands et petits connaissent l'histoire de la « petite souris ».

De nos jours, dans les pays anglo-saxons, les enfants s'amusent aussi d'une ancienne coutume très voisine. Quand un enfant perd une dent, il doit la mettre sur une assiette près de son lit avec une pincée de sel. Durant son sommeil, une fée vient prendre la dent et dépose une pièce de monnaie. Là, les parents ont un rôle à jouer et ceux qui sont superstitieux ont même leur mot à dire. Certains pensent, en effet, que la dent doit disparaître avant minuit ou les mauvais esprits apercevront l'enfant et la malchance le poursuivra.

En de nombreux pays, il est de mauvais augure qu'un enfant naisse avec ses dents. On rencontre toujours une tradition voulant que si la première dent d'un enfant apparaît sur la mâchoire supérieure, il mourra jeune.

Un enfant qui fait ses dents de bonne heure annonce à sa mère qu'elle aura bientôt un autre bébé.

Une superstition, peu crédible, veut que le nombre de dents qu'un enfant a, lors de son premier anniversaire, indique le nombre de frères et sœurs qu'il aura.

En France, on dit d'une personne ayant les incisives très écartées qu'elle a les dents du bonheur.

Les jeunes gens dont les dents sont très écartées ont intérêt à faire leur vie loin de leur lieu de naissance s'ils veulent être heureux.

Une tradition, bien enracinée, dit que rêver de dents qui tombent est de très mauvais augure et présage de la mort d'un proche parent.

Les Américains, toujours eux, vous promettent une rage de dents si vous mangez quoi que ce soit alors qu'une cloche sonne, pour un enterrement.

De nos jours, le plus sûr moyen pour se débarrasser d'une rage de dents est d'aller chez le dentiste ; autrefois, le savoir populaire suggérait plusieurs remèdes. Il fallait soit porter autour du cou un petit sac contenant la dent d'un défunt, soit les pattes antérieures et postérieures d'une taupe. Mais, sachez qu'une noisette était tout aussi efficace !

DÉS

Jouer aux dés est sans doute le jeu le plus populaire, aux États-Unis, de nos jours. Autrefois, les petits garçons désirant jouer aux dés en étaient souvent empêchés par leurs parents. Alors, ils s'accroupissaient hors de vue dans la position des batraciens et leur activité a pris le nom de « crapaud ». Les Américains l'ont abrégé et disent « Crap ». C'est toute l'origine du mot.

Il existe, bien sûr, beaucoup de superstitions relatives aux dés, par exemple, souffler dessus en claquant des doigts pour éloigner la mauvaise fortune.

Vous aurez également beaucoup de succès en frottant le dé sur la tête d'une personne rousse et si vous avez toujours un jeu de dés sur vous, vous ne serez jamais à court d'argent !

Le nombre de points sur le dé est source de présages : un point annonce une lettre de grande importance ; deux, un merveilleux voyage ; trois, une grande surprise ; quatre, la malchance et les problèmes ; cinq, un changement dans vos affaires de famille et, pour les célibataires, l'autre vous sera infidèle. Six points portent chance et annoncent une rentrée d'argent inattendue. Gagner la partie, peut-être ?

DIMANCHE

Grâce à sa signification dans la religion chrétienne, le dimanche est, depuis fort longtemps considéré comme un très bon jour, en particulier pour naître.

Tout enfant né ce jour est comblé et protégé de l'attention des sorcières ou des mauvais esprits. Certains peuvent même être médiums et avoir le don de divination.

Le dimanche était, disait-on, un jour idéal pour qu'une femme qui venait d'accoucher se relève. Les traitements entrepris un dimanche ont plus de chances d'aboutir à une guérison que ceux commencés un tout autre jour de la semaine.

Dans certains coins, en Grande-Bretagne, on répète encore une étrange superstition dont le fondement nous échappe ; elle affirme que tout contrat passé un dimanche n'est pas légal puisque, d'une façon ou d'une autre, il offense Dieu.

Aux États-Unis, une expression populaire prévient qu'il ne faut pas défier les commandements de Dieu et que ce jour doit être un jour de repos : « Ne faites jamais de projets un dimanche ».

Il porte malheur de changer les draps d'un lit un dimanche, ainsi que de se couper les cheveux ou les ongles.

Les Anglais prétendent que tous les membres d'une chorale qui chanteront faux un dimanche à l'église trouveront leur dîner brûlé !

DINDON

Une croyance berrichonne affirme qu'un homme qui a perdu sa vigueur sexuelle doit regarder trois dindons gonfler trois fois consécutives leur cou. Le soir même il pourra satisfaire qui lui plaira.

DOIGT

La superstition a attribué de nombreuses qualités aux doigts ; quelques-unes sont encore d'un usage courant dans plusieurs pays du monde.

Par exemple, d'un enfant qui a les doigts longs on dit qu'il sera musicien et aussi que l'argent lui filera entre les doigts. Un index plus long que le médius ou aussi long est signe de malhonnêteté. On l'appelle quelquefois le « doigt du poison », il ne doit jamais être utilisé pour appliquer des médications ; l'annulaire de la main gauche est supposé chanceux et possède des pouvoirs de guérison. Un auriculaire tordu est un signe de richesse.

Quiconque naît avec plus de cinq doigts a une chance extraordinaire et sera probablement prodige plus tard.

Si vous êtes contraint de raconter un pieux mensonge à quelqu'un pour éviter de heurter ses sentiments, croisez l'index et le médius derrière votre dos pour en être débarrassé. Bien sûr, croiser les doigts a toujours été une façon d'éviter l'infortune. Selon une tradition européenne, si vous tirez sur les jointures de vos doigts et qu'elles « craquent » soyez assuré que quelqu'un vous aime.

DORMIR

Une vieille tradition anglaise concerne la direction dans laquelle vous vous allongez pour dormir.

Si votre tête est au Nord, votre vie sera courte ; si votre tête est au Sud, vous vivrez vieux.

Si vous désirez devenir riche, mettez la tête de votre lit à l'Est. Sachez qu'une tête de lit à l'Ouest, vous promet des voyages.

Il est intéressant de constater qu'aujourd'hui, bon nombre de médecins reconnaissent que la meilleure nuit de sommeil demande que le dormeur regarde vers le Sud. Mais nul ne peut expliquer pourquoi...

Les Allemands ont, aussi, une superstition à ce sujet.

Une jeune fille qui s'endort sur son lieu de travail épousera un veuf. Toutefois, elle peut venir à bout de sa léthargie en enlevant ses chaussures et en les plaçant face à elle !

DOUTE

Il existe une amusante superstition juive qui veut que si vous hésitez face à un problème ou une situation, vous devez compter le nombre de boutons du manteau que vous portez à ce moment. S'il est pair, vous avez raison ; s'il est impair, tort.

E

EAU

L'eau tenant une grande place dans la superstition, on la rencontre souvent dans ce dictionnaire ; ici, nous ne reprenons que les plus connues.

Tout d'abord, la plus délicieuse. Dans le Sud de la France, on dit qu'entre onze heures et minuit, la nuit de Noël, l'eau conservée dans des cruches de grès se transforme en vin. Si seulement c'était vrai...

On a toujours considéré l'eau comme une protection contre les mauvais esprits, c'est la raison pour laquelle il porte malheur d'en jeter la moindre goutte hors de la maison, une fois la nuit tombée.

Dans les campagnes anglaises, une superstition veut que l'eau placée dans une chambre, pour se laver ou pour boire, ne doit jamais être bouillie ou elle attirera l'infortune sur les occupants de la pièce.

On sait que le Diable a un dégoût particulier pour l'eau bouillie ; s'il en aperçoit, il fera tout ce qui est en son pouvoir pour manifester son mécontentement.

Les eaux d'un certain nombre de puits et de sources sont réputées de par le monde avoir des qualités curatives ; au Pays de Galles, l'eau de source puisée à minuit, le jour de la Toussaint, est supposée avoir des propriétés de guérison. Ce qui, à la lumière des constituants minéraux de bien des sources naturelles est certainement vrai.

Il vaut mieux éviter de renverser un seau d'eau puisé à un

puits ou à une fontaine puisqu'il n'en résulte, dit-on, que du malheur.

On connaît également des superstitions concernant le robinet, la plus connue veut qu'il soit de mauvais augure que deux personnes se lavent les mains sous le même filet d'eau.

Si, en faisant votre premier savonnage de la journée, vous répandez l'eau, vous aurez de la chance. N'oubliez pas, cependant, que cela dérangera la personne qui devra éponger !

Une jeune fille incapable d'éviter de s'éclabousser quand elle lave doit savoir qu'elle a de fortes chances d'épouser un alcoolique.

En Inde, on dit qu'il est de bon augure de renverser de l'eau avant d'entreprendre un voyage tandis que rêver d'eau — surtout d'eaux agitées — présage un malheur.

ÉCHELLE

Passer sous une échelle appuyée contre un mur porte malchance, entend-on dire un peu partout. Certains parmi vous réalisent probablement que l'origine de cette superstition est, elle aussi, liée au Diable, notre vieil ami.

Les Anciens prétendaient qu'une échelle dressée formait un triangle. Dans la tradition chrétienne, le triangle symbolisant la Sainte-Trinité, passer à travers dénonce un manque de respect et donc, des affinités avec Satan.

Si vous le faites, par inadvertance, tout n'est pas perdu ; pour conjurer le sort, vous devez immédiatement croiser les doigts et les garder croiser jusqu'à ce que vous rencontriez un chien.

Vous pouvez aussi essayer le moyen consistant à cracher sur votre chaussure et à laisser sécher. Mais est-il fiable ?

Selon une autre superstition, un célibataire qui commet cet acte offensant, perd toutes ses chances de se marier avant un an !

La même superstition existe aussi dans de nombreux pays non chrétiens où tout ce qui « couvre » la tête conduit au malheur : ainsi, certains Japonais ont peur des fils télégraphiques et croient que s'ils passent au-dessous, ils seront possédés par les démons.

100

En certaines régions, on dit qu'il porte malheur d'attraper quoi que ce soit à travers les barreaux d'une échelle et, aux Pays-Bas, d'aucuns prétendent que marcher sous une échelle signifie que vous serez pendu.

Les Américains pensent que si un chat noir passe sous une échelle, quiconque y grimpera ensuite ne récoltera que l'infortune.

Pour terminer, disons que si vous voulez réussir dans la vie, vous devez grimper à une échelle ayant un nombre impair de barreaux — mais soyez prudent — parce que tomber d'une échelle présage des pertes d'argent imminentes.

ÉCLAIRAGE

Une ancienne croyance voulait qu'avoir trois lampes ou trois bougies allumées dans une même pièce portait malheur. Bien que très surprenante parce que le chiffre trois est, en général, bénéfique, elle a survécu de nos jours et de nombreuses personnes ne veulent pas défier le destin en ayant un tel dispositif dans leurs demeures.

L'explication la plus vraisemblable que l'on trouve pour cette croyance nous est fournie par la tradition slave : seul un prêtre peut faire brûler trois bougies sur un autel sans encourir le courroux de Dieu ; un laïque faisant de même s'attirera les plus grands malheurs.

ÉCOLE

Une superstition encore très commune, de nos jours, aux États-Unis vous promet que si en vous rendant à l'école ou au collège, vous laissez tomber vos livres, vous ferez des fautes dans vos exercices.

ÉCUREUIL

En France, la superstition, qui veut que quiconque tire un écureuil s'attache la mauvaise chance et perd son habileté à chasser, demeure. Malheureusement, on peut regretter que certains chasseurs britanniques ne partagent pas cette croyance et considèrent l'écureuil comme un fléau, allant même jusqu'à le surnommer le « rat des arbres ».

Cette superstition trouve ses origines dans la légende

101

prétendant que l'écureuil vit Adam et Ève manger le fruit défendu dans le jardin d'Éden ; il fut si horrifié de cet affront aux règles de Dieu qu'il mit sa queue — auparavant petite et fine — devant ses yeux et, en souvenir, garda le panache qu'arborent maintenant ses congénères.

ÉGLISE

Un des plus sinistres présages associés aux églises veut qu'un oiseau perché sur la girouette du clocher annonce un décès imminent dans la paroisse.

Sur un ton plus heureux, un oiseau qui vole dans une église durant un office porte chance à toutes les personnes présentes.

On dit que si le portail d'une église grince sans cause apparente, il annonce qu'il s'ouvrira sous peu pour accueillir un cercueil.

N'importe qui suffisamment brave et possédant un esprit macabre peut voir s'il le désire ceux de sa paroisse qui mourront dans les douze prochains mois. Il lui suffit de s'asseoir sous le porche de l'église, à minuit, la veille de la Toussaint et les silhouettes des futurs défunts entreront dans l'édifice, sous ses yeux, aux douze coups de minuit.

En Écosse, on prétend, de plus, que les noms des futurs disparus sont réellement prononcés, et que la personne embusquée sous le porche peut les sauver de leur destin immédiat en leur jetant, à chacun, un de ses vêtements.

Espérons que la nuit ne sera jamais trop fraîche pour un aussi noble strip-tease !

ÉMEU

L'émeu de Nouvelle-Zélande est un animal de bon augure et sa chair est un remède pour plusieurs maladies. Cependant, on dit également que tuer un de ces oiseaux annonce le malheur.

EMPRUNT

« Ne sois jamais prêteur ou emprunteur », ainsi commence une vieille phrase encore prononcée de nos jours par les parents prudents à l'intention de leur progéniture.

Un dicton affirme que les trois premiers jours de février et les trois derniers jours de mars sont fort malchanceux pour quiconque essaie d'emprunter.

En Écosse, on dit que demander un prêt ces jours-là attire le mauvais sort et aussi, que les graines plantées au même moment ne pousseront pas.

Dans le Yorkshire, une superstition conseille de toujours rendre ce qu'on doit avec le sourire. En d'autres termes, de bonne grâce et en remerciant, sinon la mauvaise fortune vous attend au détour du chemin.

ENFANTS

De par le monde, pour assurer un avenir heureux à un enfant, on pense qu'il est bénéfique de lui offrir certains cadeaux spécifiques dès qu'il est en âge de comprendre ce qu'ils représentent.

Il s'agit de pain, de sel, d'œuf, d'argent et d'allumettes. Ces offrandes symbolisent respectivement la nourriture, l'intelligence, l'amitié, la santé et la lumière menant au paradis.

Il est de mauvais augure d'enjamber un enfant qui rampe sur le sol, cela perturbe sa croissance. Un enfant qui porte un panier sur sa tête encourt le même risque.

Les Japonais croient, pour leur part, qu'un enfant qui porte une arme quelconque cessera de grandir. Que la superstition soit fondée ou non, éloigner les enfants des armes est, de toute manière, très sage !

ENGELURES

Les Anglo-Normands et les Français partagent une ancienne croyance qui veut qu'une bûche de Noël, partiellement consumée et placée sous un lit, protège ses occupants des engelures, de la foudre et du feu par-dessus le marché !...

Il existe aussi un remède de bonnes femmes très particulier pour se débarrasser de cette affection. Assis les pieds croisés, il suffit de piquer les engelures avec des feuilles de houx. Cela peut paraître absurde, voire douloureux, mais nul ne conteste que l'action stimule la circulation sanguine dans les extrémités inférieures (alors que le ralentissement est la principale cause du mal).

103

ENGOULEVENT

En Angleterre et aux États-Unis, l'engoulevent est appelé « oiseau des cadavres », c'est donc un oiseau de mauvais augure.

Entendre son cri saisissant la nuit est un mauvais présage et si l'un d'eux est perché sur une maison ou un immeuble, il annonce une mort prochaine.

Seule, la sinistre réputation du hibou peut rivaliser avec la sienne.

ENTERREMENT

En Irlande et dans certains coins de Grande-Bretagne, on croit que le dernier cadavre inhumé dans un cimetière — peu importe le jour — doit « surveiller » toutes les tombes jusqu'à l'arrivée du prochain cercueil.

Cette superstition est probablement à l'origine de quelques scènes tout aussi hilarantes que malencontreuses. Ainsi, quand deux cortèges funéraires approchaient du cimetière en même temps, il n'était pas rare de voir une course se disputer entre les groupes afin que leur « mort » respectif ne soit pas le « dernier »...

En France, on entend dire, quelquefois, que la dernière personne enterrée chaque année concrétise la mort et que ceux qui doivent mourir dans les douze mois à venir la reverront là où elle vivait.

Une coutume, toujours vivace, veut que le cercueil soit porté en terre « avec le soleil » — c'est-à-dire, dans la direction de la course du soleil, d'Est en Ouest — faute de quoi, les vivants comme le mort seront maudits.

ÉPÉE

En Provence, à la cour du roi René — fin lettré mais malheureux en politique — on facilitait les couches d'une femme en traçant au-dessus de son ventre une croix avec une épée.

ÉPINE

Dans la province de Hanovre (Allemagne), une superstition prétend que, si par hasard, une jeune fille trouve une épine dans un de ses vêtements, elle épousera un veuf.

ÉPINGLE A CHEVEUX

Les superstitions relatives aux épingles à cheveux semblent toutes abonder dans le même sens.

On soutient, en effet, qu'en trouver une indique que vous vous lierez d'amitié avec quelqu'un.

Cependant, si vous en perdez une, vous vous ferez un ennemi ; si elle est simplement égarée dans votre chevelure et que vous la retrouviez, quelqu'un pense à vous.

Une croyance allemande veut qu'égarer une épingle à cheveux signifie que votre prétendant va vous abandonner.

ÉPITAPHES

En dépit de la popularité grandissante de collectionner les épitaphes des tombeaux dans les vieux cimetières, une superstition américaine déclare qu'en le faisant vous courez le risque de perdre la mémoire.

ÉQUATEUR (franchir l')

Maints parmi ceux qui participent en mer à la réjouissante cérémonie du « passage de l'Équateur » ignorent probablement que ce rituel vient, en fait, d'une très ancienne tradition qui voulait qu'on sacrifie un des membres de l'équipage aux dieux de la mer afin d'assurer un voyage sans encombre au navire et la chance à tous ceux qui « restaient » à bord.

ERREUR SUR LA PERSONNE

Avoir le sentiment que l'on connaît une personne qui vient vers soi et découvrir que l'on s'est trompé a une signification terrible, dans la superstition britannique. Une telle expérience est, dit-on, un présage de mort pour cet « étranger ».

ESCALIER

Parmi les superstitions les plus connues à travers le monde, on rencontre celle voulant qu'il porte malheur de dépasser quelqu'un dans un escalier et qu'il est sage d'attendre en bas ou sur un palier que la personne soit passée. Si la rencontre est inévitable, croisez les doigts.

On pense que cette superstition remonte aux époques où les escaliers étaient beaucoup plus étroits que de nos jours et que si deux personnes s'y trouvaient, l'une ou l'autre était susceptible d'être attaquée par-derrière.

Bien des gens pensent qu'il porte malheur de trébucher en descendant un escalier — ce qui évidemment entraîne chutes et blessures !

En revanche, trébucher en gravissant un escalier est bénéfique et signifie qu'il y aura un mariage dans la maison avant longtemps.

ESSUIE-MAINS

Une vieille superstition dit que deux personnes qui se sèchent les mains, en même temps, sur une serviette se disputeront et auront des ennuis.

Les amoureux ne doivent pas partager la même serviette pour se sécher après un bain, quel qu'il soit, ou ils se sépareront.

Si vous faites tomber un essuie-mains ou un torchon, attendez-vous à une visite. Toutefois, si vous ne désirez pas être dérangé, une ancienne superstition écossaise vous conseille de piétiner aussitôt le linge à reculons.

ÉTERNUER

Éternuer sans être enrhumé est, depuis des temps immémoriaux, considéré comme un présage.

Un des dictons les plus connus dit : « une fois, un souhait ; deux fois, un baiser et trois fois, quelque chose de mieux ».

Maintes personnes considèrent encore que dire « à tes souhaits » à quelqu'un qui vient d'éternuer est une habitude superstitieuse. C'est une erreur. Les Romains disaient « Dieu vous bénisse » parce qu'à cette époque la peste faisant rage, l'éternuement était, en fait, un des premiers symptômes de la maladie. Demander à Dieu de bénir cette personne exprimait la compassion et le désespoir de ceux qui fuyaient la victime.

Toujours au chapitre de l'éternuement, les Africains ont un dicton très excessif : « santé, pouvoir, prospérité et enfants ».

De nos jours, certains Italiens croient que l'âme quitte le corps quand une personne éternue ; pour eux, dire « Dieu soit avec vous » assure qu'elle réintégrera le corps sans encombre.

Les Écossais prétendent qu'un nouveau-né est sous l'emprise des fées jusqu'à ce qu'il ait éternué. Pour les Anglais, éternuer avant le petit déjeuner annonce un cadeau avant la fin de la semaine.

Ici encore, tout le monde n'est pas d'accord, les Gallois pensent qu'éternuer porte malchance.

Aux États-Unis, éternuer en parlant, c'est le signe que vous ne mentez pas et éternuer à table vous promet un nouvel ami avant le prochain repas.

Les Américains, toujours eux, disent qu'avoir envie d'éternuer et ne pas y parvenir signifie que quelqu'un vous aime et n'ose pas vous l'avouer.

La tradition juive enseigne que si quelqu'un éternue alors que la conversation concernait une personne décédée, le malheur suivra. Toutefois, on peut l'éviter en tirant sur le lobe des oreilles et en répétant cette phrase : « autres êtres, autre monde ».

Les Chinois pensent qu'éternuer la veille de la nouvelle année (la leur, bien entendu) attire la mauvaise fortune pour toute l'année.

Cependant, les Japonais disent qu'un éternuement signifie que quelqu'un parle de vous en vous encensant, mais deux qu'on vous dénigre.

Éternuer le matin est bénéfique mais gare si c'est le dernier acte de votre journée !

Éternuer à droite porte bonheur, à gauche, malheur.

Pour conclure, n'omettons pas de préciser que deux personnes éternuant en même temps auront beaucoup de chance.

ÉTOILES

Les étoiles étant le lieu de résidence des dieux, elles ont une place privilégiée dans la superstition depuis les temps les plus anciens.

Pendant très longtemps, les Britanniques ont considéré qu'il était injurieux de montrer une étoile du doigt ; ils craignaient que leurs doigts ne restent dans cette position.

Les Anglais et les Américains pensent qu'il porte bonheur de voir s'allumer la première étoile et que si vous faites un vœu, il deviendra réalité pour autant que vous le teniez secret.

En Charente, un jeune homme qui souhaite se marier doit compter quatre-vingt-dix-neuf étoiles neuf jours de suite. La première jeune personne qu'il rencontre au matin du dixième jour lui est destinée.

ÉTOILES FILANTES

Les étoiles filantes sont, on peut le dire, universellement considérées comme des présages de chance.

On croit que si l'on fait un vœu avant qu'elles ne disparaissent, il deviendra réalité.

Bien des gens soutiennent que chaque étoile dans le ciel est l'âme d'un être humain et que les étoiles filantes viennent sur terre pour apporter une âme aux nouveau-nés.

Dans le même esprit, d'autres traditions anciennes enseignent que chaque fois qu'une personne meurt, une nouvelle étoile s'allume dans le firmament. Ces superstitions sont aussi anciennes que l'homme lui-même et, bien sûr, associées à la croyance que les cieux sont la résidence des dieux.

Au Moyen-Orient, une charmante superstition — à laquelle les astronautes feraient bien de penser — veut que les étoiles filantes soient en fait des missiles envoyés par Dieu pour dissuader l'homme d'envahir les cieux.

En Angleterre, les étoiles filantes sont de bons augures, elles annoncent la naissance d'un enfant.

F

FAUX

En Europe, les fermiers répètent encore une curieuse superstition voulant qu'à moins qu'un homme ne se coupe lui-même avec une faux neuve qu'il utilise pour la première fois, il ne parviendra jamais à la manier dans les règles de l'art.

Il semblerait que le sang de l'homme confère à l'outil une « vie » propre.

FÉES

Les fées seraient, dit-on, les descendantes des Parques latines. L'origine de leur nom vient du fait qu'elles sont les dépositaires de notre destin (*fatum*).

Selon les régions leurs noms diffèrent. Ainsi, en Provence, on les nomme *fadas,* en Gascogne, *fades,* et dans le centre de la France, *fadettes.*

On prétend que celui qui les a rencontrées une fois ne doit sous aucun prétexte chercher à les revoir. Elles en prendraient ombrage.

FER

La superstition a, depuis longtemps, reconnu au fer le pouvoir d'éloigner les sorcières et les démons.

Néanmoins, apporter du fer rouillé dans une maison porte malheur. La tradition veut que l'éclat du fer aveugle les démons et les chasse, mais le fer rouillé n'ayant aucun effet sur eux, ils peuvent très bien élire résidence là où bon leur semble.

Pour cette raison, tout objet en fer trouvé devra être nettoyé avec soin avant d'être placé où que ce soit dans une maison.

FER A CHEVAL

Le fer à cheval est, bien sûr, un des symboles les plus familiers de la superstition et peu de personnes mettent en doute l'opinion selon laquelle il porte chance.

Trouver un fer à cheval sur une route porte bonheur, mais votre chance sera encore plus grande si vous le ramenez chez vous pour l'accrocher au-dessus de la porte d'entrée.

En général, les branches doivent être tournées vers le haut ; orientées vers le bas, elles permettraient à la chance de se sauver. L'action est tout aussi bénéfique si elles sont placées de côté puisque alors le fer à cheval prend la forme de la lettre « C », pour Christ.

La forme du fer à cheval symbolise le paradis et une maison couverte ; il représente donc la vie spirituelle et séculière de l'homme. Quant à ses pouvoirs, le fer à cheval les doit, sans doute, au fer et au feu sacrés nécessaires à sa fabrication.

A cela, ajoutons le fait qui parut miraculeux aux premiers hommes, à savoir qu'on pouvait le fixer au sabot de l'animal avec des clous et qu'apparemment, celui-ci n'en ressentait nulle souffrance.

L'esprit à peine développé de l'homme n'imputa pas cette facilité à la morphologie de l'animal mais au stupéfiant pouvoir du fer à cheval lui-même.

De là à imaginer qu'un objet si chargé conserve ses propriétés une fois qu'il a terminé sa « vie active », il n'y avait qu'un pas. Vu sous cet angle, n'était-il pas naturel de l'accrocher quelque part pour se protéger des mauvais esprits et se concilier la bonne fortune ?

Les marins pêcheurs écossais croient qu'un fer à cheval fixé au mât protège un navire des tempêtes (le grand navigateur Nelson avait le sien sur le « Victory »).

Certaines personnes préfèrent, quand elles en trouvent un, cracher dessus et le jeter par-dessus leur épaule gauche en faisant un vœu qui sera exaucé.

110

Un fer à cheval à sept clous contient évidemment plus de bénéfices que les autres.

Certains paysans affirment que les alliances faites avec des clous de fer à cheval portent chance.

Les gens de la campagne qui jouent au lancer du fer à cheval soutiennent qu'il est de bon augure d'en frotter deux l'un contre l'autre avant chaque jet.

Pour finir, il est intéressant de remarquer qu'aux États-Unis se développe aussi une coutume autour du fer à cheval. Lorsqu'une personne se lance dans de nouvelles affaires — en particulier dans le milieu du spectacle —, ses amis lui font porter des compositions florales en forme de fer à cheval.

FERTILITÉ

Dans certains coins des États-Unis, une charmante superstition veut que si un couple marié jette des airelles à travers la route près de leur maison, la femme deviendra fertile. Et, fi du temps pendant lequel elle a été stérile...

FÊTE-DIEU

Dans les Cévennes, les bergers se gardent de tondre leurs moutons sept jours avant la Fête-Dieu et sept jours après.

FÉTICHES

A l'échelle universelle, les objets suivants sont à inscrire au hit-parade des fétiches ; les plus courants étant des amulettes censées accorder à celui qui les porte fortune et bonheur : dé, doigts croisés, trèfles, chaussure, croissant de lune, poisson, chien, roue, champignon et les fameux trois petits singes — « je n'entends rien, je ne vois rien, je ne dis rien ». Néanmoins, on peut affirmer que la représentation de saint Christophe est le plus populaire de tous les fétiches.

FEU

L'âtre a toujours été le centre de nombreuses superstitions, datant du temps où le feu lui-même était regardé comme un don des dieux et devait être traité avec le plus grand respect. C'est la raison pour laquelle on dit qu'il ne porte pas chance à quiconque — hormis un membre de la famille ou un ami de longue date — d'attiser le feu ; c'est faire injure aux dieux.

Une curieuse croyance veut qu'on n'allume pas un feu avec la lumière du soleil ; il semble que cette idée rappelle que la première flamme a été volée au soleil par un homme et signifie que le grand astre était toujours jaloux de toutes les tentatives d'imiter son pouvoir.

Si un feu prend rapidement sans aucune aide artificielle, on dit que le ménage recevra des visiteurs inattendus sous peu. Si cependant, il tire mal, de mauvaises influences sont à l'œuvre (ou la pluie arrive). Pour conjurer le mauvais sort, la personne qui l'allume devra se placer à angle droit avec la grille de façon à former une croix.

Un feu qui fait des étincelles indique le gel.

Une fois que le feu est bien parti, si vous l'attisez et que les flammèches s'élèvent, soyez assuré que si un être cher — un époux et une épouse — est loin de la maison, il se porte bien et est heureux.

D'un autre côté, si le feu rugit dans la cheminée, alors il y aura bientôt une dispute féroce dans la maison ou une tempête à l'extérieur.

Si le feu s'effondre en brûlant, disent les Gallois, une tombe sera creusée sous peu pour l'un des vôtres.

Des flammèches au fond de la cheminée indiquent que d'importantes nouvelles vont vous parvenir et on peut lire des prévisions dans les cendres d'un feu qui sont par tradition divisées en deux catégories — les cendres oblongues sont appelées « cercueil » et les cendres ovales « berceau ». Les « cercueils » montant de l'âtre présagent une mort dans la famille alors que les « berceaux » indiquent tout naturellement qu'un enfant naîtra dans la maison, bientôt.

Il existe une croyance tenace qui assure que la mauvaise fortune s'abattra sur une famille qui n'éclaircit pas la grille des braises avant d'aller se coucher.

Une superstition voulait, autrefois, qu'une chute de suie dans la cheminée annonçât un grand désastre.

Aux États-Unis, si un feu brûle avec éclat le matin de Noël, vous aurez une bonne année, mais s'il couve sous la cendre, les temps seront durs.

Pour terminer, ne laissez jamais les enfants jouer avec le feu avant d'aller se coucher parce qu'une superstition écossaise dit qu'ils mouilleront leur lit pendant leur sommeil.

FEUILLES

Maints paysans se servent pour prédire le temps de l'été des feuilles de chêne et de frêne. Si, disent-ils, le frêne est feuillu avant le chêne, alors l'été sera très pluvieux tandis que dans le cas contraire, les précipitations seront faibles.

Les feuilles, en général, donnent des indications de temps puisque si elles font brusquement un bruit craquant, la pluie arrive, et le mauvais temps est proche si elles se recroquevillent sur elles-mêmes.

On dit qu'il est de mauvais augure que les arbres perdent leurs feuilles en abondance, avant l'automne ; des feuillages frais, rentrés à l'intérieur qui se fanent vite n'annoncent rien de bon.

Une superstition, très fameuse en Europe, veut que si vous réussissez à attraper une feuille qui tombe d'un arbre en automne, vous n'aurez pas de rhume l'hiver suivant.

En Grande-Bretagne, les enfants disent que chaque feuille attrapée lorsqu'elle se détache de l'arbre entre la Saint-Michel (29 septembre) et Hallowe'en (31 octobre) vaut un jour de bonheur pour l'année qui vient.

FEUX FOLLETS

Les feux follets sont d'étranges lumières, de petites flammes qu'on voit danser de temps à autre, au-dessus des endroits marécageux. On le sait à présent, ils sont causés par la combustion spontanée de gaz se dégageant du sol.

Tant que l'explication de ces flammes fugitives n'a pas été découverte, on a regardé les feux follets avec une sinistre suspicion comme des présages de décès et de catastrophes.

On les apercevait fréquemment au loin ou dans les cimetières. Au Pays de Galles, on croyait que le feu follet était l'esprit de quelqu'un qui s'élevait pour venir chercher un parent sur le point de mourir.

Le chemin que suivait le feu follet était censé indiquer la route qu'emprunterait le cortège funèbre, plus tard.

La taille du feu follet était en rapport avec l'âge du futur défunt. Ainsi, voir une petite flamme indiquait la mort d'un enfant et, bien sûr, plus la flamme était grande, plus la personne concernée était âgée.

Quelquefois, des groupes de feux follets étaient observés ; dans ce cas, les Gallois redoutaient des catastrophes minières.

FÈVES

Les croyances superstitieuses affirment que la fève abrite l'âme d'un défunt. Lorsque ces plantes fleurissent hâtivement, les accidents sont nombreux, entend-on dire parfois.

La forme de la fève, elle-même, est associée à la mort.

Certains garantissent que pour éloigner les fantômes il faut éparpiller des fèves autour de la maison, chaque année, le 31 décembre en récitant ces mots : « Avec ces fèves, je rachète mon âme. » L'esprit est censé comprendre et il ne dérangera pas la maisonnée durant l'année à venir.

La fève joue également un rôle divinatoire.

La veille de la Saint-Jean, préparez trois fèves — une telle quelle, la seconde à moitié pelée et la troisième tout à fait nue —, ensuite, cachez-les. Si une personne désire connaître son avenir, demandez-lui de les chercher. Celle qu'elle découvrira lui indiquera ce que l'avenir lui réserve. La première promet la santé, la seconde une vie aisée et la pauvre petite dernière le pouvoir.

Concernant les fèves, la plus curieuse de toutes les croyances prétend qu'elles poussent à l'envers les années bissextiles !

FIANÇAILLES

En France, chaque région — ou peu s'en faut — avait ses croyances quant aux fiançailles. Les plus répandues concernaient la forme de la déclaration :

En Normandie, on se tapait sur le genou ou on offrait une pomme entamée à l'élu(e).

En Haute-Saône, on offrait une part de gâteau représentant un phallus.

Dans les Landes, les promis se tenaient les mains au bal.

En Lorraine, on s'écrasait les doigts.

Dans les Hautes-Pyrénées, si un garçon pinçait le bras

d'une fille, pour lui signifier son accord elle devait s'asseoir sur ses genoux.

Dans le Morvan, on se frottait hanche contre hanche.

En Provence, on se lançait de petits cailloux.

Dans les Pyrénées-Atlantiques, on offrait une bague à sa danseuse. C'est le seul usage qui se perpétue de nos jours.

Pour les Normands, certaines propositions étaient des signes formels d'engagement : offrir à une jeune fille de lui porter son panier, de l'abriter sous son parapluie ou d'ouvrir le bal avec elle.

La superstition américaine prétend que le jour où un couple achète une bague de fiançailles présage de leur avenir. Si c'est un lundi, par exemple, ils mèneront une vie occupée mais excitante ; un mardi, une existence calme et heureuse ; un mercredi indique de bonnes relations ; un jeudi, ils seront incapables d'accomplir tout ce qu'ils souhaitent ; un vendredi, ils devront travailler très dur, mais en seront récompensés plus tard. Quant au samedi, c'est le jour qui donne le plus de plaisirs. On constate avec soulagement qu'il n'y a pas de mauvais jour !

Quant à la bague elle-même, on dit qu'il ne porte pas chance qu'on doive la transformer pour une raison quelconque, qu'elle s'ajuste mal ou qu'elle devienne lâche avant la cérémonie de mariage. Dans tous les cas, l'union ne sera pas heureuse. Il est inutile d'ajouter que perdre ou casser une bague de fiançailles est de très mauvais augure.

Il est intéressant de savoir que la croyance populaire donne une marche à suivre à une jeune fille qui rompt ses fiançailles — elle doit présenter un couteau à celui qu'elle repousse. Seul un cynique la prierait de lui trancher la gorge. Non ?

FLÉCHETTES

Les joueurs de fléchettes, en Grande-Bretagne, ont de nombreuses superstitions spécifiques. Néanmoins, il semble qu'il y ait un consensus général, pour dire que jouer contre des femmes porte malheur.

Il se peut que le geste le plus souvent observé pour se concilier les faveurs de la chance soit celui du joueur plaçant son pied gauche vers la ligne et le déplaçant de gauche à droite comme s'il bougeait un invisible objet de malchance le séparant de la cible.

FLEURS

Hormis le plaisir que cela apporte, la coutume d'offrir des fleurs aux gens est un don de bonne fortune et de plaisir. Les anciens Égyptiens pour ne citer qu'eux croyaient que les fleurs étaient porteuses de chance.

Maintes personnes à la campagne prétendent, cependant, qu'il porte malchance de ramener dans une maison des fleurs qui fleurissent hors de saison. On dit en effet souvent qu'une plante qui doit fleurir en été et qui éclôt en hiver attire le malheur sur tous ceux avec qui elle est en contact.

En offrant des fleurs à un malade, il est bon de se rappeler les superstitions attachées aux couleurs bénéfiques des fleurs.

Les fleurs blanches sont tabous pour toute personne malade tandis que les rouges (en particulier les roses) conviennent bien ; elles symbolisent le sang et la vie. Cependant, n'offrez jamais un bouquet mélangé à un hospitalisé.

Les violettes montrent la bienveillance de celui qui les offre et les jaunes et les orange, attributs du soleil, feront plaisir à tous quel que soit leur état de santé.

Pour une personne malade, il est maléfique de déposer des fleurs sur son lit.

N'arrachez jamais une fleur d'une tombe pour la jeter ensuite, sinon l'endroit où elle tombera sera hanté.

Après ces sinistres superstitions, voici une croyance allemande pour détendre l'atmosphère. Elle veut que si vous preniez une fleur avant de passer à table et l'utilisiez pour essuyer vos lèvres après avoir bu un peu de vin, si vous la donnez à l'être que vous aimez, vous serez assuré de son amour éternel.

Plus sérieuses sont les croyances qui affirment que les fleurs plantées à la nouvelle lune fleurissent mieux et que les tournesols attirent la bonne chance sur le jardin entier.

Selon le mois de votre naissance, voici votre fleur porte-bonheur, selon une superstition très commune :

Janvier : Œillet et perce-neige.
Février : Primerose.
Mars : Jonquille.
Avril : Marguerite.
Mai : Muguet.
Juin : Rose.
Juillet : Lis.
Août : Glaïeul.
Septembre : Aster.
Octobre : Dahlia.
Novembre : Chrysanthème.
Décembre : Houx.

Pour finir, mentionnons un vieux dicton anglais voulant que si vous sentez le parfum de fleurs, là où il n'y en a point, c'est un présage de mort.

FLORAISON

Les arbres et les arbustes qui fleurissent hâtivement ou tardivement sont considérés comme des signes avant-coureurs de l'infortune et ce, en de nombreux endroits.

Au Pays de Galles, par exemple, si la floraison des roses de Noël tarde jusqu'au printemps, il y a lieu de s'inquiéter

Si des arbres fruitiers bourgeonnent et fleurissent hors de saison, ils prédisent la maladie ou la mort. Une autre superstition maintient que si des plantes quelconques fleurissent hors de saison, en grand nombre et à différents endroits, l'hiver sera rude et accompagné d'un cortège de malades et de morts.

FOIN

Si, sur une route de campagne, votre progression est ralentie par un véhicule transportant des balles de paille, ne désespérez pas ! Une superstition anglaise dit que c'est un signe de chance, et un vœu fait en attendant que la route soit dégagée sera exaucé.

Évitez de doubler le véhicule, changez plutôt d'itinéraire puisque si vous le voyez disparaître derrière vous, vous aurez à supporter de grands malheurs.

117

FOLIE

De nos jours, il est rare d'entendre dire qu'il porte chance de vivre dans la même maison qu'un fou. Ce fut pourtant une croyance très répandue, autrefois, à travers l'Europe.

Au Japon, d'aucuns croient encore que vous deviendrez fou si vos cheveux prennent feu.

En Europe, en raison des récentes épidémies de rage, on a vu resurgir dans les campagnes une vieille superstition concernant la morsure d'un chien enragé.

Il convient tout d'abord d'attraper l'animal et de le tuer ; ensuite d'extraire son foie et de le faire brûler sur du charbon de bois, de le réduire en poudre et de le manger avec du pain et du beurre !

Bien évidemment, il est hors de question pour nous de garantir la guérison et encore moins de recommander ce prétendu remède !

FONTAINE

Une vieille croyance française affirme que l'eau d'une fontaine restera claire toute l'année, si les personnes qui s'y désaltèrent lui présentent leurs vœux au premier de l'an.

Pour rester vaillants, les Lorrains boivent une gorgée d'eau à toutes les fontaines alentour le jour où le prêtre chante l'*Introït* de la messe, « Réjouis-toi, Jérusalem ».

FOOTBALL

Le football est un autre sport riche en superstitions personnelles ; la plus évidente étant le recours de chaque club à une mascotte — souvent un petit garçon ou une petite fille — censée leur apporter la chance.

Bon nombre d'équipes estiment que dans le vestiaire, le plus ancien joueur doit lancer le ballon au plus jeune, si celui-ci l'attrape au bond, la chance sera de leur côté. Dans l'ensemble, les joueurs posent d'abord le pied gauche sur le terrain (celui de la chance — le droit, suivant) et, en général ils montent sur le terrain en respectant un ordre bien précis. De nombreux centres avant font rebondir la balle de match trois fois au centre du terrain avant de donner le coup d'envoi et, de même, de nombreux gardiens de but touchent ou frappent les deux montants de leur but dès que le match commence. Que certains joueurs n'aiment pas être observés par leur femme ou leur petite amie tient probablement au fait que subconsciemment une femme est supposée pouvoir jeter le mauvais œil aux activités d'un homme.

On avance aussi que les bannières et autres attirails personnels utilisés par les supporters — ainsi que leurs chants — remontent à l'ancienne croyance selon laquelle ces objets éloignaient les mauvais esprits de l'objet en question — en l'occurrence ici l'équipe du supporter.

FOSSETTE

Dans la plupart des régions du monde, on s'accorde à reconnaître qu'avoir une fossette porte chance.

Les Britanniques croient que c'est la marque faite par le doigt de Dieu.

Dans certains États américains, le contraire est soutenu et l'on entend dire qu'une fossette au menton est l'empreinte du Diable.

FOUDRE

La foudre est, sans conteste, l'élément naturel le plus redouté. Depuis l'époque des Anciens Grecs, elle caractérise de nombreuses croyances superstitieuses.

La plus répandue à ce propos est celle qui veut qu'elle ne tombe jamais deux fois au même endroit. Une croyance qui persiste à tort puisque l'on connaît bien des endroits où elle s'abat régulièrement ! (Pour ne citer qu'un seul exemple, disons qu'à New York l'Empire State Building est frappé par la foudre plus de cinquante fois par an !)

Aux premiers temps de l'humanité, la foudre, pensait-on, signifiait à l'homme la colère des dieux et cette raison suffit pour que des superstitions y soient associées.

On dit que la foudre ne frappe jamais une personne endormie et qu'il est de bon augure d'être réveillé par un éclair. Cependant, faire allusion à la foudre immédiatement après n'est pas bon signe.

Autrefois, on croyait que voir la foudre rendait fou.

Il existe plusieurs moyens pour se protéger de ce danger —

y compris s'enrouler la tête dans une peau de serpent ou dormir sur un matelas de plumes.

Les Américains recommandent de ne jamais utiliser comme bois de chauffe le bois d'un arbre ayant été frappé par la foudre.

On entend souvent dire aussi que tous les miroirs doivent être voilés et tous les ciseaux cachés par temps d'orage. Faute de cette précaution, les présages sont mauvais.

Les pierres de foudre résultent de la vitrification de certains éléments en suspension dans les nuages ; elles s'abattent sur la terre en même temps que la foudre. Pour s'en protéger les vieilles gens d'Ille-et-Vilaine récitent encore cette formule de conjuration :

> « Sainte Barbe, Sainte Fleur,
> A la croix de mon sauveur,
> Quand le tonnerre grondera
> Sainte Barbe nous gardera.
> Par la vertu de cette pierre
> Que je sois gardé du tonnerre. »

FOUGÈRE

En Angleterre, les fougères sont quelquefois appelées « les brosses du diable ». On dit qu'accrochées dans une maison, elles la protègent de la foudre et des éclairs ; coupées ou brûlées, elles attirent la pluie. En certains coins de Grande-Bretagne, une croyance veut que si vous marchez dessus, vous vous égarerez et perdrez votre chemin.

Les spores de la fougère sont depuis des lustres réputées contenir des propriétés curatives et, à une certaine époque, on prétendait qu'en avoir en poche rendait une personne invisible !

De nos jours cependant, on croit toujours que les spores de fougères trouvées sur un arbre, écrasées puis versées dans de l'eau calment les maux d'estomac.

Conservées dans une poche ou dans un sac à main, elles assureront que l'être que vous chérissez ne cessera jamais de vous aimer.

FOUR

La tradition juive enseigne qu'on ne doit jamais laisser un four vide ou l'on pourrait très bien ne rien avoir à y cuisiner plus tard.

Pour éviter de tels désagréments, il suffit d'y laisser en permanence une coupe ou un plat.

FOURMIS

« Piétiner des fourmis apporte la pluie » est une croyance commune à plusieurs pays.

Il est juste que les fourmis augurent du mauvais temps quand elles transportent leurs œufs vers de nouvelles « places fortes ».

Une autre croyance, très répandue elle aussi, veut qu'il est maléfique de détruire un nid de fourmis puisque, si elles s'installent près de votre porte, l'avenir vous offrira sécurité et prospérité.

Deux curieuses affirmations sont occasionnellement mentionnées au sujet des fourmis. La première est qu'elles ne dorment jamais ; la seconde, que si leurs œufs sont mangés avec du miel, c'est l'antidote le plus efficace à l'amour !

FRIMAS

Pour vivre une année prospère, il faut réciter ce vieux dicton auvergnat lors du premier frimas de l'hiver :

« Si tu salues le givre,
Une bonne récolte, il livre. »

FUMEURS DE PIPE

Les fumeurs de pipe doivent veiller à ne jamais allumer leur bouffarde à une lampe quelle qu'elle soit, ou ils n'en récolteraient que des ennuis, même des femmes infidèles, dit une superstition française.

FUMIER

Le fumier, près d'une maison, est bénéfique. Une chose est certaine, c'est un excellent engrais.

121

En Inde, on croit qu'il constitue un remède à de nombreuses maladies et qu'il tient les fantômes en respect.

Ces affirmations ont, bien entendu, un rapport direct avec le fait que la vache est un animal sacré en Inde.

FUMISTES

Les fumistes ont une superstition qui leur est tout à fait propre, à savoir qu'ils sont protégés des accidents en faisant un nœud à leurs bretelles — l'ancien symbole du nœud incarnant la sécurité.

FUNÉRAILLES

En tant que dernier événement dans la vie d'une personne, les funérailles ont, bien sûr, leur lot de superstitions.

La tradition voulant que les hommes enlèvent leur chapeau quand un cortège funèbre passe n'est pas simplement une marque extérieure de respect pour le mort. En effet, une ancienne croyance assure que quiconque ne se découvre pas quand il suit un enterrement à une courte distance, mourra lui-même à peu de temps de là.

Il est également téméraire de jeter une rose dans une tombe ou de courir à n'importe quel moment durant un enterrement.

La croyance recommandant de ne jamais couper ou arrêter un cortège funèbre d'une quelconque façon se justifie quand on sait que le malheur s'abat sur l'assistance et que l'esprit du défunt a l'opportunité de s'échapper de son enveloppe terrestre pour devenir un fantôme qui hantera les vivants.

Aux États-Unis, on croit qu'il porte malheur de compter le nombre de voitures qui suivent un convoi funèbre puisque ce nombre indique à celui qui compte les années lui restant à vivre.

On prétend également qu'il est maléfique d'être la première personne à conduire un nouveau corbillard puisque le présage veut que votre propre mort ne soit plus très éloignée.

En Écosse, on maintient que si le soleil brille et se réfléchit sur le visage d'une des personnes du cortège, elle sera la prochaine à mourir.

Une autre croyance veut que durant l'enterrement du défunt, au moins une des portes de sa demeure soit ouverte, faute de quoi une violente dispute éclatera au retour parmi les membres de la famille endeuillée.

Il est de très mauvais augure d'ajourner des funérailles et ce, pour quelque raison que ce soit, les suites peuvent être un autre décès dans la famille ou dans le voisinage.

Les augures sont encore plus funestes si l'ajournement couvre un week-end puisque cela signifie que le corps ne sera pas inhumé pour le dimanche et que selon les dires d'une vieille tradition : « Le défunt attend quelqu'un d'autre pour l'emmener avec lui. »

Les Américains croient qu'il porte malheur d'aller à un enterrement sans y avoir été invité ; cependant, ils font exception pour l'inhumation de personnalités célèbres — hommes ou femmes. Ils maintiennent également que si une difficulté quelconque survient en descendant le cercueil dans la tombe, elle symbolise soit la lutte finale de l'âme du défunt pour s'échapper, soit l'ultime tentative des mauvais esprits pour s'emparer de son âme.

Si le cercueil ne s'ajuste pas dans le caveau, le malheur s'abattra sur les personnes présentes.

Dans certains États américains, on dit toujours que si une personne d'une ville différente de celle du défunt n'est pas présente à l'enterrement, son âme ne connaîtra jamais le repos. Lors d'une cérémonie funéraire juive, aucun animal ne sera jamais autorisé à approcher du cercueil parce qu'une peur superstitieuse dit que l'âme du défunt essayera d'entrer dans le corps de l'animal.

Offrir un repas aux personnes qui ont assisté aux funérailles assure aussi la chance ; ce geste montre que vous appréciez l'honneur qu'ils ont fait à « votre » défunt.

Remarquons avec intérêt qu'en certains endroits on dit que porter le deuil est une tentative pour tromper Satan qui cherche toujours plus d'âmes mais ne voit pas le noir.

Parmi les peuples primitifs, il était d'usage de se peindre en noir lors de funérailles afin de se rendre invisible aux mauvais esprits. Les aborigènes australiens utilisaient eux le procédé contraire en s'enduisant d'argile blanc.

Il se peut que la plus étrange de toutes les superstitions funèbres soit celle qui veut que le premier corps conduit dans un cimetière est toujours réclamé par le diable. Là, nous connaissons plusieurs témoignages de paysans qui ont refusé que leurs parents soient inhumés en de tels lieux jusqu'à ce qu'une âme infortunée et sans ami soit trouvée pour remplir ce rôle peu enviable.

G

GANTS

Le gant était selon la tradition le symbole de l'amour et de l'autorité, et bien qu'on ne le porte plus guère de nos jours il a conservé sa place dans nombre de croyances superstitieuses.

La plus fameuse d'entre elles enseigne la façon d'enfiler un gant ; si vous le mettez vous-même, vous n'aurez pas de chance, mais si quelqu'un d'autre vous le passe, la chance vous attend.

L'origine de cette croyance réside dans l'ancienne tradition voulant qu'un amoureux qui mettait le gant de sa dame pouvait espérer jouir de son affection.

Perdre un gant porte malheur mais en trouver une paire — en particulier, un dimanche — vous promet une semaine de succès dans vos affaires.

Pour les Parisiens, porter des gants le mercredi augure du malheur.

Si, d'aventure, vous oubliez une paire de gants chez des amis, on ne saurait trop vous conseiller d'observer scrupuleusement le rituel suivant en allant les récupérer. Tout d'abord, asseyez-vous et ne ramassez vos gants qu'au moment de vous lever pour prendre congé. Cette superstition vivace est toujours observée dans de nombreux pays.

GATEAU DE MARIAGE

A l'occasion des mariages, le gâteau a toujours joué un rôle important et ce, depuis des temps très anciens : il symbolise la fertilité et la chance.

125

A une certaine époque, les Romains avaient pour coutume d'émietter une tranche du gâteau au-dessus du jeune couple pour lui assurer la prospérité.

La pérennité de la coutume voulant qu'on offre une part de gâteau aux invités revient aux anciens Chinois ; précisons toutefois qu'eux en offraient tant à ceux de leurs amis qui étaient présents à la cérémonie qu'à ceux qui ne pouvaient y assister — ceci pour assurer la chance à tout le monde.

En Grande-Bretagne, il y a quelques siècles, une coutume existait obligeant chaque invité à apporter un petit pain. Ceux-ci étaient empilés dans la pièce où les réjouissances avaient lieu. Si la jeune mariée et le jeune marié se penchant au-dessus de cet amoncellement parvenaient à s'embrasser sans déranger son équilibre, ils jouiraient ensemble d'une vie longue et heureuse.

On constate avec intérêt que dans certaines îles du Pacifique, manger le gâteau constitue la cérémonie de mariage par elle-même !

Il est de très mauvais augure qu'une jeune mariée aide à faire son gâteau de mariage ; en fait, elle ne doit même pas y goûter avant le grand jour, faute de quoi son mari se détacherait d'elle.

La tradition veut que les jeunes mariés découpent ensemble la première part du gâteau pour prouver qu'ils ont l'intention de partager chaque chose.

La superstition avertit que si le jeune époux tente de le faire seul, le ménage n'aura pas d'enfants.

Il porte malheur de refuser une part du gâteau — d'abord à la personne concernée puis au jeune couple.

Toute jeune épouse doit se réserver une part du gâteau afin que son mari lui reste fidèle.

Sachez qu'on dit aussi que si une jeune fille, célibataire, dort avec un morceau de gâteau de mariage sous son oreiller, elle rêvera de son futur mari.

GAUCHER

En Europe, on dit que rencontrer une personne gauchère un mardi matin porte malheur. Cependant, à n'importe quel autre moment de la semaine, c'est un bon présage.

GENS DE THÉÂTRE

Quand on sait combien les comédiens sont superstitieux, on n'est pas étonné d'apprendre que les gens de théâtre se soient laissé gagner par leurs phobies.

Tout naturellement, ils partagent nombre de superstitions, la plus répandue étant celle concernant les chats noirs. Mais ils croient, de plus, qu'il porte bonheur d'attraper un chat de n'importe quelle couleur.

Il est maléfique de siffler et d'ouvrir un parapluie dans un théâtre.

Quand il est baissé, nul ne doit regarder par le mauvais côté du rideau. Malheureusement, il existe une confusion à propos du « mauvais côté » ; certains disent qu'il s'agit du côté droit de la scène alors que d'autres prétendent que c'est le gauche. En conséquence, très souvent, le « judas » se trouve au centre.

Si, à un moment quelconque, le rideau fait des siennes, la pièce est placée sous de mauvais auspices.

Au bureau de location, on dit que si la première personne à venir louer des places pour un nouveau spectacle est une personne âgée, la pièce aura longue vie ; si c'est une personne jeune, c'est malheureusement le contraire.

Les ouvreuses ont, elles aussi, leurs superstitions. Ainsi, l'ouvreuse qui place le premier spectateur de la soirée aura de bons pourboires sauf si le fauteuil de cette personne porte le numéro 13 !

Cependant, il porte malchance à une ouvreuse d'accepter un pourboire d'une femme (même de nos jours !), et il est de mauvais augure pour la pièce qu'un spectateur ait un malaise ou meure pendant une représentation.

Toutes les ouvreuses se concilient les faveurs de la chance en écoutant la première réplique d'une nouvelle pièce.

Si une ouvreuse se trompe de fauteuil en faisant asseoir « son premier client », elle recommencera vraisemblablement cette erreur, au moins deux fois durant la soirée.

Sachez que le premier pourboire reçu par une ouvreuse, le soir de la première, est un fétiche si elle le frotte sur son uniforme et le garde sur elle.

GLAÏEULS

S'inscrivant en faux contre le reste de la France, les Tourangeaux affirment que les glaïeuls sont maléfiques. Ailleurs, on pense qu'ils inclinent à l'amour les jeunes personnes.

GLAND

Porter un gland sur soi préserve du vieillissement, dit une ancienne superstition anglaise.

Le gland étant le fruit du chêne, arbre sacré possédant des pouvoirs particuliers d'après les anciens druides, on peut avancer que l'origine de cette croyance remonte à l'époque druidique.

Toutefois, ce charme serait plus favorable aux femmes qu'aux hommes, surtout si elles portent le gland dans une de leurs poches ou dans leur sac à main.

GOLF

Les joueurs de golf sont une autre race superstitieuse de sportifs et leurs croyances sont tout à fait inexplicables.

Ainsi, nombre d'entre eux portent constamment une vieille crosse de golf, qu'ils n'utilisent plus, dans leur sac. Si elle leur a porté chance par le passé, ils la considèrent comme un porte-bonheur.

En tout lieu du monde, les joueurs de golf disent qu'il porte malheur de jouer une balle de face, de changer de crosse une fois que vous l'avez choisie et de nettoyer une balle quand vous êtes en train de gagner.

En Écosse, berceau du golf, les joueurs disent encore que quiconque gagne le premier trou perd le match, et que celui qui se trouvera à deux points de la victoire au treizième trou connaîtra la malchance. Mais, cette idée paraît plus due à l'énervement d'une victoire proche qu'à une quelconque action des forces invisibles !

Bon nombre de joueurs croient que certaines couleurs de vêtements leur portent chance.

Jouer une première balle portant le chiffre trois ou cinq est bénéfique (un nombre élevé encourage un score élevé). De plus, la balle doit être placée de façon que le joueur voie le nom du fabricant.

Déballer une balle neuve durant le jeu porte malheur, ceci doit toujours être fait avant de jouer sa première balle. Et, pour finir, disons que les joueurs de golf n'aiment pas commencer un match à une heure de l'après-midi puisque c'est la treizième heure de la journée. Le faire place le jeu sous de mauvais auspices.

GOURMAND

Une ancienne tradition encore transmise au Canada, en particulier dans la province de Québec, veut que si vous ne pouvez pas joindre votre pouce et votre index autour de votre poignet, vous êtes gourmand.

GRAINS DE BEAUTÉ

Les grains de beauté indiquent la chance ou la malchance, selon l'endroit où ils apparaissent.

D'une façon générale, ceux qui poussent à gauche sont réputés malchanceux en raison de la fameuse association de la gauche et du Diable.

Les grains de beauté ronds sont signes de chance tandis que les ovales indiquent le malheur.

Avoir un grain de beauté au milieu du front augure de la richesse, tandis qu'en avoir un au-dessus de la tempe caractérise une personne intelligente.

Les grains de beauté sur le menton, l'oreille ou le nez sont porte-bonheur bien que les Irlandais croient qu'une de ces marques à la base du cou indique qu'une personne pourrait bien finir sa vie au bout d'une corde.

Chanceux, également, les grains de beauté qui se trouvent sur le coude et le poignet, et un placé entre les deux points annonce la prospérité plus tard dans la vie.

Mais la plus fortunée de toutes est la fille qui a un grain de beauté sur le sein gauche puisqu'une superstition lui promet qu'elle sera irrésistible et qu'elle aura tous les hommes qu'elle désirera à ses pieds.

GRATTE-CIEL

Aux États-Unis, terre d'élection des gratte-ciel, une croyance superstitieuse a vu le jour récemment.

Elle veut qu'une vieille fille qui assiste à la pose de la première pierre d'un gratte-ciel — ou de toute construction monumentale — ne se mariera pas dans l'année qui vient.

On peut rattacher cette croyance à l'ancienne tradition rurale affirmant que la fille qui coupe la première gerbe de blé de la moisson se mariera l'année d'après.

Chez certains entrepreneurs de bâtiment, on pense qu'il ne faut jamais poser la dernière brique ou la dernière pierre d'un nouvel immeuble puisque, selon une ancienne tradition, un nouvel immeuble complètement achevé attire l'attention des esprits hostiles mais, aussi longtemps que le plus petit détail reste inachevé, ils ne s'y intéressent pas.

GRÊLE

Dans le Midi, pour préserver leurs terres de la grêle, les paysans mettent une tortue sur le dos. Aussi longtemps qu'elle y demeure, la grêle ne tombe pas. Quand le danger s'éloigne on replace l'infortunée sur ses pattes.

GRENOUILLE

Un peu partout on considère que tuer une grenouille porte malchance. On dit qu'elle abrite l'âme d'un garçonnet ou d'une fillette mort très jeune et, en fait, nombre de paysans comparent souvent le cri qu'elles font quand elles sont blessées à celui d'un enfant.

Une grenouille qui coasse dans la journée annonce la pluie tandis que si l'une d'entre elles vient chez vous de son plein gré, c'est un signe de chance.

Les jeunes grenouilles sont capables de guérir certaines maladies et de favoriser l'amour ; on peut se débarrasser des verrues en attrapant une grenouille et en la frottant sur les lésions : quand l'infortunée créature rendra son dernier soupir, dit la superstition, les verrues disparaîtront.

GRILLONS

On dit que les grillons sont les messagers de la chance et qu'ils tuent ceux qui apportent le malheur.

Cet insecte recherchant la chaleur, en voir un quitter une demeure annonce que la maladie ou la mort s'y installera sous peu.

Tout grillon blanc vu dans une habitation est un présage de mort.

Les Indiens d'Amérique ne partagent pas cette appréciation du grillon ; en revanche, ils prétendent que pour bien chanter, il faut avaler un breuvage à base de grillons écrasés et bouillis !

Les paysans provençaux sont très attachés aux grillons. Si celui qui vit dans leur demeure ne chante point le matin de la foire, ils s'abstiennent de s'y rendre par crainte des mauvaises affaires.

GROSSESSE

Les superstitions associées à la grossesse paraissent toutes issues des époques où l'on croyait que les mauvais esprits accompagnaient les femmes.

Malgré les risques que chaque femme affrontait, la société pensait que sa présence portait malheur, donc, on la tenait à l'écart des affaires concernant la nourriture et le bétail. (Les Japonais et les Indiens d'Amérique du Nord soutiennent la même chose d'une femme à l'époque de ses règles !)

D'une façon générale, en Europe, on dit qu'il porte malheur à une femme de filer durant sa grossesse (mais pas de coudre ou de tricoter), cela condamnerait l'enfant à être pendu ; alors qu'en Grande-Bretagne les gens de la campagne disent que si une femme enceinte enjambe une tombe, son enfant mourra prématurément.

Dans plusieurs pays, on raconte encore aux jeunes femmes que porter certaines couleurs durant leur grossesse détermi-nera le sexe de leur enfant, à savoir bleu si elles veulent un garçon et rose pour une fille.

Une association d'idées dit qu'un enfant conçu à midi, quand le soleil est au zénith, sera robuste, et que pour avoir un enfant intelligent la future mère doit s'absorber dans les manuels scolaires.

En Scandinavie, on dit d'une femme enceinte qui boit dans un verre fêlé que son enfant aura un bec-de-lièvre alors que si elle enjambe un chat, elle donnera le jour à un être bisexué !

131

Une superstition juive soutient qu'une femme enceinte qui a été effrayée par un animal ou un insecte ne doit surtout pas toucher son visage, sinon elle court le risque que son enfant en soit marqué.

En Allemagne, une ancienne superstition veut qu'une femme enceinte ne doit jamais regarder un mort ou elle donnera naissance à un enfant mort-né. Elle ne doit pas non plus fixer la lune, ou son enfant sera lunatique.

Les Allemands disent encore qu'une femme peut éviter d'accoucher prématurément en ayant toujours sur elle une des chaussettes de son mari.

On rencontre toujours une superstition très vivace dans certains pays d'Europe Centrale (Hongrie, Tchécoslovaquie), voulant qu'au début de sa grossesse une femme désirant un garçon doit déposer sur le rebord de la fenêtre des graines de tournesol, alors que si elle souhaite une petite fille elle y mettra du sucre.

En Grande-Bretagne, d'une femme enceinte qui vole quoi que ce soit, on dit que son enfant a toutes les chances de finir voleur.

Aux États-Unis, si une femme enceinte fouille pendant un moment dans un grand sac vide, son enfant souffrira de la faim.

Toujours aux États-unis, une autre superstition affirme que si, avant sa naissance, un enfant donne des coups de pied du côté droit, c'est un garçon, du côté gauche, c'est une fille.

Les Gallois, toutefois, croient qu'ils possèdent un moyen infaillible pour prévoir le sexe d'un enfant. Pour cela, il suffit d'une épaule de mouton qui aura été, au préalable, complètement nettoyée de sa chair puis tenue près du feu jusqu'à ce que l'omoplate soit tout à fait roussie. Le maître des lieux doit alors percer l'os, y passer une ficelle et l'accrocher au-dessus de la porte de derrière. Ensuite, la première personne à entrer dans la maison en empruntant ce chemin (à l'exclusion des membres de la famille) indique par son sexe celui de l'enfant.

On peut encore citer la plus bizarre et la plus invraisemblable superstition que l'on puisse entendre à propos des grossesses — toujours répétée dans les régions méditerranéennes ; si, par inadvertance, une femme enceinte gobe l'œuf d'une pieuvre en se baignant, elle mettra au monde un poulpe et non un enfant !

GROSSESSE (masculine)

Non, l'entrée n'est pas une grossière erreur. Elle se réfère à une superstition très ancienne affirmant qu'un homme souffre en même temps que sa femme pour donner naissance à leur enfant.

Cette croyance remonte à l'aube des temps et l'on peut la trouver parmi les coutumes de plusieurs peuples à travers le monde.

Dans certaines tribus africaines, les hommes restent couchés pendant plus des neuf mois « réglementaires » tandis que les femmes continuent de vaquer à leurs occupations habituelles jusqu'aux premières douleurs. L'origine de cette superstition réside dans le fait que les hommes sont plus forts et plus adroits que les femmes, donc plus aptes à lutter contre les mauvais esprits qui assaillent l'enfant à naître.

Dans ce contexte, on se souviendra des récits des hommes souffrant, par exemple, de nausées durant la grossesse de leur femme. Précisons que de nos jours, ces douleurs sont expliquées par la psychologie et non plus par la superstition.

D'aucuns vous diront cependant que si un homme souffre soudain d'une rage de dents, sa femme est enceinte.

Les souffrances qu'un homme peut ressentir pendant l'accouchement sont, dit-on dans le Nord de l'Angleterre, une méthode infaillible pour déterminer le père d'un enfant illégitime dont la mère refuse de révéler l'identité. Cherchez simplement un homme cloué au lit avec la nausée et vous aurez votre coupable, dit la superstition !

GUÊPES

Nombreux parmi nous consacrent temps et énergie pour se protéger de ces pestes que sont les guêpes.

Il est intéressant de découvrir qu'une superstition dit qu'en tuant la première guêpe que vous voyez en n'importe quelle saison, vous vous assurerez la chance et une absence de problèmes dans les mois à venir.

Malheureusement, on ne dit pas comment faire diminuer le nombre de guêpes !

GUI

Le gui qui nous fournit une si bonne excuse à Noël pour voler un baiser aurait, dit-on, gagné ses lettres de noblesse en se conduisant très mal. Alors les dieux l'ont condamné à voir toutes les jeunes filles qui se faisaient embrasser pour le punir.

Une explication plus plausible réside dans le fait que la plante était considérée comme sacrée par les druides qui la nommaient le « rameau d'or » et l'incluaient dans leurs rites religieux.

L'arbre sur lequel le gui pousse est également dit « arbre du tonnerre » et peut protéger une maison de la foudre.

Haché et bouilli, le gui est un réel antidote aux poisons.

Il est intéressant de remarquer que dans certaines régions anglaises, on prétend encore que si une fille n'est pas embrassée avant son mariage sous du gui, elle sera stérile toute sa vie. Le lecteur s'amusera aussi en apprenant qu'on peut couper quelques branches de gui mais qu'en les coupant toutes, on s'attire la pire des malchances.

Pour finir, voici un avertissement concernant une branche de gui sous laquelle on s'est beaucoup embrassé à Noël. Il est impératif de la brûler la douzième nuit, dit une superstition rencontrée dans de nombreuses régions européennes, faute de quoi tous ceux qui se sont embrassés au-dessous se querelleront avant la fin de l'année.

H

HACHE

Tous les pays européens ayant été perturbés par la sorcellerie à une période quelconque de leur histoire partagent la croyance suivante :

Au printemps, si les animaux enjambent une hache alors qu'ils se rendent au pâturage pour la première fois de la saison ils seront invulnérables et résisteront aux envoûtements et à la magie des démons.

Ranger une hache (en d'autres lieux, une binette) dans une maison, guidera la mort vers la famille, soutient une superstition très répandue aux États-Unis. Cette croyance surgit, semble-t-il, de l'ancienne tradition écossaise assurant que déposer une pelle à l'intérieur d'une demeure porte malheur. En effet, l'outil est l'emblème de la profession de fossoyeur et suggère l'idée de la mort.

HADDOCK

Les Écossais croient que le haddock est un poisson porte-bonheur et que les taches noires de chaque côté de ses ouïes sont les empreintes faites par le Christ quand il en saisit un pour la multiplication des poissons.

HALLOWE'EN

Dans les pays anglo-saxons, la veille de la Toussaint (31 octobre) est une fête toute particulière, appelée Hallowe'en.

Cette nuit-là, les esprits des morts sont autorisés par la

tradition à sortir une dernière fois avant que l'hiver ne s'installe.

C'est une nuit importante dans le calendrier de la sorcellerie et en Irlande, on dit que si vous entendez des pas derrière vous, il ne faut surtout pas vous retourner puisque c'est un des défunts qui vous suit ; en le faisant, vous prenez le risque de le rejoindre sous peu.

Bien sûr, de nos jours, cette nuit est devenue prétexte à des fêtes et à des jeux, en particulier aux États-Unis, où les jeunes filles respectent encore deux traditions amoureuses.

La première leur commande de se rendre près d'une source en portant une lampe et de scruter la surface de l'eau qui leur renverra l'image de leur futur mari. Si elles redoutent de sortir dans l'obscurité, toutefois, elles peuvent se rendre à la même source, de jour, en portant un œuf cassé dans un verre. Elles doivent y verser un peu d'eau fraîche et peu de temps après, dit la superstition, elles verront se dessiner dans le mélange l'image de l'homme qu'elles épouseront et... en plus, celles des enfants qu'ils auront ensemble !

HARENG

Le hareng vous donnera un aperçu de votre futur, dit une vieille tradition, si vous en mangez un, salé, avec les arêtes, en trois bouchées. Ensuite, vous devez aller vous coucher directement, sans adresser la parole à quiconque et surtout sans rien boire. Durant la nuit, vous rêverez de votre avenir. A moins que vous ne soyez incommodé !

Beaucoup de pêcheurs croient que si le premier hareng de la saison qu'ils attrapent est une femelle, ils peuvent espérer de bonnes prises tandis que si c'est un mâle, la saison sera mauvaise.

HARICOTS

Les fleurs de tous les haricots ont été fréquemment associées à la mort et aux esprits des défunts.

En divers points du globe, en particulier en Extrême-Orient, les fleurs de haricots sont éparpillées autour des maisons pour apaiser les démons.

En Grande-Bretagne, on dit que si, dans une rangée, un

haricot fleurit blanc au lieu de vert, une mort surviendra dans l'année.

En Grande-Bretagne, toujours, mais dans le sud-ouest, on soutient que si les haricots d'Espagne ne sont pas plantés le troisième jour du mois de mai, ils ne pousseront jamais et que vous pourriez bien vous attirer des ennuis en les plantant à n'importe quel autre moment.

HERBE

On s'accorde généralement à reconnaître que les chats et les chiens mangent de l'herbe pour faciliter leur digestion ; les Britanniques affirment, eux, que les voir faire est un présage de pluie.

En Alsace, on entend souvent louer les bienfaits d'une herbe qui pousse sur les berges des rivières : l'herbe de l'oubli, purificatrice de la mémoire.

HÉRISSON

Le hérisson est, lui aussi, une créature supposée maléfique et si vous en voyez un, la superstition vous recommande de le tuer pour éviter que le malheur ne vous frappe.

En Europe, certains vieux fermiers font allusion à une ancienne tradition prétendant que la nuit, les hérissons sucent le lait du bétail étendu dans les prés et en conséquence, ils font de leur mieux pour s'en débarrasser.

Dans la Creuse, une superstition voisine prétend qu'un hérisson à proximité d'une étable empêche les vaches de vêler normalement.

L'animal est également connu pour prédire le temps ; un vieux dicton nous apprend qu'après avoir hiberné le hérisson sort à la Chandeleur pour observer les conditions atmosphériques. L'animal étant capable de dire si le temps rigoureux est terminé et si le printemps s'annonce, il décide alors s'il doit regagner ou non ses quartiers d'hiver. En y retournant, il nous signifie six semaines, voire plus, de mauvais temps.

Les paysans britanniques accordent foi à ce présage depuis des siècles et, en Amérique, la même croyance concerne la marmotte.

HIBOU

En dépit du fait que l'on se réfère souvent au hibou comme à un vieux sage, il est tenu, par le plus grand nombre, pour être un oiseau de mauvais augure. Bien des paysans disent, d'ailleurs, qu'en voir un voler ou l'entendre hululer en plein jour annonce le malheur.

A l'origine de ces superstitions, on trouve des raisons telles que sa solitude, son existence nocturne et son sinistre cri. Rien de plus !

Une autre croyance veut que quiconque regarde dans le nid d'un hibou sera malheureux et triste pour le reste de sa vie.

Voir un hibou perché sur une maison ou battre des ailes contre une vitre annonce la maladie ou la mort.

Certaines personnes à la campagne prétendent que quand ce rapace conspue quelqu'un, quelque part dans les environs la Mort vient de faire sa triste besogne.

La plus extraordinaire des superstitions à propos de cet oiseau nous vient du Pays de Galles ; les Gallois racontent qu'entendre un hibou hululer près d'un village signifie qu'une vieille fille vient de perdre sa virginité !

En France, on dit que si une femme enceinte entend le cri du hibou, elle donnera le jour à une petite fille.

Les Allemands pensent que si un nouveau-né est salué par le cri du hibou, il sera malheureux toute sa vie.

En Normandie, on prétend qu'un ivrogne doit manger une omelette d'œufs de hibou pour recouvrer ses esprits.

HIRONDELLE

L'hirondelle, belle et gracieuse, est un oiseau porte-bonheur.

La tradition veut qu'elle fut messagère de Dieu et symbolise l'arrivée du beau temps.

Le malheur s'abattra sur ceux qui la dérangent, d'une quelconque façon.

Les Bretons affirment que tuer une hirondelle (ou poule-de-Dieu) qui couve déclenche un violent orage qui dure quatre jours.

Dans la plupart des pays européens, on dit qu'il est de très bon augure pour une famille qu'une hirondelle choisisse leur demeure pour y construire son nid. En revanche, si l'oiseau déserte son nid, sans raison apparente, les auspices ne sont pas bons.

Certains fermiers pensent que tuer une hirondelle ruine le lait de leurs vaches et que si l'un de ces oiseaux est dérangé la moisson sera médiocre.

La nature timide de l'hirondelle rend la chose impossible, pourtant, en France, une superstition affirme que si l'une d'elles se pose sur votre épaule, votre mort n'est pas loin.

Les Allemands prétendent qu'un nid d'hirondelle protège une maison du feu et de la foudre et qu'une femme qui marche sur un des œufs de l'oiseau deviendra stérile.

L'hirondelle nous fournit, elle aussi, des présages de temps. Si elle vole très haut, le temps sera beau tandis que si elle rase le sol, elle annonce la pluie.

Voir des hirondelles se battre entre elles est un présage de malheur.

HÔPITAL

Dans tous les hôpitaux du monde, les médecins et les infirmières croient que les fleurs rouge et blanc portent malheur et disent qu'elles symbolisent la mort. Lorsque de tels bouquets arrivent, ils sont systématiquement dirigés vers la chapelle.

Si une infirmière renverse une chaise en vaquant à ses occupations, un nouveau patient arrivera bientôt au service des urgences.

Si une infirmière emmêle les cordons de son tablier en s'habillant, de nouvelles responsabilités l'attendent à brève échéance. Quant à savoir si elles seront agréables, nul ne peut le dire !

Si une infirmière dépose avec insouciance les couvertures sur une chaise en faisant un lit, elle annonce une mort en salle d'opération. L'origine de cette croyance spécifique réside dans le fait que les corps sont toujours enroulés dans des couvertures de laine avant d'être placés dans les cercueils.

La couleur des pilules a, elle aussi, quelque rapport avec la superstition — les rouges et les blanches sont populaires parce qu'on les associe volontiers au sang et à une peau saine. Les noires, emblèmes de la mort, n'ont rien à faire en ce lieu.

Dans certains hôpitaux, on dit que sortir un samedi n'est pas une bonne chose ; si tel est votre cas, vous pouvez vous attendre à revenir avant longtemps.

HOQUET

Une vieille tradition partagée par tous les Européens veut qu'on ait le hoquet quand quelqu'un pense à vous.

En Grèce, avoir le hoquet signifie qu'une personne qui vous hait se plaint de vous et la seule façon d'arrêter le processus est de deviner le nom de votre ennemi !

Une tradition allemande prétend que pour arrêter un hoquet, il faut découper un morceau de papier ayant la forme d'une croix, le mouiller et le placer sur son front.

Le traitement favori des Britanniques demande que vous reteniez votre respiration et comptiez jusqu'à cent !

HORLOGE

Aux États-Unis, surtout en milieu rural, il est encore très fréquent d'entendre dire que l'horloge d'une personne s'arrête au moment de sa mort. Cette croyance a d'ailleurs été immortalisée dans une chanson : *l'Horloge de Grand-Père*.

On peut trouver une explication simple à cette superstition. En effet, jusqu'au début de ce siècle, les horloges étaient d'un maniement si complexe que seuls leurs propriétaires savaient exactement comment les faire fonctionner. Si cette personne était alitée pendant sa dernière maladie, il est très vraisemblable que, n'étant plus remontée, l'horloge s'arrêtait alors que l'homme expirait.

Les Américains prétendent aussi que dans une maison, les horloges doivent être arrêtées quand une personne meurt pour indiquer à la Mort que son travail est fait, qu'elle peut se retirer et laisser le cours de la vie reprendre. De toute manière, les horloges ne doivent jamais être remises en route avant l'inhumation.

En Grande-Bretagne, un mystérieux présage dit qu'une horloge qui sonne ou carillonne alors qu'elle ne fonctionnait plus depuis un certain temps annonce une mort imminente.

A l'ouest de l'Angleterre, une superstition veut qu'une horloge qui sonne durant la lecture d'une messe ou pendant le dernier cantique indique qu'un décès interviendra sous peu dans la paroisse.

Au Pays de Galles, on dit que si l'horloge de la ville sonne en même temps que les cloches de l'église, elles annoncent un feu dans le voisinage.

Une horloge qui carillonne pendant une cérémonie nuptiale ou pendant un enterrement est de mauvais augure. On dit qu'un autre suivra très vite.

Une horloge qui change le rythme de sa sonnerie — en particulier si elle l'accélère — annonce la mort.

Et, bien sûr, il est de mauvais augure qu'une horloge sonne treize coups.

HOUX

Le houx, en anglais « *holly* », qui tient une place considérable dans les réjouissances de Noël, tire son nom du mot « *holy* » qui, lui, signifie « saint ».

On peut expliquer cette analogie en établissant les parallèles suivants : ses feuilles persistantes représentent la vie éternelle, ses baies rouges la crucifixion, et ses piquants sont une protection idéale contre les mauvais esprits. C'est la raison pour laquelle on en dispose au-dessus des portes et dans les maisons pour s'assurer d'un Noël heureux et sans encombre.

Cependant, la superstition recommande de choisir le houx avant la veille de Noël, sinon vous vous ouvrez à toutes les mauvaises intentions des ennemis que vous pouvez avoir, tant dans le monde des vivants que dans celui des esprits.

Les feuilles de houx piquantes sont d'espèce mâle et portent bonheur aux hommes tandis qu'une variété plus légère, dite femelle, apporte la bonne fortune aux dames.

L'arbre sert, de plus, à prédire le temps.

On croit que lorsque ses branches sont abondamment pourvues de baies, l'hiver sera rigoureux.

Il protégerait aussi de la foudre.

D'aucuns disent que le houx est un remède aux engelures ;

les pieds doivent être piqués avec une branche de houx pour « faire circuler le sang refroidi ». Aïe, aïe, aïe !

HUILE

De nos jours, le prix de l'huile grimpant constamment, on peut penser que la tradition grecque était bien fondée en affirmant que renverser de l'huile était un présage de misère.

HUÎTRES

Sur la côte Est des États-Unis, on croit qu'il porte chance d'avoir un morceau de coquille d'huître dans sa poche ou dans son sac à main.

Les Anglais, quant à eux, affirment que quiconque mange des huîtres le jour de la Saint-James (5 août) ne connaîtra jamais la faim.

I

IDIOT

Bien qu'aujourd'hui il paraisse bête et cruel de penser qu'il est de bon augure de rencontrer un être demeuré quand on a des choses importantes à faire, on ne peut nier que d'autres l'ont cru et pendant fort longtemps.

Les pêcheurs prétendaient que croiser un idiot avant d'embarquer leur assurait un voyage sauf et réussi.

Cette superstition s'explique quand on sait que de telles personnes étaient « les pauvres de Dieu » et que, malgré leurs limites, ils étaient bénis...

ÎLE

Une légende nous enseigne que toutes les vieilles filles de l'île de Sein ont le pouvoir de prédire l'avenir.

IMMEUBLE

L'une des pires malédictions qui puisse s'abattre sur un nouvel immeuble est qu'un ouvrier travaillant à sa construction soit tué accidentellement. Des deux côtés de l'Atlantique, on interprète cet accident comme étant le signe annonciateur d'autres décès. En un mot, l'immeuble a le mauvais œil. Les conséquences sont encore plus funestes si le malheureux meurt brûlé.

IMMORTELLE

Un usage superstitieux encore vivace en Bretagne veut qu'on pique trois immortelles dans la couronne d'une mariée pour assurer à l'amour du jeune couple force, fidélité et pérennité.

INVISIBILITÉ

Jadis, il existait de nombreuses superstitions offrant l'invisibilité à ceux disposés à sortir pour accomplir certains rituels des plus macabres (y compris exhumer un cadavre et échanger sa chemise avec la sienne).

De nos jours, il ne subsiste que deux croyances qui brillent par leur manque d'efficacité.

La première recommande de porter une agate et rien de plus ; la seconde dit que vous deviendrez invisible en ayant dans votre poche ou votre sac l'œil droit d'une chauve-souris.

IVRESSE

Au cours des âges, les hommes ont inventé de nombreux remèdes dans le but de mettre un terme à l'ivresse. La plupart sont basés sur l'addition de substances désagréables dans le verre de l'alcoolique.

Il se peut que le plus spectaculaire soit celui suggérant de mettre une anguille vivante dans la boisson !

La superstition croit qu'un œuf de chouette cassé et mélangé secrètement à l'alcool est le remède le plus efficace à long terme.

Si vous voulez boire mais ne pas avoir la gueule de bois, les Gallois recommandent de faire griller les poumons d'un porc et de les manger, bien sûr. Cette recette vous immunise, semble-t-il, pour vingt-quatre heures !

J

JANVIER

Parmi les fermiers britanniques, nombreux sont ceux qui disent que si le mois de janvier est clément, le temps sera hivernal de février à la fin mai et les récoltes compromises.

JARRETIÈRE

Les jeunes filles qui désirent avoir des enfants peuvent s'en remettre à la superstition et porter une jarretière faite de paille. Elles peuvent même déterminer le sexe de l'enfant — si la jarretière est en paille de blé, elles auront un garçon ; en paille d'avoine, une fille.

L'efficacité de la jarretière est plus grande si la jeune fille la fixe quelque temps avant son mariage, mais la jarretière ne sert que les filles vierges.

On suppose que l'association de la paille et de la fertilité remonte à l'histoire de la Nativité quand l'enfant Jésus était couché dans une mangeoire garnie de paille, à Bethléem.

Pour rêver de son futur mari, il faut cacher une jarretière sous son oreiller. Sachez aussi que les jarretières rouges ont de tout temps été conseillées comme remède aux rhumatismes.

JAUNE

Le jaune est une couleur maléfique quoique de nombreuses superstitions affirment que les mauvais esprits en ont peur.

Les Anglais prétendent qu'une feuille jaune sur des rames de haricots ou de petits pois est un présage de mort.

JEUDI

En Allemagne, le jeudi est le jour de malchance par excellence. Aucun mariage ne doit être célébré ; aucun travail important entrepris et nul ne songerait à envoyer sa progéniture à l'école pour la première fois.

On ignore pourquoi ce jour est dédié au puissant Thor, dieu du tonnerre et des éclairs.

Les Provençaux assurent aussi qu'il ne faut jamais travailler le jeudi.

Qui ignore au royaume de France et de Navarre que le diable paie ses dettes la semaine des quatre jeudis ?

JEUX (d'argent)

Les joueurs vivent dans un univers où les présages et les superstitions règnent en maîtres absolus, sans doute parce qu'ils sont toujours à la recherche de Madame la Chance et de la fortune.

Qu'il joue dans un casino rupin ou, calmement, chez lui, le joueur est toujours aux aguets.

Les deux croyances les plus connues du commun des mortels sont qu'un novice des tables de jeux ne perd jamais la première fois et qu'il est impossible de perdre avec de l'argent emprunté.

Cependant, un joueur ne peut pas emprunter d'argent à un adversaire s'il a l'intention de l'affronter, surtout s'il s'attend à gagner.

D'aucuns pensent qu'il porte malheur de jouer dans sa propre demeure, dans la pièce où se trouve un chien et qu'on ne doit jamais jouer aux cartes sur une surface polie ou nue. Dans ces circonstances, les cartes glissent ou se réfléchissent et les autres joueurs peuvent voir ce que la personne a en main — d'où la popularité universelle du tapis vert.

Une autre superstition, phallocrate celle-ci, dit qu'un homme ne doit jamais permettre à une femme de lui toucher l'épaule alors qu'il s'assoit à une table ; en réalité, un tel homme évite autant que faire se peut de rencontrer une femme sur son chemin en se rendant au casino.

Ces instructions invraisemblables semblent avoir été inventées par quelque perdant frustré !

A l'inverse, en Grande-Bretagne, à une certaine époque, on répétait que pour s'assurer la bonne fortune les joueurs devaient tout simplement avoir une jolie fille debout derrière leur chaise pendant qu'ils jouaient ; on sait, à ce propos, que bien des jolies filles étaient louées simplement pour tenir ce rôle.

Au chapitre des fétiches que les joueurs cachent au fond de leurs poches, on trouve des boucles de cheveux, des mascottes, des reliques « saintes », des trèfles à quatre feuilles, de minuscules fers à cheval et des pièces trouées.

Il est de funeste augure de voir un homme qui louche juste avant d'aller jouer, de ramasser les cartes avant que la donne soit terminée ou de laisser vos jetons éparpillés plutôt qu'empilés.

Maintenant, voici quelques superstitions qui pourront vous aider à conjurer de sombres auspices.

Quand vous jouez aux cartes, vous devez souffler sur le jeu en traînant les pieds ou marcher autour de votre chaise ou de la table, voire retourner votre chaise pour vous y asseoir à califourchon. Si cette position est trop inconfortable, contentez-vous de déposer votre mouchoir sur la chaise et le simple fait de vous y asseoir changera le cours des choses.

En jouant ne ramassez pas les cartes de la main gauche (encore et toujours l'association de la gauche et du Diable). Bien des joueurs sont convaincus qu'il porte malchance de croiser les jambes.

Il est de mauvais augure de laisser choir une carte durant une partie, en particulier une noire ; si vous avez une carte favorite, essayez de la toucher de l'index avant de jouer.

Les joueurs de cartes croient qu'ils n'auront jamais une bonne main s'ils ont reçu le quatre de trèfle, en particulier s'il se trouvait dans la première donne, et cette carte est également connue sous le nom de « quatre du Diable ».

Dans le même esprit, au poker une paire d'as et une de huit est considérée avec suspicion puisque c'était la fameuse « Main du Mort » que tenait Wild Bill Hicock quand il fut abattu.

Le neuf de carreau est également impopulaire parmi les joueurs et certains s'y réfèrent comme à la « malédiction de l'Écosse » ; ce fut par son truchement que le Comte de Stair donna, en 1692, l'ordre de l'infâme massacre de Glencoe.

Une succession de piques présage du malheur. On connaît sept cas de fameux joueurs qui abattirent deux ou plusieurs de ces cartes à la suite les unes des autres et moururent dans de brefs délais.

Pour porter chance à votre partenaire, piquez une épingle sur le revers de sa veste ou sur sa robe, dit une superstition très en vogue de nos jours.

Celui qui murmure ou qui chante ne récoltera que le malheur.

Souvenez-vous aussi de ne jamais vous emporter puisqu'une vieille croyance assure que « le démon de la malchance suit toujours un joueur passionné », et, si rien ne va comme vous le désirez, consolez-vous avec cette vieille sentence : « Malheureux au jeu, heureux en amour ! »

JEUX DE CARTES

En dépit de leur popularité en tant que divertissement, les cartes sont traitées avec suspicion par les mineurs et les pêcheurs. Ces deux corps de métiers croient qu'il est maléfique d'en avoir un jeu sur soi au fond de la mine ou en mer.

L'appellation populaire pour les cartes est « le livre illustré du diable », ce qui explique d'une part l'appréhension de certains individus, et d'autre part leur popularité auprès des diseurs et des diseuses de bonne aventure.

N'oublions pas de préciser un on-dit amusant ; il paraît que les cambrioleurs ne s'en emparent pour ainsi dire jamais, persuadés que ce jeu de hasard ferait pâlir leur bonne étoile.

JOCKEYS

Les jockeys sont de grands superstitieux ; ils accordent un soin particulier à l'observation des présages et des signes avant le départ de chaque course.

Maints parmi eux ont des cravaches favorites, censées leur porter chance. Certains disent que laisser tomber une cravache avant une compétition est maléfique.

Au vestiaire, aucun jockey n'aime voir ses bottes au sol — elles doivent toujours être rangées sur une étagère — ou il n'aura pas de chance avec sa monture.

Et nul dans cette profession n'aime que l'on dise avant le départ qu'il est « jockey », à moins que son nom ne soit prononcé.

JONCS

Le jonc est une plante porte-bonheur possédant des pouvoirs curatifs et protecteurs et, en de nombreux lieux, on dit qu'en trouver un dont la partie supérieure est verte est de très bon augure.

JONQUILLE

Les Gallois croient que la première jonquille du printemps porte chance. Elle apporte à celui qui la trouve plus d'or que d'argent dans les douze mois qui viennent. Mais ne rentrez jamais une seule jonquille dans une maison, toujours une botte, ou l'infortune suivra.

JOUES

Un peu partout dans le monde, on entend dire que si vos joues s'empourprent, quelqu'un parle de vous. Précisons cependant que derrière le rougissement se cache, tout bêtement, une émotion ou une réaction psychologique et rien de plus !...

JOURS DE POISSE

Souvent, sans fil conducteur, certaines personnes ont été amenées à penser que certains jours de l'année étaient maléfiques et que, ces jours-là, il valait mieux ne rien entreprendre.

Bien sûr, ces jours de poisse varient selon les personnes.

Néanmoins, on remarque, en Grande-Bretagne par exemple, une superstition très spécifique concernant trois lundis particuliers de l'année : le premier lundi d'avril, date anniversaire de la naissance de Caïn et de l'assassinat de son frère Abel ; le second lundi d'août, jour de la destruction de

Sodome et Gomorrhe ; et le dernier lundi de décembre, jour où naquit Judas Iscariot, le dénonciateur du Christ.

A cause de ces croyances, certaines personnes à la campagne refusent encore fermement de ne rien entreprendre d'important ces jours-là.

Le vendredi est, on aurait pu s'en douter, un jour de mauvais augure et nous l'expliquerons en détail plus loin dans cet ouvrage.

En Europe, le 28 décembre ou jour des Saints-Innocents est le plus malchanceux de toutes les dates noires et n'importe quelle initiative personnelle, ce jour, est vouée à l'échec. On présume que le roi Hérode ordonna le massacre des Innocents ce jour-là.

En réalité, l'histoire est émaillée par des anecdotes racontant que des manifestations importantes, publiques ou privées, prévues initialement à cette date, avaient été déplacées à une date ultérieure lorsqu'on s'était avisé des éventuelles implications.

Il vaut mieux ne pas porter pour la première fois des vêtements neufs ce jour-là (ils s'useraient rapidement) et aucun travail ménager ne doit être fait puisqu'il serait immédiatement ruiné. De quelle meilleure excuse pouvait-on rêver ?

JUMEAUX

Depuis des temps immémoriaux, une vieille croyance veut que toute femme qui mange des fruits « jumeaux », c'est-à-dire ayant poussé à partir du même germe, donnera un jour ou l'autre naissance à des jumeaux.

En Amérique du Sud, une charmante superstition affirme que tout homme qui mange deux bananes ayant poussé ensemble engendrera des jumeaux !

Les superstitions les plus connues concernant les jumeaux sont que, d'une façon ou d'une autre, ils sont toujours en relation et partagent l'un l'autre leurs joies et leurs peines.

Dans la vie, même séparés, ils ressentent les dangers qui les menacent respectivement et que celui qui survit à l'autre prend sa force et sa vitalité. Naturellement, ces croyances ne s'appliquent qu'à de vrais jumeaux.

JURER

En règle générale, les gens de la campagne pensent que jurer porte malheur et représente une invocation des mauvais esprits.

Dans certains villages, en Allemagne, de nos jours, on répète encore que jurer fait augmenter le nombre de souris et de rats de l'endroit. Quant à dire pourquoi, on l'ignore !

En revanche, pour éloigner les feux follets, il faut jurer

L

LACETS

Il porte bonheur de trouver un nœud dans ses lacets, dit une superstition, mais les choses ne s'arrêtent pas là.

Si votre lacet gauche se défait, on pense que quelqu'un vous dénigre tandis que si c'est le droit, on vous encense.

Si quelqu'un vous demande de lacer ses souliers, faites un vœu, il sera exaucé.

Sachez qu'il est maléfique de porter sur une même paire de souliers un lacet brun et un lacet noir. Le brun symbolisant la terre du cimetière et le noir la mort.

LAIT

La tradition hindoue veut qu'il soit de très bon augure de voir du lait au saut du lit.

En Europe, il vaut mieux, pense-t-on, éviter de renverser du lait, puisque, étant la boisson favorite des fées, il y a de fortes chances qu'elles harcèlent le ménage chez qui elles en ont déjà trouvé une fois.

Les fermiers normands disent souvent que leur lait ne tourne pas si un ver luisant vit sous leur toit. Pour se préserver des sortilèges, après la traite, ils jettent un grain de sel dans le lait.

LAITERON

On a longtemps recommandé le laiteron pour la vue, en infusion, il servait à oindre les yeux.

Cette plante était aussi un bon préservatif contre la sorcellerie.

De nos jours, en Europe, certains soutiennent que quiconque portant un brin de laiteron à sa boutonnière courra bien sans se fatiguer. Cependant, gardez-vous de courir en compagnie d'une telle personne car la plante puisera vos forces à son profit !

LAITUE

Des plants de laitue, en abondance dans un potager, empêchent une épouse de concevoir des enfants, prétendent certains paysans. C'est la plus invraisemblable méthode de contrôle des naissances jamais rencontrée !

Cependant, les Romains croyaient que la laitue avait des vertus aphrodisiaques favorisant la fertilité et la bonne entente dans les réunions. Ils la conseillaient également pour éviter l'ivresse !

LAMPE

Pour le paysan du Massachusetts, placer une lampe à pétrole au-dessus d'une personne endormie, c'est la condamner à mort.

En Europe, une lampe qui brûle tient éloignés d'un nouveau-né et de sa mère les mauvais esprits. Alors qu'en Grèce une lampe dont la flamme vacille est un présage de malheur.

LANCER UN NAVIRE

La coutume de lancer un navire en cassant une bouteille de champagne contre sa proue est, en fait, le prolongement d'une croyance beaucoup plus ancienne.

Autrefois, on donnait symboliquement la vie au navire en le maculant de sang humain. Plus tard, le sang céda la place au vin rouge mais de nos jours on utilise presque exclusivement du champagne.

LANDAU

Une superstition affirme qu'il porte malheur d'amener un

153

nouveau landau ou un nouveau berceau dans une maison avant la naissance d'un enfant.

Cette croyance est issue d'une ancienne tradition prétendant que présumer que tout se déroulerait bien revenait à défier le destin.

LANGUE

Se mordre la langue en mangeant, dit une superstition très répandue de part et d'autre de l'Atlantique, est signe de mensonge.

Cependant, les Indiens donnent une signification différente à ce geste ; d'après eux, il présage que vous recevrez des douceurs ou des nouvelles agréables.

LANTERNE

A ceux qui voyagent de nuit, les Bretons recommandent de se munir d'une lanterne allumée. C'est le seul moyen de faire fuir les mauvais esprits.

LAPIN

En Grande-Bretagne, on dit que prononcer les mots « lapin blanc », très rapidement trois fois de suite le premier jour du mois, assure la chance pour les vingt-neuf ou trente jours restants.

Dans les régions côtières, les pêcheurs disent qu'il porte malheur de parler du « lapin » avant de prendre la mer et si une allusion à l'animal est inévitable, il faut alors lui substituer un autre mot.

Certains mineurs croient que voir un lapin au pelage blanc en se rendant à la mine, annonce une catastrophe.

En Angleterre, si un lapin blanc rôde près des maisons, on pense que sa présence indique un décès dans l'une d'entre elles.

Voir un lapin détaler le long d'une route bordée de maisons annonce un incendie.

Voir ou tuer un lapin noir est de très mauvais augure.

Les superstitions concernant les lapins remontent vraisemblablement à des temps très anciens quand les lapins symbolisaient le dieu Lune, en raison de leurs danses nocturnes.

La patte de lapin est un fétiche très fameux, en particulier aux États-Unis. Pour expliquer cette croyance, on a avancé que les petits lapins naissant les yeux ouverts, ils sont donc capables d'écarter les mauvais esprits dès leur venue au monde.

Une seconde explication a été émise voulant que le lapin se reproduisant à une vitesse prodigieuse, son pouvoir créateur a favorisé son association à la prospérité et au succès.

En certaines régions de France, en Allemagne et aux États-Unis, le Lièvre de Pâques est un autre symbole de chance ; on raconte aux enfants qu'il apporte les œufs de Pâques.

Beaucoup de parents croient qu'un enfant sera protégé des esprits malfaisants si, dès sa naissance, on lui brosse les cheveux avec une patte de lapin, de préférence la gauche. C'est, sans doute, la raison pour laquelle on voit si souvent une patte de lapin accrochée au-dessus d'un landau ou d'un lit d'enfant.

Certains jardiniers prétendent qu'une patte de lapin favorise la floraison des arbres fruitiers, surtout si l'une d'entre elles a été utilisée pour transférer le pollen.

Plus d'un braconnier pense qu'il ne se fera jamais prendre s'il a, dans sa poche, une patte de lapin. Comble de l'ironie.

Et, est-il besoin de le préciser, perdre une patte de lapin est un très mauvais présage ?

LARD

En Europe, le lard est réputé être un puissant remède contre la fièvre et la constipation, à la condition expresse... qu'il ait été volé !

LESSIVE

Pour les maîtresses de maison, jadis, le lundi était jour de lessive par excellence et, nombre d'entre elles prétendaient que plus la lessive était faite tard dans la semaine plus les augures étaient mauvais.

La superstition déconseille de laver le jour du Nouvel An puisque cela « enlève un membre de la famille ».

Laver le vendredi saint est, sans doute, le jour le plus

maléfique puisque ce jour-là une lavandière a insulté le Christ sur le chemin du Calvaire.

LETTRES
D'après une superstition américaine, des lettres échangées entre amis qui se croisent sont de mauvais augure et annoncent une querelle entre eux.

LETTRES D'AMOUR
On ne compte pas le nombre de présages et de superstitions associés aux lettres d'amour. Voici une sélection des plus connus :

Une lettre d'amour doit toujours être écrite à l'encre ; écrire au crayon ou à la machine est de mauvais augure.

Les cartes postales sont des moyens de communication acceptés mais aucun amoureux ne demandera jamais à l'autre de lui en adresser une, sinon leur histoire serait brève.

Si votre main tremble lorsque vous écrivez à celui ou celle que vous aimez, c'est bon signe et indique que votre amour est réciproque ; et sachez que si vous faites une tache en écrivant, les auspices sont encore plus favorables et vous apprennent que l'être que vous adorez pense à vous à ce moment.

Il n'est pas de bon augure de faire une demande en mariage par courrier et si une jeune fille reçoit deux lettres de deux de ses prétendants au même courrier, elle n'épousera aucun d'eux.

Une lettre d'amour qui vous parvient soit insuffisamment timbrée, soit ouverte signifie que l'affaire est « refroidie ».

Prenez garde de ne pas poster de lettres d'amour le jour de Noël, le 29 février et le 1er septembre — une tradition écossaise enseigne que ces trois jours particuliers mettraient votre amour en danger.

En d'autres lieux, on dit qu'il est de mauvais augure de poster de telles lettres le dimanche, cela favorise les querelles.

Enfin, pour savoir si votre amoureux est sincère, mettez le feu à l'une de ses lettres — si la flamme est claire et belle, l'amour est vrai ; si elle est petite et bleue, vous n'êtes pas destinés l'un à l'autre.

Néanmoins, il convient de préciser qu'en le faisant vous

prenez un grand risque puisqu'on sait qu'il porte malheur de brûler des lettres d'amour. Pour les détruire, il faut les déchirer.

LÈVRES

De part et d'autre de l'Atlantique, on affirme que ressentir des démangeaisons ou des fourmillements sur les lèvres annonce un baiser.

LÉVRIER

Les Gallois, qui affectionnent particulièrement les courses de lévriers, croient qu'un de ces chiens avec une tache blanche sur le front porte chance.

LEVURE

D'après la superstition rêver de levure a plusieurs significations. La première vous promet que votre prochaine entreprise sera couronnée de succès ; la seconde, que la femme de votre vie est enceinte, que vous l'ayez voulu ou non !

LÉZARD

Le lézard est un animal de mauvais augure pour une jeune mariée puisque si elle en voit un sur son chemin pour aller à l'église, son mariage sera malheureux.

En France, d'aucuns affirment que si un lézard court sur la main d'une femme, il fait d'elle une bonne couturière.

LIBELLULE

La libellule est porteuse de présages pour un pêcheur mais, il doit absolument être honnête homme. Elle ne donne, dit-on, jamais rien à l'homme aux mœurs perverses.

Selon la superstition, si un homme bon jette sa ligne, la libellule vient planer au-dessus des eaux poissonneuses pour l'aider à remplir sa nasse.

LIÈGE

On affirme que le liège est un remède aux crampes.

Dans certaines régions très reculées d'Europe, on sait que les vieilles personnes vont, encore, se coucher avec des bracelets de liège aux chevilles afin d'éviter que leurs muscles ne se crispent durant la nuit.

LIÈVRE

Le lièvre est généralement considéré comme un présage de mauvais augure en de nombreux pays.

Mais assez bizarrement, un lièvre noir est quelquefois dit chanceux et un blanc malchanceux !

En voir un — ou pire s'il croise votre chemin — vous annonce des ennuis.

Un lièvre qui court le long d'une route annonce un incendie dans les parages et tout marin qui en voit un, près de son bateau, sait qu'en prenant la mer, il court à la catastrophe.

Un lièvre croisant le chemin de jeunes mariés ne leur prédit que du malheur.

Les femmes enceintes n'aiment pas voir un lièvre parce que, dit-on, il donnerait à leur bébé un bec-de-lièvre.

Les frayeurs concernant le lièvre remontent à des temps très anciens quand on croyait que les sorcières pouvaient prendre leur apparence. Un grand nombre d'histoires parvenues jusqu'à nous veulent que des blessures faites à un lièvre aient été retrouvées sur un vieil homme ou une vieille femme suspectés de sorcellerie.

On connaît deux croyances extraordinaires à propos du lièvre, toujours tenaces. La première assure qu'il ne ferme jamais les yeux, même en dormant ; la seconde, qu'une fois par an il change de sexe !

La patte gauche d'un lièvre — comme celle du lapin — est, pour certains, un porte-bonheur et pour d'autres, protège des rhumatismes.

LILAS

Le lilas est une des fleurs qui embaument l'air d'un parfum favorisant le sommeil, il est donc de mauvais augure.

Les lilas blancs n'ont pas droit de cité dans une maison — encore moins dans un hôpital.

Quant aux lilas mauve ou rouge, ils font l'objet d'autant de suspicion.

Le seul facteur de chance associé au lilas est de trouver un des rares arbres dont les fleurs ont cinq pétales et, dans ce cas, peu importe la couleur.

LION

Dans plusieurs pays, on entend dire une chose étrange, à savoir que le lion ne blesse jamais un prince du sang. On affirme que le roi des animaux montre du respect à son égal dans le monde des humains.

Cependant, dans certains pays africains, on prétend que le lion craint et jalouse le coq de combat parce que celui-ci porte une couronne (sa crête), éperonne et ne lui témoigne pas de déférence comme tous les autres animaux.

Les femmes de quelques tribus africaines croient que donner à un garçon un morceau du cœur d'un lion lui assure une croissance saine et un caractère brave.

LIS

Le lis symbolise depuis toujours la virginité. Ne dit-on pas « pure comme un lis » ? De nombreuses personnes à travers le monde pensent que casser ou abîmer cette plante porte malheur. Cette superstition concerne plus particulièrement les hommes puisque l'acte est supposé mettre en péril la pureté des femmes de leur famille.

LIT

Il n'y a guère superstition aussi fameuse que « se lever du mauvais pied » qui augure d'un mauvais jour. Le « mauvais pied » étant, bien sûr, d'après les us et coutumes, le gauche. On sait qu'avant d'être banni du paradis, le Diable était assis à la gauche de Dieu, d'où l'association d'idées. Apparemment, la seule façon d'éviter la guigne est de commencer par mettre votre chaussette et votre chaussure droites quand vous vous habillez.

Si vous vous levez du côté opposé à celui par lequel vous vous êtes couché, la mauvaise fortune vous guette !

On dit encore qu'un des membres de la famille décédera, si plus de deux personnes font le même lit.

Dans les campagnes du nord de la Grande-Bretagne, on prétend que pour éviter les problèmes d'escarres, il suffit de placer chaque jour sous le lit deux seaux d'eau fraîche recueillie au printemps. Attention, n'utilisez sous aucun prétexte de l'eau bouillie refroidie ! Ce procédé irrite le Diable et s'il venait à passer, par hasard, son regard serait attiré et il pourrait très bien se fâcher.

Une superstition commune à plusieurs pays européens déconseille de balayer la pièce dans laquelle un hôte a dormi moins d'une heure après son départ, sinon gare à la malchance ! D'ailleurs, il se pourrait que cette malchance soit le retour d'un hôte non désiré !

Regarder sous son lit avant de se coucher est un geste ridicule. Pourtant, l'idée a ses racines dans la superstition. De nombreuses personnes à la campagne pensaient qu'il était essentiel de le faire pour parer un coup du Diable qui aimait tant s'embusquer en de tels endroits.

Les Américains disent que déposer un chapeau sur un lit — à tout moment — porte malheur et sachez qu'il est tout aussi risqué de retourner un matelas le vendredi ou le dimanche. Il en résulte, paraît-il, une semaine de mauvais rêves !

De nombreuses femmes, en Europe, affirment qu'un lit doit toujours être orienté est-ouest (la course du soleil) et qu'un lit tourné vers le nord — même par hasard — vaut à celui qui l'occupe des nuits agitées.

LONGÉVITÉ

En Belgique et en France, d'aucuns disent aux enfants qu'ils doivent manger beaucoup de soupe pour grandir.

Tous les fabricants de soupe du monde peuvent se réjouir. Une vieille tradition européenne affirme que pour vivre mieux, il faut manger de grandes quantités de soupe très lentement !

LOUP

Le loup est un animal de mauvais augure.

En Grande-Bretagne, on prétend que si un loup aperçoit un homme avant que l'homme ne l'ait vu, l'infortuné deviendra muet.

Dans plusieurs pays d'Europe, on pense qu'il porte malheur

de prononcer le mot « loup » au mois de décembre puisque vous courrez le risque d'en rencontrer un.

Au Canada, cependant, le loup est bien mieux considéré et sa représentation sur un blason ou une médaille confère à son possesseur le pouvoir.

Quant à nous, en France, une croyance nous enseigne qu'une dent de loup accrochée autour du cou d'un enfant le protège des mauvais esprits.

On sait de longue date que les sorciers prennent l'apparence du loup pour se rendre au sabbat.

Il existe en Gascogne une conjuration peu charitable pour éloigner l'animal :

> « Pater du loup,
> Ventre vidé, ventre saoul,
> Sauf chez moi, va-t'en partout,
> Étrangler brebis et moutons,
> Étrangler veaux, poulains et mules,
> Sauf chez moi. Va-t'en où tu voudras
> Va-t'en partout pour mal faire,
> Sauf dans ma maison,
> Pater du loup,
> Ventre vidé, ventre saoul,
> Sauf chez moi, va-t'en partout. »

LUNE

Les superstitions à propos de la lune sont innombrables et on peut seulement espérer donner ici les plus fréquemment rencontrées à travers le monde.

Une affirmation bien fondée circule dans certains milieux médicaux ; elle veut que la folie puisse être engendrée par la pleine lune. Les peuples anciens ont la paternité de cette croyance et tirèrent le mot « lunatique » du mot latin *luna* signifiant lune.

De tout temps, cependant, l'homme a toujours considéré la lune avec respect et quiconque cherche la bonne fortune est bien avisé de faire trébucher dans sa poche des pièces d'argent. Au moment de la nouvelle lune, les bénéfices de cette pratique sont multipliés.

L'époque de la pleine lune est, dit-on, un bon moment pour guérir nombre de maladies et très favorable aux jeunes filles qui veulent savoir si elles se marieront.

Un des moyens pour le savoir, est de tenir un mouchoir de soie devant l'astre et le nombre de lunes qu'elle verra, par transparence, représente le nombre de mois qu'elle devra attendre pour être conduite à l'autel.

Au Tennessee (États-Unis), la nouvelle lune est présage d'amour. Il faut y jeter un coup d'œil par-dessus votre épaule droite, puis faire sept pas en arrière et répéter :

« Nouvelle lune, nouvelle lune, véritable et brillante,
si j'ai un prétendant fais-moi rêver de lui cette nuit.
Si je dois me marier tard, fais-moi entendre le cri d'un oiseau.
Si je dois me marier bientôt, fais-moi entendre une vache meugler.
Si je ne dois jamais me marier, fais-moi entendre un coup de marteau. »

Voir la nouvelle lune pour la première fois à travers une vitre est de mauvais augure. Pourtant, si vous la voyez d'abord à travers une fenêtre en regardant au-dessus de votre épaule droite, la chance croisera votre chemin et vous pouvez faire un vœu.

D'après un ancien document conservé au British Museum — *The Cotton M.S.* —, les dix jours qui suivent la pleine lune sont les plus riches en superstitions et voici les conseils proposés par l'auteur anonyme :

Premier jour. Le premier jour de la nouvelle lune est le plus favorable pour toutes les nouvelles entreprises. Si vous tombez malade ce jour-là, vous ne guérirez pas tout de suite et aurez à souffrir bien des maux. Tout enfant né ce jour sera heureux et prospère.

Second jour. C'est un bon jour pour toutes les transactions en général et un voyage en mer entrepris sous ses bons auspices se déroulera très bien. De plus, c'est un excellent moment pour labourer les terres et semer les graines dans un potager.

Troisième jour. C'est un jour de sinistres augures. Tout enfant né le troisième jour de la pleine lune ne vivra pas vieux. Quant aux criminels, ils seront bien avisés de se méfier puisqu'ils seront vraisemblablement attrapés par la police pour répondre d'un crime perpétué ce jour-là.

Quatrième jour. C'est le meilleur jour pour mettre en chantier une maison ou un immeuble. Si vous êtes politicien et né le quatrième jour, c'est votre jour de chance.

Cinquième jour. Le temps qu'il fait le cinquième jour de la pleine lune indique le temps qu'il fera le reste du mois. C'est aussi un très bon jour pour concevoir un enfant.

Sixième jour. C'est le meilleur jour du cycle pour les chasseurs et les pêcheurs.

Septième jour. Pour les garçons et les filles, c'est le moment idéal pour se rencontrer et tomber amoureux.

Huitième jour. Méfiez-vous de ne pas tomber malade ce jour plus que tout autre, dit la superstition. Une maladie se déclarant le huitième jour risque de vous conduire à la tombe.

Neuvième jour. Ne fournissez pas l'occasion à la lune de se réfléchir sur votre visage cette nuit-là ou vos traits seront déformés et vous deviendrez même fou. En certains lieux, on prétend que la réflexion de la nouvelle lune sur le visage d'un individu endormi durant les dix premiers jours rend grossier.

Dixième jour. Quiconque né ce jour sera vagabond et simple d'esprit.

Maints paysans racontent qu'il vaut mieux semer quand la lune croît — sauf pour les replants de haricots et de petits pois qui, d'eux-mêmes, s'enroulent autour des rames dans le sens inverse des aiguilles d'une montre et doivent donc être semés quand la lune décroît.

Les mêmes personnes observent la lune qui leur fournit des prévisions à propos du temps. Si les « cornes » de la lune paraissent pointer vers le haut, alors les vingt-huit prochains jours du cycle seront beaux tandis que, si elles sont orientées vers le bas, il pleuvra.

On peut aussi s'attendre à de la pluie, si à un moment quelconque la lune a son halo.

Deux nouvelles lunes durant le même mois annoncent le

mauvais temps et toute nouvelle lune tombant un samedi ou un dimanche amène la pluie et le malheur. Quand la lune décroît, la superstition dit que toute chose coupée ne germera pas, mais c'est une période néfaste pour se marier ou pour mettre au monde un enfant. D'un autre côté, c'est une période propice pour déménager puisqu'une vieille croyance vous assure qu'en déménageant à cette période vous n'aurez jamais faim.

Ajoutons pour terminer que le voyage de l'homme sur la lune a réveillé bien des superstitions anciennes, y compris celle affirmant qu'elle était faite de fromage !...

M

MAI

Le mois de mai est réputé pour sa malchance et particulièrement funeste pour se lancer dans de nouvelles entreprises ou se marier.

Cette croyance d'origine très ancienne remonte à l'époque des premiers hommes qui pensaient que c'était le meilleur mois pour les semailles et, n'ayant pas d'aide mécanique, avaient besoin de tous les bras disponibles : il n'était donc pas question de perdre du temps et de songer à la bagatelle !

Les gens de la campagne disent encore que ceux qui se marient en mai le regretteront amèrement.

Maints paysans affirment toujours qu'un enfant né en mai sera malingre, tandis que les chats du même mois ont beaucoup de chance mais sont incapables d'attraper une souris ou un rat !

MAIN

Depuis des lustres, avoir des démangeaisons dans la paume de la main a une signification pour la tradition superstitieuse.

La croyance veut que si votre main droite vous démange, vous recevrez de l'argent ou des nouvelles importantes tandis qu'un chatouillement dans la paume gauche signifie que vous devrez bientôt délier les cordons de votre bourse !

Toutefois, pour conjurer le sort, frottez vos mains sur du bois.

On dit, aussi, que si deux personnes se lavent les mains, en même temps, sous un filet d'eau, c'est un acte de mauvais augure puisqu'il annonce une dispute entre elles. Pour y échapper, crachez très vite dans l'eau.

Dans le Devon, on avait coutume de dire que si on lavait les mains d'un nourrisson avant qu'il ait douze mois, une fois adulte, il n'aurait jamais d'argent. Fort heureusement, aujourd'hui, la plupart des mères font passer l'hygiène avant la fortune !

Avoir les mains chaudes est un signe de dispositions amoureuses tandis qu'avoir les mains froides indique un cœur chaud.

Il est maléfique de serrer la main de quiconque de la main gauche.

Si deux couples croisent leurs mains en se serrant la main, il y aura un mariage inattendu.

Trois personnes qui se serrent la main en même temps s'attirent mutuellement la bonne fortune.

La tradition juive veut que lors de la veillée de Hosha'na Rabbah, quiconque essaie de lire son avenir d'après son ombre et ne voit pas sa main droite perdra un fils durant l'année ; s'il lui manque la main gauche, il perdra une fille. Si un doigt manque, un de ses amis mourra.

MAISON

Si vous êtes sur le point de vous installer dans une nouvelle demeure, voici ce que vous devez faire pour vous concilier les faveurs de la bonne fortune : parcourez chaque pièce en tenant une miche de pain et une assiette de sel. Ce geste, dit-on, apaise les esprits qui peuvent être là et leur montre que vous ne leur voulez aucun mal ; en retour, ils ne vous dérangeront pas.

Il existe aussi des superstitions attachées aux plantes qui, quelquefois, poussent sur le toit des maisons — en particulier les vieilles — les graines ayant été évidemment apportées par le vent. Si des plantes fleurissent sur votre toit c'est un présage de bonne chance alors que l'herbe et la mousse doivent être arrachées pour éviter le malheur. Les Gallois prétendent que si la joubarbe (1) pousse sur une construction, elle protège la

(1) Le mot joubarbe vient du latin *Jovis barba* — barbe de Jupiter ; sans doute est-ce pour cette raison qu'on l'appelle en langage familier « herbe du tonnerre ». *(N.D.T.)*

famille qui y habite de la maladie ; les Anglais ne sont pas d'accord et soutiennent que la maison sera frappée par la foudre !

Quand vous visitez une maison, empruntez toujours pour sortir la porte par laquelle vous êtes entré, conseille une superstition américaine. Ne pas le faire, c'est jeter la chance du propriétaire à la rue et attirer la malchance sur soi.

Si la porte d'une maison s'ouvre toute seule, vous recevrez la visite d'un hôte indésirable.

Si vous oubliez votre clé et que vous vous retrouviez à la porte, voici la marche à suivre afin d'éviter que la malchance ne vous assaille :

Rentrez par une fenêtre, allez ouvrir la porte d'entrée et retournez à la fenêtre, sautez à l'extérieur et rentrez par la porte, cette fois de la façon la plus normale qui soit.

Malgré la complexité du rituel, il y a encore maints paysans qui ne feraient pas autrement pour un empire !

MAISON NEUVE

Pendre la crémaillère est une coutume rencontrée tout autour du monde et a des origines superstitieuses.

Jadis, on croyait que les esprits ne vivaient pas seulement sur la terre mais aussi dans les constructions récentes et inhabitées, et l'acte d'offrir un cadeau est, en fait, un moyen de les apaiser.

Il faut que le présent soit pour la maison plus que pour ses occupants et les cadeaux les plus appréciés sont ceux qui ont une utilité pour la tenue du ménage.

Cette fonction a succédé à une ancienne pratique bien plus sinistre ; figurez-vous qu'à une certaine époque, on enterrait une personne vivante dans les fondations des maisons pour rendre les esprits heureux... Il se peut que de nos jours, la même raison inconsciente pousse les maçons à enfouir les objets les plus divers dans les murs d'une maison en l'édifiant.

Il existe encore une survivance d'une très ancienne tradition, celle qui enseigne que lors d'un emménagement, il faut mettre du beurre sous les pattes de son chat ou de son chien pour l'empêcher de se sauver. Curieusement, on croit qu'une fois qu'ils ont léché le beurre, ils perdent le besoin de se sauver pour rechercher leur environnement précédent.

MALADE

Lorsque, convalescent, vous sortez pour la première fois, vous serez bien avisé de faire le tour de votre maison dans le sens de la course du soleil pour recouvrer la santé dans de brefs délais. Marcher dans le sens inverse, dit une vieille superstition, c'est courir à une dégradation de votre état de santé.

MALCHANCE

Pour la conjurer, les pêcheurs bretons possèdent tous un « louzou ». C'est un talisman vieux de plusieurs siècles ; un sachet magique confectionné par les femmes d'Audierne qui refusent, bien sûr, de révéler ce qu'elles y mettent.

MANDRAGORE

La mandragore dont la forme étrange rappelle celle d'un être humain en miniature a une histoire enracinée dans la superstition ; elle a été utilisée par la sorcellerie en premier lieu pour ses propriétés narcotiques.

Pendant des années, on a cru qu'en arracher une entraînait une mort subite. Pour cette raison, le travail était fait par les chiens. On disait également que lorsqu'elle était déterrée elle poussait un cri déchirant.

Si son cri ne vous rendait pas fou, poursuivait la superstition, alors la plante pouvait être utilisée pour guérir de nombreuses maladies de peau, comme purgatif ou sortilège d'amour et pour rendre une femme stérile.

MARCHE

Aux États-Unis, on rencontre une superstition voulant que si vous marchez avec un ami et qu'un obstacle vous contraigne à vous séparer momentanément, vous vous disputerez ou aurez des ennuis à moins que l'un ou l'autre ne prononce les mots « du pain et du beurre ». On suppose que cette superstition est originaire de Grande-Bretagne.

Attendez-vous également à la malchance, si vous trébuchez en montant un trottoir. Pour conjurer le mauvais sort, il faut rebrousser chemin et recommencer.

MARDI GRAS

En France et en Belgique, on observe toujours la coutume de retourner la première crêpe de Mardi gras, d'un seul geste, en ayant en main une pièce d'or. Si la crêpe retombe bien à plat dans la poêle, vous aurez de l'argent toute l'année. Si elle se casse, se plie ou tombe à terre, c'est une année de vaches maigres qui vous attend.

Le Mardi gras était, jadis, un jour chargé de superstitions.

En Grande-Bretagne, la seule qui survit veut que pour s'assurer une année de bonheur, d'abondance et de prospérité, il faut manger une crêpe ce jour-là. Cependant, il est impératif de la manger avant vingt heures, faute de quoi, l'effet serait inverse.

L'origine de toutes ces coutumes remonte à plusieurs siècles, lorsque Mardi gras était la dernière réjouissance avant l'austérité du Carême.

MARÉE

L'existence des gens qui vivent au bord de la mer suit le diapason du flux et du reflux. Ce qui explique certaines de leurs superstitions.

Ils vous diront, par exemple, que nul ne mourra avant que la marée soit basse et qu'un enfant ne viendra jamais au monde avant la marée haute.

MARGUERITE

Les petites filles ont toujours aimé effeuiller les pétales d'une marguerite en prononçant les mots « il m'aime, un peu, beaucoup, tendrement, passionnément, à la folie, pas du tout », pour savoir si leur petit copain était sincère.

Les jardiniers regardent cette fleur comme quelque chose de nuisible quand elle apparaît sur les pelouses, pourtant c'est

169

un présage de beau temps puisque lorsque ses pétales sont fermés le mauvais temps arrive.

(La même chose est vraie pour le pissenlit.)

MARIAGE

Épouser quelqu'un de sa propre famille est un tabou antérieur de plusieurs siècles à la morale judéo-chrétienne et remonte à l'époque des premiers hommes.

Cette affirmation est étayée par deux raisons.

D'abord, nos ancêtres avaient constaté qu'en introduisant du « sang frais » dans leurs troupeaux, ils amélioraient la race. Logiques avec eux-mêmes, ils s'appliquèrent le même principe. En second lieu, il était mal vu et même malhonnête de prendre une femme de sa propre communauté pour épouse plutôt que d'aller en chercher une ailleurs.

On a toujours entendu dire qu'il portait malchance à deux sœurs d'épouser deux frères.

Se marier le jour de son anniversaire ne porte bonheur qu'à la condition expresse que les époux soient nés le même jour mais à un ou deux ans d'écart.

Le temps est souvent beau en juin, mais la popularité dont il jouit auprès des jeunes mariés vient du fait qu'il tire son nom de celui de la déesse Junon, épouse adorée et fidèle de Jupiter, protectrice du mariage et des femmes.

Se marier en mai, c'est placer son union sous les plus noirs auspices, puisqu'il doit son nom à la déesse Maia, épouse de Vulcain et protectrice des personnes âgées.

La superstition a aussi son mot à dire à propos des meilleurs jours de la semaine pour se marier : le lundi est bon pour la richesse, le mardi pour la santé, le mercredi est ce qu'on peut rêver de mieux, le jeudi vous condamne à une vie de luttes, le vendredi n'est pas non plus un jour facile et le samedi est le jour sans chance aucune par excellence — ce qui ne laisse pas d'étonner puisque pour la majorité des gens, c'est le plus populaire !

Le Carême et l'Avent ont tout aussi mauvaise presse et ce, plus pour des raisons religieuses que superstitieuses.

Voici une liste des meilleurs jours de l'année pour se marier. Elle a été compilée par Andrew Waterman, auteur d'un célèbre almanach au XVIIᵉ siècle, qui « rassembla ce matériel de diverses sources ».

Ces jours correspondent à ceux où « les femmes sont affectueuses et aimantes » :

Janvier, les 2, 4, 11, 19 et 21 ;
Février, les 1, 3, 10, 19 et 21 ;
Mars, les 3, 5, 13, 20 et 23 ;
Avril, les 2, 4, 12, 20 et 22 ;
Mai, les 2, 4, 12, 20 et 23 ;
Juin, les 1, 3, 11, 19 et 21 ;
Juillet, les 1, 3, 12, 19, 21 et 31 ;
Août, les 2, 11, 18, 20 et 30 ;
Septembre, les 1, 9, 16, 18 et 28 ;
Octobre, les 1, 8, 15, 17, 27 et 29 ;
Novembre, les 5, 11, 13, 22 et 25 ;
Décembre, les 1, 8, 10, 19, 23 et 29.

Un mariage mené après le coucher du soleil est irrémédiablement voué à l'échec, dit une superstition, puisque non seulement la vie du couple sera misérable, mais ils perdront leurs enfants et mourront prématurément.

L'expression « les liens du mariage » tire, en fait, ses origines d'une coutume babylonienne. Les Babyloniens prenaient un fil du vêtement de la femme et un autre de l'habit de l'homme et les « attachaient ensemble » symboliquement.

Si en France, on entend toujours dire « mariage pluvieux, mariage heureux », une vieille tradition anglaise prétend le contraire en disant « heureuse la mariée si le soleil brille » en souvenir des temps anciens où les cérémonies de mariage se déroulaient sur le parvis des églises. Et, vu sous cet angle, il ne fait aucun doute que la mariée n'était pas enchantée de prononcer ses vœux sous une pluie diluvienne !

Une superstition américaine prétend que les gouttes de pluie symbolisent les larmes, « un mariage humide et la mariée pleurera toute sa vie », disent-ils en ajoutant « mariage au Carême, vie de repentir ».

Pour finir, voici une vieille superstition anglaise : « Si vous changez de nom et pas d'initiales, vous changez pour le pire et non pour le meilleur. »

MARIÉE

Depuis toujours, les superstitions associées au mariage en général et à la mariée en particulier sont légion. Rares sont les endroits du monde où des rites de toute sorte ne sont pas scrupuleusement respectés afin que le mariage soit heureux.

La superstition est évidemment sous-jacente dans le dicton relatif à la tenue de la mariée :

« Quelque chose de vieux, quelque chose de nouveau, quelque chose d'emprunté, quelque chose de bleu. » La tradition nous apprend que « quelque chose de vieux » concerne les chaussures ou le mouchoir ; « quelque chose de nouveau » ou « d'emprunté » parlent d'eux-mêmes. (Dans certaines régions, « emprunté » est remplacé par « doré », voire — pourquoi pas ? — par « volé ».) La coutume qui a force de loi veut que la mariée ne porte aucune couleur hormis le blanc, symbole d'innocence et de pureté. La seule exception à la règle est donc « quelque chose de bleu » pour désigner le bleu du ciel, la couleur du paradis et de la chance.

On dit de toute jeune mariée qui porte le jour de ses noces la robe de mariage de sa mère qu'elle sera heureuse.

Les robes de couleur sont généralement réservées aux demoiselles d'honneur et les coloris les plus recherchés sont le bleu, le rose et l'or.

Le rouge porte malheur. D'ailleurs, si une mariée tache sa robe de la plus petite goutte de sang cela signifie qu'elle ne vivra pas longtemps.

Le vert est aussi une couleur maléfique puisqu'il symbolise la jalousie. Précisons que les Irlandais ne sont pas d'accord sur ce dernier point.

La soie est le tissu le plus utilisé pour la confection des robes de mariage ; le satin est dit maléfique ; quant au velours, il représente le pouvoir plus que toute autre chose !

Sur la robe de mariage, il ne doit y avoir aucun dessin et surtout pas d'oiseaux qui sont tous de mauvais augures comme chacun sait, encore moins de pampres brodés qui annoncent la mort.

Le voile, lui, sert à cacher les traits d'une femme aux esprits mauvais qui sont toujours attirés par le charme. En conséquence, il est rabattu sur le visage de la mariée jusqu'à ce qu'elle soit dans l'église sous la protection de son époux.

En de nombreuses régions, on dit que lorsque le nouveau marié soulève le voile pour embrasser sa jeune épouse, elle doit verser quelques larmes, faute de quoi, elle pleurera toute sa vie.

Une jeune fille fiancée s'attire les foudres de Satan si elle coud elle-même sa robe de mariage ou si elle l'essaie avant le jour de ses noces en se regardant dans un miroir en pied.

Incapables de résister à cette tentation, cependant, beaucoup de jeunes filles ne respectent plus cette coutume à la lettre. La seule concession qu'elles acceptent de faire est de ne mettre qu'un seul soulier ou de n'enfiler qu'un seul gant.

Pour être sûr qu'aucun incident ne vienne troubler ce jour, on ne coudra le dernier point de la robe qu'au moment de partir pour l'église.

Chez les Anciens, les fleurs symbolisaient la sexualité et la fertilité. De nos jours, la mariée tient donc un bouquet pour assurer son bonheur conjugal. Les rubans du bouquet portent chance et sont les souhaits de santé et de bonheur des amis de la mariée.

Sur le chemin de l'église, il est de mauvais augure pour un cortège de rencontrer un policier, un médecin, un juge, un prêtre ou un aveugle.

Le cortège doit pénétrer dans l'église par la porte prévue pour en sortir ; dans le cas contraire, les signes ne seraient pas favorables.

Après la cérémonie, en quittant l'église, il est de mauvais augure qu'une mariée rencontre un cochon ou un convoi funéraire ; alors que les auspices lui sont favorables si elle croise un chat noir, un ramoneur de cheminée ou un éléphant.

Certaines jeunes épouses se rendent au banquet dans une calèche tirée par des chevaux. Pourtant, on dit que les juments grises sont les meilleurs animaux pour la circonstance. Mais, si elles provoquent quelques difficultés ou incidents dès que le couple s'installe, la mauvaise fortune les attend.

Lancer du riz à la sortie de l'église est encore une coutume à l'honneur de nos jours, elle octroie la fertilité, paraît-il. Alors que tant d'invités tiennent absolument à ce que le riz tombe sur l'heureux couple, on sait qu'à l'origine, il devait être lancé autour d'eux afin de les protéger du malheur.

En d'autres lieux, une pantoufle remplace le riz. Il s'agit là encore d'un charme pour leur assurer une nombreuse progéniture.

Les cadeaux de mariage sont, eux aussi, le prolongement d'une vieille coutume. Jadis, on présentait, en effet, des fruits aux jeunes mariés toujours pour favoriser leur fertilité. En Allemagne, on offre encore des noix à la mariée et l'expression « aller aux noix » est un euphémisme pour dire « faire l'amour ».

Au dernier acte, le jeune époux doit porter sa femme pour franchir le seuil de leur nouvelle demeure et se jouer du mauvais sort. D'aucuns affirment que cette tradition remonte aux temps ou les hommes enlevaient leurs épouses et où les jeunes filles tentaient souvent de leur échapper avant d'entrer « chez eux ».

Une autre superstition rencontrée en France et même en Asie dit que si la mariée est la première à se glisser sous les draps le soir de ses noces, elle mourra avant son mari.

MARINS

En raison du caractère périlleux de leur profession, il n'est pas surprenant de constater que les marins vivent entourés de superstitions.

Bien que la technologie moderne ait rendu les voyages en mer moins dangereux de nos jours, nul n'a été capable de chasser de son esprit toutes les anciennes croyances.

Les esprits des profondeurs ont, depuis des temps immémoriaux, été les ennemis jurés des navigateurs et en Orient, en particulier, les marins prennent encore cette idée en considération et peignent, sur leurs bateaux, d'énormes yeux pour guetter ces terreurs.

En Occident, nous apaisons inconsciemment les mêmes dieux quand nous baptisons un nouveau bâtiment en brisant sur sa proue une bouteille de champagne.

Nul n'ignore de quelle réputation malchanceuse jouit un navire sur lequel la bouteille ne se brise pas dès la première tentative.

Partout, les marins croient toujours que si les rats quittent un navire, il coulera. Étant donné que les rats détestent être mouillés, s'ils quittent un vaisseau, il se peut effectivement qu'il sombre.

Les marins pensent que le chat porte bonheur, en particulier un chat noir et, on s'en serait douté, qu'il est utile pour capturer les rats.

Cependant, d'un chat qui frétille en mer, on dit qu'il « a le vent dans la queue » et annonce une tempête.

Les gens de la mer croient aussi que la mauvaise fortune s'attache à un bateau transportant une personne morte. Cette croyance pourrait être à l'origine de la coutume de jeter dans les vagues le corps de quelqu'un décédé en mer. On peut comprendre cette pratique quand on connaît les risques représentés par la putréfaction d'un cadavre.

Quelques vieux marins croient, de plus, qu'un corps sans vie à bord d'un navire ralentit son avance et disent aussi qu'un seau ou une éponge qui tombe à la mer sont de mauvais présages.

Le malheur a souvent frappé les bateaux dont le nom avait été changé et les marins évitent d'y embarquer.

On doit dire également que nombreux sont les marins qui n'aiment pas naviguer un vendredi. Ils n'aiment pas non plus à croiser près du lieu d'un naufrage, craignant l'éventualité de voir les fantômes de ceux qui se sont noyés.

Nul n'ignore, bien sûr, une superstition populaire auprès des femmes et des jeunes filles prétendant que toucher le col de la vareuse d'un marin porte bonheur. Et, plus d'un s'est enivré de ce succès !

Une curieuse superstition dit qu'un verre qui sonne en tombant présage de la mort d'un marin.

En France, on affirme que si un marin se noie, sa femme entendra le bruit des vagues près de son lit.

Sur les bateaux de commerce et les cargos, la présence d'une femme à bord est de mauvais augure ; on peut comprendre qu'une seule femme vivant pendant des semaines parmi un équipage d'hommes au sang chaud risque d'engendrer des passions qui conduiront à des troubles parmi les membres de l'équipage.

En revanche, les marins considèrent qu'un enfant né sur un bateau est de bon augure — supposons qu'une femme enceinte n'intéresse pas les hommes...

Tous les enfants à bord d'un bateau sont réputés porter bonheur.

Les marins soutiennent qu'il est maléfique de monter ou de descendre d'un bateau du pied gauche.

Siffler à bord d'un navire porte malheur et attire une tempête. Toutefois, quand un calme plat immobilise un voilier, on recommande de « siffler le vent ».

L'engouement particulier des marins pour les tatouages trouve, lui aussi, ses origines dans la superstition. On a longtemps pensé que ces marques éloignaient les démons et les mauvais esprits. C'est pour cette raison que les symboles de chance sont si populaires.

Dans la marine américaine, on prétend qu'un cochon et qu'un coq, tatoués sur le cou-de-pied gauche, protègent un homme de la noyade.

Mais les plus fantasques des superstitions des marins sont peut-être celles affirmant que les tatouages sont une protection contre les maladies vénériennes et que les marins, pour assurer leur sécurité en mer, doivent avant d'embarquer toucher le sexe de leur femme ou de leur petite amie !

MARQUES DE NAISSANCE

Les marques de naissance — ou taches — ont fourni un terrain d'élection à la superstition. Seuls les gens les plus simples croient encore qu'elles apparaissent si la future mère voit quelque chose de désagréable ou si elle est touchée par le démon pendant sa grossesse.

De nos jours, aux États-Unis, dans le Middle West, on dit qu'un enfant qui naît avec la marque d'une double couronne sur le crâne (il s'agit, en fait, de la fontanelle) voyagera énormément et, durant son existence, vivra au moins sur deux continents différents.

Un enfant qui naît avec une coiffe (une fine membrane qui enveloppe quelquefois la tête) deviendra un orateur doué.

Certains navigateurs affirment que ces « coiffes » préservent des naufrages et des noyades. Pour cette raison, un commerce florissant s'est développé autour de telles choses.

On entend souvent dire qu'une marque de naissance disparaît si la mère la lèche durant les sept jours qui suivent la naissance de l'enfant. Dans ce cas, l'analogie avec les pouvoirs curatifs bien connus de la bave de crapaud semble évidente.

MARRON

Depuis des siècles, le marron d'Inde est supposé guérir les douleurs telles que les maux de reins, les rhumatismes et l'arthrite. C'est la raison pour laquelle, les gens de la campagne en Grande-Bretagne et en Europe mettent encore dans leurs poches un ou deux marrons.

On rencontre la même croyance aux États-Unis où le marron est connu sous le vocable « œil globuleux ». Cette dénomination pourrait avoir engendré la superstition puisque toute chose ressemblant, de près ou de loin, à un œil a toujours été réputée pourvue de pouvoirs magiques.

MARS

Voici un vieil on-dit concernant le temps du mois de mars, toujours répété dans les campagnes :

> « S'il pleut en mars, les récoltes seront mauvaises,
> S'il fait sec et froid, le pain ne manquera pas. »

MARSOUIN

Les marins pensent que les marsouins portent chance. Quand ils en voient un sauter et en poursuivre un autre, dans le sillage d'un bateau, c'est bon signe pour le voyage.

S'ils se dirigent vers le Nord, il fera beau ; s'ils font route vers le Sud, ils annoncent une tempête.

MARTIN-PÊCHEUR

On prétend que le martin-pêcheur a obtenu son merveilleux plumage parce qu'il a été le premier oiseau libéré de l'Arche par Noé et que, lorsqu'il prit son envol, la couleur du ciel passa du gris au bleu.

Il est intéressant de remarquer que l'autre nom du martin-pêcheur est Halcyon, d'après la légende grecque du fidèle Alcyon, transformé en un de ces oiseaux.

C'est naturellement un oiseau porte-bonheur et la tradition dit que lorsqu'il couve ses œufs, il n'y a jamais de tempête en mer.

On dit aussi que la dépouille de l'oiseau accrochée à un bateau montre la direction du vent.

Une croyance plus générale veut que si vous entendez le cri du martin-pêcheur venant de la droite, c'est un présage de réussite pour votre travail, et de la gauche, il annonce l'insuccès et les malheurs.

Dans certaines régions d'Europe, on croit que quelques plumes de l'oiseau serrées dans le vêtement d'une personne protégeront sa vie et sa santé.

MATELAS

En dépit du fait qu'un matelas de plumes est toujours confortable, la superstition prétend que si un de ces matelas est retourné un dimanche, qui que ce soit qui dorme ensuite dans le lit fera de mauvais rêves pendant une semaine.

Les gens du Devonshire croient, de plus, que la même action attire la mort dans la maison. Dans le nord de l'Angleterre, on prétend que nul ne peut mourir heureux et sans souffrance sur un matelas de plumes — en particulier s'il a été confectionné avec des plumes de pigeons ou toutes autres plumes d'oiseaux de jeu.

En bien des lieux, autrefois, on déposait les agonisants sur le sol pendant leurs derniers instants.

MAUVAISES HERBES

La superstition affirme que les mauvaises herbes sont la malédiction que Dieu envoya sur la terre quand Adam désobéit à ses commandements.

En conséquence, quelque important qu'il puisse être, le travail humain ne parviendra jamais à en débarrasser le sol.

Partout où les mauvaises herbes poussent à profusion, en

dépit des efforts des jardiniers, on affirme que c'est un mauvais présage pour les récoltes.

MAUX DE TÊTE

Aux États-Unis, dans les régions rurales, une superstition toujours en vigueur veut que si vous avez mal à la tête, vous pouvez vous en débarrasser en appuyant votre pouce contre votre palais.

Bien sûr, on trouve sur le marché des prescriptions médicales plus efficaces mais quel que soit le succès, il faut l'attribuer aux remèdes de bonnes femmes et à l'autosuggestion ; l'esprit voulant la guérison, la nature fait son travail !

MÉDECIN

En Grande-Bretagne, avant la création du Service National de la Santé qui couvrit les besoins, on considérait que régler à un médecin la totalité de ses honoraires portait malchance puisque c'était reconnaître que la guérison était effective. On pensait qu'il était préférable d'en retenir une partie pour éviter le malheur d'avoir à rappeler le médecin.

La superstition argue aussi que la première personne vue par un médecin, dans un nouveau dispensaire, est sûre d'être guérie tandis qu'appeler un médecin le vendredi est de très mauvais augure.

MELON

Autrefois, en Provence, on disait que pour avoir une bonne récolte de melons on ne devait jamais semer en présence d'une femme enceinte.

MENHIRS

Les menhirs sont doués du pouvoir de rendre la fertilité aux femmes bretonnes les plus stériles. Au premier jour de la lune, elles doivent frotter leur ventre dénudé contre une de ces pierres levées.

MENTHE

Dans les Pyrénées, on affirmait jadis que pour qu'un enfant

triste retrouve la joie de vivre sa mère devait offrir pendant une neuvaine le pain et le sel à un pied de menthe sauvage.

MER

La plupart des présages et des superstitions relatifs à la mer ont été classés sous des entrées spécifiques. On peut toutefois noter ici que si vous êtes à terre et que vous entendez le bruit de la mer venant de l'Ouest, c'est le signe que le temps va se mettre au beau et y rester.

Tuer une mouette porte malheur puisqu'elles contiennent les âmes de marins morts, et ceux qui connaissent la mer prétendent que voir trois mouettes voler de conserve, au-dessus d'eux, est un présage de mort.

Si une mouette frappe à la fenêtre d'une maison, elle indique qu'un des membres de la famille est en danger au large.

Voir des mouettes loin à l'intérieur des terres est signe de gros temps en mer.

Le pétrel est un oiseau de mauvais augure, il annonce les tempêtes d'où son surnom « pétrel des tempêtes ».

L'albatros, cependant, est un oiseau de bon augure, il apporte dans son sillage les vents forts et le beau temps. Mais, pour un marin, en tuer un est un geste lourd de conséquences.

Les marsouins sont considérés comme des présages de temps par tous les marins du monde. On dit que si un groupe de marsouins jouent près d'un bateau, il faut s'attendre à essuyer une violente tempête. En revanche, les voir arriver alors que la tempête fait rage annonce la fin du mauvais temps.

Les Gallois croient, quant à eux, qu'avaler une cuillerée d'eau de mer tous les matins aide à vivre jusqu'à un âge vénérable.

MERCREDI

La plupart des superstitions européennes tiennent le mercredi pour un jour maléfique.

Là encore, l'opinion des Américains diverge ainsi qu'en atteste ce couplet entendu dans l'État de la Nouvelle-Angleterre :

« La santé, le lundi ; la puissance, le mardi ; le meilleur, le mercredi ; les pertes, le jeudi ; les ennuis, le vendredi ; la guigne, le samedi. »

MERLE

Voir un couple de merles est un bon présage, presque partout hormis au Pays de Galles, où cette vision augure de la mort prochaine d'une personne de la famille. C'est une étrange superstition quand on sait que le merle est réputé solitaire et qu'il évince sans pitié de son territoire quiconque de sa propre espèce.

MEURTRE

Nul ne sera surpris d'apprendre qu'il est de mauvais augure d'assister à un meurtre ou de passer près d'un cadavre gisant sur le sol.

En Allemagne, on dit que les esprits des personnes assassinées errent sur terre aussi longtemps que leur vie aurait duré si elles n'avaient pas été assassinées.

MINEURS

Il n'est pas étonnant que beaucoup des anciennes superstitions concernant la mine aient subsisté et ce, en raison du danger inhérent au travail.

Voici sans doute la plus ancienne croyance, toujours répétée, de nos jours, par les mineurs. Elle affirme que voir une colombe planer au-dessus d'un puits annonce une catastrophe imminente dans les galeries de la mine.

Quelques vieux mineurs pensent que marquer quelque chose d'une croix, c'est courir à la catastrophe parce que les mauvais esprits errant dans certaines mines risquent en voyant le symbole du Christianisme de se déchaîner et de provoquer une tragédie.

Les mineurs européens partagent tous la même crainte, depuis des générations, de rencontrer une femme ou un homme qui louche en se rendant à la mine pour prendre leur service de nuit. D'ailleurs, en maints lieux, les femmes ne sortent pas de chez elles, à cette heure-là.

Une croyance très répandue elle aussi veut qu'il soit de mauvais augure pour un mineur de rebrousser chemin pour aller chercher quelque chose qu'il a oublié — s'il revient, il doit frapper trois fois à la fenêtre.

Aucun mineur ne doit siffler dans les galeries et il est de très mauvais augure de voir un chat près d'une mine.

Parmi les anciens mineurs, on dit que c'est une erreur de se laver le dos trop souvent, cela affaiblit la colonne vertébrale.

Les mêmes hommes font encore allusion à l'histoire des prétendus criminels qui leur demandaient des morceaux de charbon récemment extrait de la mine puisque au début du siècle, les malfaiteurs pensaient qu'un morceau de charbon caché sur eux les empêcherait d'être attrapés par la police !

MIROIR

De nos jours, un peu partout, une superstition très ancienne dit que briser un miroir annonce sept ans de malheur.

Les origines de cette croyance se sont perdues dans la nuit des temps, il semble toutefois qu'elles aient un rapport avec l'ancienne idée voulant que l'image d'une personne dans une glace était en fait son âme. Donc, si cette image volait en éclats, l'âme se cassait. On disait que la personne mourrait bientôt ou serait incapable d'aller au paradis le moment venu.

On trouve une variante étrange à cette superstition chez les habitants du Yorkshire qui croient que si vous cassez un miroir, vous perdrez votre meilleur ami.

Bien que cela ne se sache pour ainsi dire pas, les Anglais ont un moyen pour conjurer le mauvais sort. Tous les éclats doivent être rassemblés et jetés dans une rivière ou dans un cours d'eau rapide. Les flots emporteront au loin le malheur.

Aux États-Unis, cependant, briser un miroir à dessein ne porte pas malheur et si vous en cassez un, par hasard, les sept années de malchance peuvent être évitées en sortant un billet de cinq dollars et en vous signant en même temps. Ce billet particulier est supposé avoir hérité des bénéfices précédemment attachés à la pièce d'or qu'il a remplacée.

En Europe, beaucoup de gens soutiennent qu'il porte malheur de se regarder dans un miroir à la lueur d'une bougie et qu'un enfant de moins d'un an ne doit pas se contempler dans une glace ou il bégayera et ne vivra pas au-delà de l'âge mûr.

Chez de nombreux paysans, il n'est pas rare de trouver les miroirs d'une chambre où quelqu'un a rendu son dernier soupir recouverts d'un voile.

Certains croient, en effet, que voir son image réfléchie dans ces circonstances, entraîne la mort.

L'affirmation suivante est, elle aussi, très répandue : si une glace tombe et se casse, sans raison apparente, quelqu'un dans la famille mourra bientôt, tandis que si le miroir se brise alors qu'il est toujours suspendu au mur, c'est un parent proche ou un ami qui se trouve au seuil de la mort.

Cependant, un jeune couple qui se tient debout et s'admire dans un miroir alors que tous deux portent encore leurs costumes de mariage, s'assure à lui-même longue vie et bonheur.

MITES

Un peu partout à travers le monde, certaines personnes croient que les mites blanches sont les âmes des défunts et qu'il porte malheur de les tuer.

Les mites noires, cependant, sont de mauvais augures et, si l'une d'entre elles vole dans une maison, elle annonce que quelqu'un vivant là mourra dans l'année.

Toutefois, si l'une vole près de vous, à l'extérieur lorsque la nuit est tombée, elle indique que vous allez recevoir une lettre importante.

MOISSONS

Dans de nombreuses régions, les fermiers affirment que si les semailles ont été faites du nord au sud, la moisson sera bonne. Une raison profonde justifie cette croyance puisque toutes les plantes reçoivent ainsi plus de soleil que si les graines avaient été semées d'est ou ouest.

Un peu partout, on dit que si les semailles ont été faites durant la pleine lune, la moisson sera en avance d'un mois.

MONTRER DU DOIGT

De tout temps, on a dit que montrer du doigt portait malheur. Il ne s'agit pas seulement de savoir-vivre.

Ainsi, il est de très mauvais augure de montrer du doigt un bateau qui quitte le port (par crainte qu'il ne sombre) et n'importe quoi dans les cieux (par peur d'offenser les dieux).

MORELLE NOIRE

La morelle noire a, de tout temps, été considérée comme une plante maléfique et, à travers les âges, elle a été très utilisée par la sorcellerie.

Néanmoins, les remèdes populaires l'adoptèrent et de nombreux almanachs la mentionnaient en tant qu'arme efficace contre les esprits du mal si elle était tressée et placée près des individus et des animaux menacés.

MORT

La camarde ne fauche jamais personne sans avertir de ses intentions les proches du futur défunt. Les signes prémonitoires portent des noms différents selon les régions. Ainsi, dans le Midi, on parle de signes, en Normandie d'avisions, et en Bretagne d'intersignes. Faute de place nous ne citerons que les croyances françaises les plus connues :

D'un malade qui tire son drap et le tend au-dessus de son corps, on dit qu'il prend les mesures de son cercueil. Entendre une chouette ou un hibou hululer augure d'une mort dans le voisinage.

D'un cheval de corbillard qui fixe une personne assistant à l'enterrement, on dit qu'il lui annonce son décès prochain.

Un cheval qui hennit en passant devant une maison qu'il ne connaît pas annonce un deuil à la famille qui y habite.

MORT (fausse)

En Europe, en particulier en Allemagne, une superstition veut que si une personne est déclarée morte alors qu'elle ne l'est pas, elle gagne dix années de plus à passer sur terre.

MOUCHE

Si une mouche tombe dans votre verre ou dans votre assiette, ne vous inquiétez pas, c'est une promesse de prospérité. Néanmoins, rien ne dit que cet avenir heureux sera affecté, d'une quelconque manière, si vous changez de verre ou d'assiette.

MOUCHOIR

Faire un nœud à son mouchoir pour se souvenir de quelque chose est, en fait, le prolongement d'une croyance, bien plus ancienne, qui maintenait que le nœud était un sortilège contre les esprits du mal.

Si un démon ou un esprit mauvais se trouvait alentour quand vous faisiez le nœud, votre geste l'intriguait tant qu'il oubliait tout à fait ce pourquoi il était venu.

D'après une superstition européenne, les fiancés doivent se méfier des mouchoirs et ne jamais s'en offrir. Le faire entraîne une rupture et assure que le mariage n'aura jamais lieu.

Dans une région montagneuse américaine, les jeunes filles utilisent les mouchoirs comme présage d'amour. La veille du premier mai, elles doivent accrocher un mouchoir sur un buisson et lorsqu'elles reviendront à l'aube, le lendemain, elles trouveront les initiales de l'homme qui leur est destiné, tracées par la rosée sur la toile.

MOUSTACHE

Les Américains ont une superstition des plus fantasques à propos des moustaches.

Voici, en substance, ce qu'elle dit : méfiez-vous de l'homme, frère ou ami, dont les cheveux sont d'une couleur et la moustache d'une autre.

MOUSTIQUES

La superstition reconnaît que ces insectes agaçants que nous nous acharnons si souvent à chasser sont en fait les messagers de la bonne chance.

Au coucher du soleil, ouvrez les fenêtres de la chambre d'un malade afin que ces minuscules créatures y volent. Une fois dans la pièce, les moustiques, dit-on, attirent la maladie et, ensuite, l'emmènent loin de là. Donc épargnez l'insecte si vous voulez que ça marche.

Le moustique est un présage de temps ; quand il vole au ras du sol la pluie n'est pas loin, mais les voir en nuées très haut augure d'une période de beau temps.

MOUTON

Un certain nombre de superstitions associées au mouton sont rapportées sous d'autres entrées dans ce dictionnaire. Néanmoins, on doit mentionner ici l'affirmation très répandue qu'il porte bonheur de rencontrer un troupeau de moutons au cours d'un voyage — même s'ils vous retardent un moment !

La chance attachée au mouton remonte probablement aux temps où les hommes vivaient en communautés, très distantes les unes des autres et sans moyen de communication. A cette époque, un berger en vue d'un village rassurait les habitants et leur promettait de la viande sur leurs tables — ce qui est, sans conteste, un bon signe ! (La bonne chance est également associée à la rencontre d'un troupeau de vaches.)

Beaucoup de vieux bergers, en Europe, portent sur eux un petit os de la tête d'un mouton qu'ils croient chargé de bénéfices.

Un certain nombre de ces hommes sont très attachés à une vieille tradition voulant que le matin de Noël, le mouton s'agenouille trois fois vers l'Orient. Cette croyance est, évidemment, une association à l'Agneau de Dieu et suffirait à expliquer la réputation de l'animal.

Quelques bergers continuent à se faire enterrer avec une houppelande ; elle excusera leur absence le jour du Jugement Dernier, puisqu'on sait qu'aucun berger ne doit jamais abandonner son troupeau.

On suppose que les moutons prévoient, eux aussi, le temps : quand ils sont couchés dans l'herbe il fera beau, mais s'ils bêlent très fort et errent un orage va éclater.

MOUTON NOIR

Il est intéressant de constater qu'en dépit de la peu flatteuse expression populaire « il est le mouton noir de la famille », l'ovin est considéré comme le messager de la bonne fortune par le plus grand nombre.

Dans certaines Iles Britanniques, on dit qu'un mouton noir porte chance au troupeau.

A l'inverse, dans le Shropshire par exemple, un agneau noir, né dans un troupeau, annonce la mauvaise fortune pour le berger et, si une brebis met bas deux agnelets noirs, il faut s'attendre à une terrible catastrophe.

MÛRES

La mûre est un fruit délicieux et on la trouve en abondance à la campagne. Pourtant, deux anciennes superstitions l'associent au Diable.

En France, il y a encore des gens qui ne mangent pas cette baie, persuadés qu'elle doit sa couleur au Diable qui a craché dessus.

En Angleterre, une croyance des plus tenaces veut que les mûres ne soient jamais cueillies après le 11 octobre, jour anniversaire où Satan tomba dans un roncier et ensorcela les épines qui l'avaient blessé.

On constate avec quelque étonnement que les mûriers sont réputés guérir les rhumatismes, la coqueluche et les furoncles !

MUSICIENS

Entendre un musicien prétendre qu'il porte malheur de recommencer à jouer un morceau de musique abandonné — peu importe la durée de l'interruption — n'est pas rare.

Pour conjurer le mauvais sort, ils jouent, auparavant, quelques mesures d'un autre morceau.

Il porte malheur à un musicien d'avoir un violon chez lui si personne n'en joue. Précisons que cette croyance n'a rien à voir avec la superstition ; en fait, elle est bien fondée puisqu'un violon — en particulier un bon — s'abîme et perd son ton s'il n'est pas utilisé régulièrement.

Plusieurs airs ont mauvaise réputation ; parmi eux, citons le plus connu, celui de la « Chanson des Sorcières » de *Macbeth* qui ne doit jamais être fredonné durant les répétitions.

MUSIQUE

D'après les Indiens d'Amérique, si vous imaginez que vous

entendez de la musique, vous êtes en relation avec un esprit bienveillant.

Certaines tribus africaines prétendent aussi qu'une personne mordue par une tarentule guérira si on joue près d'elle de la musique douce !

MYRTE

Les bénéfices du myrte sont connus, en particulier s'il pousse de chaque côté d'une porte d'entrée. La maison et ceux qui y habitent seront alors toujours heureux et paisibles.

Si vous le laissez se dessécher et mourir ou si vous le détruisez, c'est à vos risques et périls !

Cependant, en Allemagne, une jeune fille fiancée ne doit pas planter un myrte ; si elle ne tient pas compte de cet avertissement, ses fiançailles seront rompues.

Dans la plupart des pays européens, on dit que si le myrte pousse dans un jardin, il annonce le mariage prochain d'un des membres de la famille.

NAIN

Anglais, Canadiens et Hindous considèrent qu'il est de très bon augure pour un homme de rencontrer une naine et pour une femme un nain.

NAISSANCE

Les fantastiques progrès de l'obstétrique ont fait de la naissance d'un enfant un processus moins dangereux qu'il ne l'était jadis. Leur avènement a naturellement rendu caduques les nombreuses pratiques superstitieuses qui étaient observées à la maison pour assurer une délivrance heureuse à la mère. Bien que la plupart des anciennes traditions n'aient plus droit de cité, dans de nombreuses zones rurales européennes, on ouvre toujours portes et fenêtres — parfois même, on desserre les liens des vêtements que la mère peut porter — pour faciliter l'expulsion du bébé.

Certaines personnes vivant au bord de la mer soutiennent qu'un enfant ne doit pas venir au monde avant la marée montante, et naître à marée basse est un funeste présage.

En Angleterre, on dit qu'un enfant né par césarienne sera fort et vigoureux, qu'il possédera la faculté de voir les esprits et d'exhumer les trésors cachés.

On avance également que si un garçon naît lorsque la lune décroît, le prochain enfant sera une fille et vice versa. Si un enfant vient au monde durant la pleine lune, le suivant sera du même sexe.

Naître un dimanche est une bonne chose mais venir au monde le jour de Noël est encore mieux.

Selon une superstition rencontrée dans le Yorkshire, un enfant né à minuit a la faculté de voir les fantômes. Les gens de cette région disent que pour porter chance au nouveau-né, il faut que la première personne qui le prenne dans ses bras soit vierge. Ceci pourrait expliquer la popularité des jeunes filles lors d'un accouchement.

Une superstition plus générale indique qu'un nouveau-né doit être porté tout en haut de la maison afin de lui assurer « une place au soleil » — sachez que quelques marches feront tout aussi bien l'affaire.

Pour concilier plus tard au bébé les faveurs du sexe opposé, les habitants du Kent mettent un pyjama à une petite fille et une chemise de nuit à un petit garçon pour qu'elle ou il baigne dans l'amour.

Dans le Yorkshire, on prétend obtenir le même résultat en étendant sur une fillette un des vêtements de son père et sur un garçonnet un de ceux de sa mère.

Si l'on en croit une superstition très répandue, naître avec des dents — même une seule — augure d'une mort violente.

Lors de la naissance d'un enfant, si vous avez du temps à consacrer à de telles choses, jetez donc un coup d'œil aux nuages. Une superstition allemande dit que s'ils ont la forme d'un troupeau de moutons ou d'agneaux, la bonne étoile de l'enfant le protégera toute sa vie.

Dans les États américains du Maine et du Massachusetts, on récite encore ce vieil adage :

> « D'abord une fille, puis un garçon
> Le monde se porte bien.
> D'abord un garçon, puis une fille,
> Les ennuis se portent bien. »

Aucun propos sur la naissance ne saurait être complet si on ne mentionne pas le fameux couplet décrivant le caractère d'un enfant en se basant sur le jour de sa naissance, lequel, sans conteste, a des origines superstitieuses.

190

« L'enfant du lundi sera beau, l'enfant du mardi sera plein de grâce, l'enfant du mercredi sera triste, l'enfant du jeudi ira loin, l'enfant du vendredi sera généreux et aimant, l'enfant du samedi travaillera dur toute sa vie, mais l'enfant du dimanche sera joyeux et gentil, généreux et brillant. »

NAVIGATION

Plusieurs des superstitions des marins du temps passé ont été adoptées de nos jours par les plaisanciers.

Ainsi, jeter une pierre dans les vagues durant une tempête apaise les dieux de la mer, ou encore la couleur verte est maléfique pour les bateaux.

Une pièce est très souvent placée sous le mât d'un nouveau navire pour lui assurer la chance.

Aucun marin ne songera jamais à se soustraire à la coutume voulant qu'en abaissant le mât des bateaux pour l'hiver il faut déposer une pièce à sa place.

Les plaisanciers engagés dans une course pensent qu'il vaut mieux terminer en seconde ou troisième position une étape pour s'assurer la chance de prendre la première place de l'épreuve finale !

NAVIRE

Les belles figures de proue représentant des femmes voluptueuses et des sirènes, utilisées, jadis, pour décorer l'avant des vaisseaux, étaient aussi là pour des raisons superstitieuses. On croyait que les femmes nues étaient porteuses de chance et protégeaient le navire du danger.

Une autre superstition disait qu'un navire ne coulerait pas sans sa figure de proue puisque d'une certaine façon, celle-ci était liée à la « vie » du vaisseau.

Certains marins disent encore qu'il porte malheur de lester un navire avec un matériel tout à fait blanc puisque le blanc est une couleur sacrée, il est donc sacrilège de la traiter aussi inconsidérément.

Un chat noir à bord d'un bateau porte chance, dit-on, alors que deux ont un effet inverse !

NETTOYAGE DE PRINTEMPS

De nombreuses maîtresses de maison croient qu'il porte malheur d'entreprendre le nettoyage de printemps après la fin du mois de mai et ce, quelle qu'ait été la rigueur du temps auparavant. Mais, elles ne réalisent pas que cette superstition appartient, en fait, à la tradition juive et respecte la règle hébraïque voulant que toutes les maisons doivent être propres et ordonnées avant la Fête de la Pâque.

NEZ

Avoir le nez qui chatouille a des significations différentes à travers le monde.

En Europe, on affirme que vous allez vous battre, en Écosse, que vous allez recevoir une lettre et aux États-Unis, qu'un inconnu vous aime.

NID

Si un oiseau utilise un cheveu humain pour construire son nid, dit une superstition, la personne à qui il appartenait souffrira de maux de tête.

En Autriche, le même fait entraîne l'apparition d'un furoncle ou de toute autre affection cutanée.

NOËL

La majorité des présages et des superstitions concernant la fête de Noël sont de nature heureuse. Avec à-propos, beaucoup ont trait à l'amour et à l'affection.

Ainsi, le soir de Noël si une jeune fille marche à reculons vers un poirier et le contourne neuf fois, son futur mari lui apparaîtra (mais peut-être ne sera-t-elle qu'étourdie!). A défaut de poirier, la jeune fille ira frapper au poulailler : si une poule caquette, elle ne se mariera pas cette année mais si le coq répond, la chance est là.

En dernier ressort, il reste les feuilles de sauge. La jeune fille désirant des nouvelles de son futur amoureux devra sortir dans le jardin, ramasser douze feuilles de sauge et les disperser au vent. Simultanément à son geste, l'image confuse d'un visage d'homme lui apparaîtra.

Une rose cueillie le jour de la Saint-Jean et conservée jusqu'à Noël serait un test de vérité pour l'amour. Si en l'observant, vous constatez qu'elle est encore fraîche, l'amour de la personne qui l'a arrachée et de son prétendant sera sincère et épanouissant.

N'en déplaise à certains, la superstition affirme que les fantômes ne se montrent pas le jour de Noël ; c'est la raison pour laquelle vous pouvez ouvrir, sans crainte, toutes les portes, à minuit, pour faire sortir les mauvais esprits.

Pour ceux d'entre vous qui ont les doigts verts, sachez que si vous prenez le temps d'attacher de la paille autour de vos arbres fruitiers le soir de Noël, vos récoltes seront abondantes.

Hormis l'attraction des décorations de Noël, le houx et le gui vous préservent, dit-on, des mauvais esprits. Mais attention, les conserver au-delà de la douzième nuit, c'est-à-dire le 6 janvier, porte malheur. (Le 6 janvier était l'ancienne date de Noël.)

Il ne suffit pas de jeter un arbre de Noël, il convient de le brûler, faute de quoi un de vos proches mourra.

La charmante tradition si chère aux enfants voulant que le Père Noël remplisse de présents les bas laissés devant la cheminée, trouve ses origines dans la légende de saint Nicolas.

On dit qu'il se serait rendu chez trois sœurs vivant dans le plus grand dénuement et qu'il aurait jeté des pièces de monnaie dans la cheminée. Au lieu d'atterrir dans l'âtre, celles-ci tombèrent dans les bas que les jeunes filles avaient mis à sécher et y furent découvertes le lendemain matin. D'où la légende des cadeaux apparaissant dans les bas le matin de Noël et du Père Noël descendant par la cheminée.

Si le soleil brille le matin de Noël, il annonce de bonnes récoltes pour l'année qui vient. Dans le Huntingdonshire, on entend ce couplet :

> « Joyeux Noël, joyeuses moissons,
> Triste Noël, tristes moissons. »

A vous de choisir !

Dans le nord de l'Angleterre, la coutume du « Premier

visiteur » est toujours tenace mais en d'autres lieux, elle appartient aux traditions du Jour de l'An.

Un homme avec des cheveux sombres doit entrer le premier dans la maison, le matin de Noël ; si c'est une femme qui entre, elle apporte le désastre et un homme roux ne vaut guère mieux !

Le matin de Noël, on ne doit rien sortir d'une maison avant que quelque chose y ait été apporté.

Le ravissement d'un Noël blanc ne doit pas faire oublier que, durant l'année à venir, les morts seront moins nombreuses. L'absence de neige, quant à elle, présage, bien sûr, du contraire.

Quand vous serez tous réunis autour du feu, jetez un coup d'œil aux ombres qui dansent sur les murs. Celles qui n'ont pas de têtes désignent les gens qui mourront dans les douze prochains mois.

NŒUDS

Les nœuds jouent un rôle dans les superstitions concernant les événements personnels que sont la naissance et la mort.

En maints pays, on croit que tous les nœuds du vêtement d'une femme en couches (y compris ceux qui ne sont que des décorations) doivent être défaits pour rendre la délivrance plus facile.

Dans le même esprit, lors de la mort d'une personne, tous les nœuds de ses vêtements doivent être relâchés de façon que l'âme passe sans entrave.

En Écosse, on croit qu'aucun corps ne peut être mis en bière avec des nœuds fait sur ses vêtements, faute de quoi l'esprit ne connaîtra jamais le repos.

Les nœuds jouent également un rôle important aux mariages et dans plusieurs pays européens, un jeune marié ira à l'autel avec une chaussure délacée, sinon les sorcières le priveront du pouvoir de déflorer sa femme, lors de leur nuit de noces.

Les paysans accordent encore souvent foi à l'ancienne superstition voulant que si deux personnes tirent sur un fil de coton au milieu duquel se trouve un nœud et que le fil casse, celui qui tient la partie avec le nœud peut faire un vœu, il sera exaucé.

NOISETTE

Bien avant que la coutume de jeter du riz n'apparaisse aux mariages, une vieille superstition voulait que faire présenter à une jeune mariée un sac de noisettes à la sortie de l'église par une femme mariée, mère de plusieurs enfants, et appartenant à la même famille, assurait le bonheur à la jeune femme.

Le riz a remplacé les noisettes, d'abord parce que c'est plus facile à lancer, et n'oublions pas que la production de riz a un rapport avec l'augmentation de la population mondiale, donc avec la fécondité.

Une bonne récolte de noisettes dans une région signifie que les naissances seront plus nombreuses qu'à l'accoutumée.

Trouver une noisette avec deux amandes dans une seule coquille porte bonheur. Mais il ne faut manger qu'une des amandes et jeter l'autre au-dessus de l'épaule gauche en faisant un vœu, il sera exaucé.

NOIX DE MUSCADE

L'humble noix de muscade est, paraît-il, porte-bonheur.

Si vous en portez une sur vous, elle est censée vous protéger des rhumatismes et des furoncles.

NOMBRIL

Les Turcs ont une superstition originale à propos de l'origine du nombril. Ils affirment que lors de la création du premier être humain, le Diable cracha sur lui, dégoûté.

Alors, Allah arracha le morceau de chair contaminé, d'où l'origine du nombril.

NOUVEL AN

Si, au réveillon du Nouvel An, après minuit, le premier homme qui franchit le seuil de votre maison a les cheveux noirs et porte une pelle pleine de charbon, une année de bonheur vous attend.

Cette superstition est originaire d'Écosse, mais, de nos jours, on la retrouve un peu partout.

En revanche, si la première personne à entrer dans une maison est une femme ou un homme aux cheveux roux, gare à la malchance !

Il n'est donc pas surprenant de trouver, en de nombreux endroits, un grand homme aux cheveux noirs réquisitionné spécialement pour entrer dans les maisons de ses amis et de ses voisins, ce jour-là.

Avoir les poches ou les placards vides la veille du Nouvel An annonce la pauvreté. Ce présage explique peut-être l'habitude qu'ont les gens de se divertir et de faire des réserves pour cette nuit particulière...

Laisser un feu s'éteindre la nuit du Nouvel An est de mauvais augure.

Un peu partout en Europe, pour attirer la chance sur soi, on dit qu'il faut vider les fonds de bouteilles, ce soir-là. A la vôtre !

NOVEMBRE

S'il gèle à pierre fendre avant le 11 novembre, on dit que cela annonce un hiver rigoureux, aussi humide que froid.

NOYADE

L'ancienne superstition qui prétend que les noyés voient se dérouler leur vie entière semble en passe d'être discréditée par ceux qui ont réchappé de justesse à un tel destin.

Néanmoins, la noyade est entourée d'un certain nombre de croyances étranges.

Les habitants des régions côtières prétendent qu'une personne ne peut pas se noyer tant qu'elle n'a pas touché le fond et refait surface au moins trois fois. On pense aussi que les noyés réapparaissent sept, huit ou neuf jours plus tard.

On connaît une superstition tout aussi tenace que répandue voulant que le corps d'un noyé reposant dans le lit d'une rivière remontera à la surface si on tire un coup de feu au ras de l'eau. La déflagration, dit-on, fait éclater la vésicule biliaire de la victime et le corps remonte.

Pour localiser un corps, il faut faire flotter une bougie allumée au-dessus de l'endroit présumé ; elle s'éteindra à la verticale du lieu où gît le cadavre.

Les Indiens d'Amérique préfèrent utiliser un coq ; ils disent que le volatile chante quand l'embarcation atteint l'emplacement exact.

Il se peut que la plus cruelle des croyances soit celle qui dit de ne jamais porter secours à une personne qui se noie. Cette personne meurt par la volonté des dieux des profondeurs ; donc, celui qui les défie peut s'attendre à devoir se plier à leur règle tôt ou tard.

Aussi fou que cela paraisse cette croyance subsiste en certaines parties du monde !

Une statistique, aussi intéressante que sinistre, émanant de la police américaine a établi que les hommes noyés flottent sur le ventre alors que les femmes flottent sur le dos.

O

OBJETS CROISÉS

Croiser des couteaux ou des chaussures porte malheur, dit une superstition du Moyen Age. A cette époque, de tels signes étaient, en effet, interprétés comme des insultes à la croix du Christ. Sachez que pour conjurer le mauvais sort, il vous suffit de demander à quelqu'un de décroiser les objets pour vous.

ŒIL

Beaucoup de gens prétendent que rencontrer une femme qui louche porte malheur alors qu'un homme qui louche, d'après les mêmes personnes, porte bonheur !

Autrefois, d'aucuns pensaient que le strabisme était la marque de l'œil du diable et plus d'un affligé a été mis au ban de la société pour cette seule raison.

ŒIL DU DIABLE

L'œil du diable est une très ancienne superstition qui a invariablement été associée à la sorcellerie. Les gens ayant des yeux vairons ou profondément encastrés — y compris les borgnes — ont souvent été suspectés d'avoir l'œil du diable.

Maints paysans et paysannes se sont plaints d'avoir été « touchés » par l'œil du diable et clamaient haut et fort que leur famille et leurs bêtes en avaient souffert, d'une quelconque façon.

L'histoire de la sorcellerie, des jugements et des persécutions du XVIe au XVIIIe siècle est remplie d'exemples où de vieilles âmes infortunées étaient condamnées à mort simplement parce que leurs accusateurs croyaient qu'ils étaient tombés malades ou que leur chat était devenu bon à rien à cause de leur regard.

Comme antidote à l'œil du diable on recommandait de cracher trois fois dans l'œil du « toucheur » ou si un animal était mort à la suite de telles attentions de le brûler, sur quoi la personne qui avait jeté le sort souffrait la même agonie. Faire le signe de la croix était également réputé efficace.

Pour conjurer le maléfice, certains utilisaient une figurine d'argile ou une poupée modelée représentant la personne suspectée d'avoir l'œil du diable ; puis on la piquait avec des épingles.

Deux autres méthodes moins désagréables pour chasser l'œil du diable s'appliquent à un enfant : vous pouvez soit tenir l'enfant, tout habillé, la tête en bas quelques instants chaque matin, soit emprunter une pièce d'argent à un voisin, et la plonger dans une bassine emplie d'eau et laver l'enfant avec l'eau « charmée ».

Il est également intéressant d'apprendre que dans les pays orientaux, de nombreux parents croient que leurs enfants peuvent être protégés de l'œil du diable s'ils les gardent en guenilles et sales puisque l'on dit que l'œil ne tombe que sur ceux qui sont attirants et propres.

ŒILLETS D'INDE

Ces charmantes petites fleurs ne doivent pas être traitées avec délicatesse si vous voulez éviter de devenir un grand buveur. On dit, en effet, que les cueillir ou même les regarder vous condamne à passer votre vie la bouteille à la main. A l'Ouest de l'Angleterre, ces fleurs sont appelées « les ivrognes ».

Les Gallois n'ont pas la même opinion à leur propos et croient que la plante prédit le temps puisque si elle ne s'ouvre pas avant sept heures le matin, elle annonce une tempête.

L'œillet d'Inde était utilisé autrefois pour les couronnes de mariage et comme sortilège d'amour.

Maints paysans disent encore que le frotter sur une piqûre

de guêpe ou d'abeille fait disparaître la douleur instantanément.

ŒUF

Il y a un certain nombre de superstitions, tant bénéfiques que maléfiques, associées à l'œuf de poule.

On dit qu'il est de très funeste augure de trouver un tout petit œuf ; les Anglais accordent foi à une vieille superstition voulant que le dixième œuf de chaque couvée est toujours le plus gros.

La mauvaise chance vous taquinera certainement si vous ramassez vos œufs au crépuscule.

Les œufs sans jaune sont maléfiques et d'aucuns disent qu'ils sont pondus par des coqs ; les œufs avec deux jaunes sont des présages de mort.

Les marins ne prononcent jamais le mot « œuf » en mer, ils le remplacent par le mot « manège ».

Autrefois, dans certaines communautés paysannes, on pensait qu'une poule couvant un nombre impair d'œufs portait malheur et que de tels œufs n'écloraient pas ; de toute façon, même s'ils y parvenaient les poussins seraient des coqs. Quoi qu'il en soit, vous pouvez être assuré de votre bonne chance si, après avoir mangé un œuf à la coque, vous défoncez le fond de la coquille avec votre cuillère. Mais ne jetez sous aucun prétexte la coquille dans la cheminée ou la poule qui a pondu cet œuf ne pondra plus jamais.

La meilleure façon de procéder est d'écraser soigneusement les coquilles puisque les Écossais croient que les sorcières s'emparent de celles restées entières et les utilisent pour couler les bateaux des honnêtes marins. Depuis l'époque romaine, on associe, par tradition, les sorcières et les coquilles d'œufs.

Sur une note plus agréable, sachez que les œufs permettent aussi de deviner qui sera votre futur prétendant. Il suffit de faire durcir un œuf, d'extraire le jaune et de mettre du sel à sa place. Si vous ne mangez rien d'autre ce soir-là, durant votre sommeil vous rêverez du grand amour de votre vie.

On ignore pourquoi les Japonais prétendent que si une femme enjambe une coquille d'œuf, elle deviendra folle !..

ŒUF DE PÂQUES

La coutume d'offrir des œufs de Pâques en chocolat aux enfants est, elle aussi, une tradition enracinée dans la superstition depuis les Égyptiens et les Romains.

Dans ces deux civilisations, les gens s'offraient des œufs, symboles de résurrection et de continuité de la vie.

Plus tard, le Christianisme adopta les œufs comme attribut de la Résurrection du Christ.

Autrefois, on avait coutume d'offrir aux enfants des œufs cuits, teintés en rouge en mémoire du sang du Christ. Cette pratique, croyait-on, leur octroyait la santé.

Une ancienne superstition concerne le dimanche de Pâques ; elle veut que le soleil « danse » quand il se lève ce matin-là et qu'un mouton se profile devant lui. Cependant, nul ne peut essayer de mettre en échec cette superstition sans porter des lunettes de protection.

L'habitude de porter des vêtements neufs ce jour est également liée au Christianisme. C'était, en effet, le premier jour où les vêtements portés pendant le Carême pouvaient être ôtés — et comme ils étaient toujours sales et usés, les remplacer était chose normale.

OIES

En dépit de la légende voulant que l'oie soit la plus bête des créatures de la terre, une oie qui tourne autour d'une maison annonce la mort.

Certains paysans anglais respectent toujours la coutume de manger une oie le jour de la Saint-Michel (29 septembre) puisque la superstition dit :

« Celui qui le fait ne manquera jamais d'argent pour payer ses dettes. »

La superstition prétend également que si les os de la poitrine d'une oie rôtie sont bruns, le prochain hiver sera clément ; s'ils sont blancs ou bleuâtres, il sera rigoureux.

OIGNON

Pendant des siècles, on a cru qu'un oignon accroché dans une pièce protégeait de la maladie. La recherche moderne a démontré que cette superstition était, en partie, vraie. L'oignon quand il est coupé et laissé à l'air libre attire les bactéries.

Placez un oignon sous votre oreiller et vous rêverez de votre futur prétendant — encore faut-il en supporter l'arôme !

Pendant longtemps, les écoliers ont affirmé que frotter un oignon sur la fesse droite empêchait de recevoir des coups de canne. Mieux encore, si l'oignon était frotté directement sur la canne, elle casserait net dès le premier coup !

Une jeune fille, ayant plusieurs prétendants et qui ne parvient pas à se décider, peut avoir recours à la sagesse de l'oignon. En premier lieu, elle doit graver le nom de chaque homme dans leur chair, puis placer tous les oignons dans un local chaud. Celui qui germe le premier désigne l'amour le plus fort !

OISEAUX

Il existe une infinité de présages et de superstitions concernant les oiseaux. Sans doute parce qu'on les considère souvent comme étant les âmes d'individus décédés.

Les plus connues et les plus générales de ces croyances sont rapportées ici. Quant à celles qu'on associe à un oiseau particulier, elles sont répertoriées sous leur nom propre.

Depuis les temps les plus reculés, les hommes respectent les oiseaux en tant que symboles du bien ou du mal. Les Grecs en ont même fait une science appelée Ornithomancie.

Si un oiseau profitant d'une fenêtre ouverte vole dans une pièce, c'est un présage de mort pour une des personnes vivant sous ce toit. Une variante de cet « on-dit » veut qu'un oiseau errant ou volant constamment près d'une maison — ou encore frappant à la vitre, perché sur le rebord d'une fenêtre — annonce un décès.

Les Irlandais, les Brésiliens et les Australiens croient tous que voir des oiseaux noirs et gris voler autour des arbres, la nuit, sans jamais se poser, c'est voir les âmes des démons malfaisants en pénitence.

En France, on dit que les enfants qui meurent sans avoir reçu les sacrements du baptême deviennent oiseaux et le demeurent jusqu'à ce que saint Jean-Baptiste les baptise.

Les Écossais, quant à eux, accordent foi à une superstition concernant les oiseaux en cage.

Si l'un d'entre eux s'éteint le matin du mariage d'un membre de la famille, l'union sera si malheureuse que le couple se séparera.

Une remarque plus agréable prétend que si vous voyez un vol d'oiseaux alors que vous êtes sur le point d'entreprendre un voyage, leur direction indique soit son succès, soit son échec.

S'ils volent à votre droite, tout ira bien ; mais, s'ils volent à votre gauche, vous auriez intérêt à rester chez vous !

Pour conclure, notons une superstition britannique — tout aussi hilarante qu'une lapalissade — si la fiente d'un oiseau vous tombe dessus, c'est signe de malchance ! Qui l'eût cru ?

OMBRE

L'idée qu'une ombre est — d'une façon ou d'une autre — partie intégrante de l'individu a persisté en bien des lieux et, dans la plupart d'entre eux, on considère qu'il porte malheur de marcher dessus, en particulier pour son « propriétaire » d'ailleurs.

Dans les régions de montagne, on dit que si des pierres tombent sur l'ombre d'une personne, c'est un présage de mort.

Dans certains pays européens, l'ombre est considérée comme la manifestation de l'âme d'un être humain, marcher dessus est donc une des pires choses qu'on puisse faire.

Au Pays de Galles, si quelqu'un, assis près de la cheminée projette une ombre sans tête, on dit que cette personne mourra dans le courant de l'année qui vient.

ONGLES

De tout temps, il a existé de très puissantes superstitions associées aux ongles. Ceux-ci étaient supposés être un constituant essentiel des maléfices des sorcières.

Les ongles renferment les caractéristiques de l'individu à ensorceler. Les rognures d'ongles ont ainsi été utilisées dans les remèdes de bonnes femmes. Prélevés sur une personne malade, il convenait de les brûler ou de les enterrer selon un rituel établi, dans l'espoir que la maladie connaisse une rémission.

Dans un contexte plus général, des ongles crochus indiquent une personne avide, tandis que s'ils sont bombés en leur milieu c'est le présage d'une mort prochaine.

La taille de la lunule indique le temps que la personne a à vivre — plus elle est large, plus la personne vivra vieille.

On prétend un peu partout qu'il porte malheur de se couper les ongles le vendredi ou le dimanche alors que le lundi et le mardi sont de bons jours.

Les ongles d'un bébé ne doivent pas être coupés avant qu'il ait un an, mais toujours rognés par sa mère, sinon il deviendra un voleur.

On dit d'une femme qui parvient à couper les ongles de sa main droite avec la main gauche qu'elle portera la culotte chez elle.

Dans de nombreuses superstitions, les taches blanches sur les ongles sont, en général, considérées comme des présages de bonne fortune, les taches noires annoncent le malheur et les taches jaunes la mort.

Les Allemands sont persuadés que le nombre de taches blanches indique le nombre d'années qui restent à vivre à une personne.

En Grande-Bretagne, une tache blanche sur chaque ongle a un sens différent comme ce couplet l'indique :

« Un ami, un ennemi,
L'argent, un voyage. »

Expliqué de façon claire, cela signifie qu'une tache blanche sur l'index indique un nouvel ami, sur le médius un nouvel ennemi, sur l'annulaire quelque richesse ou un nouvel amour, et sur l'auriculaire un voyage prochain. Bien que le couplet n'en dise rien, on dit qu'une tache blanche sur le pouce annonce un cadeau.

Ajoutons que les Japonais effraient les jeunes filles qui se rongent les ongles en leur promettant qu'elles souffriront en donnant le jour à leurs enfants.

204

ORAGE

On dit que la meilleure chose à faire quand un orage éclate est de grimper au lit et de se cacher sous les draps. Mais tout n'est pas si simple. Voici ce que veut la superstition : placez le lit au milieu de la chambre et récitez un Notre Père. Ensuite, même si la foudre tombe sur la maison, il ne vous arrivera aucun mal.

Entendre le tonnerre à certains moments de l'année est un présage de mort.

Si un orage éclate le premier dimanche de l'année, dit une très ancienne superstition britannique, un membre de la famille royale mourra, tandis que s'il tonne entre le mois de novembre et la fin de l'année (ce qui n'est pas impossible), alors une personnalité locale mourra (ce qui n'est pas impensable).

Dans de nombreux pays, on croit que si les cloches de l'église sonnent pendant un orage, elles dissiperont le mauvais temps et que si vous ouvrez portes et fenêtres, la foudre ne s'abattra pas sur votre maison — précisons que vous serez trempés et que vous risquez d'obtenir l'effet inverse !...

On connaît aussi une superstition chez les gens qui gardent de la bière en baril voulant qu'il faut placer une pièce sur chaque baril pour empêcher la bière de rancir. En fait, c'est la chaleur dégagée par temps d'orage qui ruine la bière plutôt que l'orage lui-même.

La même superstition concerne le lait.

Dans la tradition européenne, l'orage a une signification différente selon chacun des jours de la semaine, à savoir : le dimanche, il annonce la mort d'une personne érudite, un juge ou un écrivain ; le lundi, la mort de femmes ; le mardi, une récolte de grains abondante ; le mercredi, la mort de prostituées ou des effusions de sang ; le jeudi, l'abondance de moutons, de bétail ou de céréales ; le vendredi, la mort d'un grand homme ou une bataille, et le samedi, il annonce la maladie et la peste.

ORANGE

L'orange est un fruit porte-bonheur et, quand elle est

échangée entre garçons et filles, on dit qu'elle favorise l'amour.

Les fleurs d'oranger sont, bien sûr, de règle à tous les mariages. Nombreux considèrent cette coutume comme un simple sortilège de charme, oubliant son association originelle à la fertilité ; en effet, elle assure à la jeune femme qu'elle aura des enfants.

OREILLES

En Europe, la superstition maintient que de petites oreilles indiquent une personne méprisable et que de grandes sont la manifestation extérieure d'une nature généreuse.

On croit également, un peu partout, qu'un sifflement dans les oreilles signifie que quelqu'un parle de vous. Selon l'usage, si votre oreille droite siffle, on dit du bien de vous tandis que la gauche vous prévient qu'on vous dénigre.

Les Néerlandais croient que vous pouvez prendre votre revanche sur celui qui dit du mal de vous en mordant votre petit doigt et à ce moment-là, la personne se mordra la langue !

Une croyance très connue enseigne qu'avoir le lobe des oreilles percé et porter des boucles d'oreilles guérira une vue déficiente. On ignore pourquoi cette superstition s'est développée et pourquoi elle persiste en dépit du fait qu'elle ne contient pas une once de vérité.

Dans le même esprit, les marins pensent que porter des boucles d'oreilles en or les protège de la noyade ; encore une fois, le fondement de ces affirmations est impossible à établir.

OREILLES (Avoir les... qui sifflent)

D'après certaines traditions, la soudaine sensation d'avoir les oreilles qui sifflent signifie que la mort rôde. Précisons que ce désagrément n'annonce pas forcément le décès de la personne concernée, ni même celui d'un membre de sa famille. En Amérique, on pense que la victime vit à la portée d'un jet de pierre.

En France et dans la plupart des pays européens, on donne une signification moins sinistre à la même impression : si le sifflement vient de votre oreille droite, quelqu'un parle de vous avec gentillesse, s'il vient de gauche, avec méchanceté.

Les Anglais vont encore plus loin et définissent l'identité de la personne : gauche, pour votre mère ; droite, pour votre amoureux.

ORTEILS

Aux États-Unis, une croyance veut que si le second orteil d'une femme est plus long que le gros orteil, elle « portera » la culotte dans toutes les unions qu'elle pourra contracter.

ORTIE

On croit qu'une personne peut être guérie d'une fièvre dangereuse si un de ses proches saisit une ortie et la déracine en répétant le nom du malade et de ses parents !

Malgré les douloureuses piqûres qu'elle entraîne, l'ortie a été très utilisée dans les remèdes de bonnes femmes et durant des générations, on a cru que porter une ortie sur soi protégeait de la foudre.

OURLET

Une superstition américaine affirme que si l'ourlet d'un de vos vêtements se retourne, c'est l'annonce que vous en recevrez bientôt un autre semblable.

OURS

Les colons des forêts d'Amérique soutenaient que les ours ne se reproduisaient qu'une fois tous les sept ans et que, quand ils le faisaient, cela engendrait une telle perturbation atmosphérique que toutes les femelles de la région près de mettre bas perdaient leurs petits.

Les mêmes personnes prétendaient pourtant qu'un enfant ayant la coqueluche guérirait s'il était capable de monter un ours. Remarquons, cependant, que le jeu n'en valait pas la chandelle !

P

PAILLE

Autrefois, on pensait que la paille était un puissant moyen pour ensorceler les gens.

S'emparer de la paille d'un homme, c'était fournir aux sorcières ou aux démons tout ce dont ils avaient besoin pour jeter leurs sorts.

Dans certaines cultures, la paille a été utilisée comme charme de fécondité par les jeunes filles — souvent liée comme une jarretelle autour de leurs jambes.

En Grande-Bretagne, chaque été, les enfants guettent encore le premier homme portant un chapeau de paille et font un vœu quand ils le rencontrent.

D'après une tradition allemande, trouver un brin de paille en balayant une pièce annonce une visite mais voir deux brins de paille croisés est de mauvais augure.

PAIN

Le pain a toujours été considéré comme une nourriture essentielle à la vie. Le gâcher ou le jeter porte malheur. Vous aurez faim un jour ou l'autre, dit la superstition.

De nos jours de plus en plus de femmes faisant leur pain elles-mêmes, il n'est pas inutile de rappeler quelques vieilles croyances.

Quiconque pique une miche de pain avec une fourchette ou un couteau ne sera jamais « une jeune fille ou une jeune femme heureuse ».

Piquer le pain pour s'assurer de sa cuisson doit être fait en utilisant une broche.

Ces croyances sont, en fait, des commentaires moralisateurs ; elles signifient qu'une femme qui ne parvient pas à cuisiner correctement un aliment aussi vital que le pain ne possède pas l'expérience requise pour assumer les dures tâches du ménage.

Une miche qui se fend sur le dessus en cuisant annonce des funérailles.

La vieille expression « treize à la douzaine » pourrait avoir des origines superstitieuses, surtout si l'on songe au proverbe : « Douze pour le boulanger, une pour le diable. » Mais la vérité est bien plus terrestre. A l'origine, le pain était vendu à la livre et puisque les miches perdaient du poids après un moment, le boulanger ne voulant pas recevoir de plaintes à ce sujet, ajoutait une « pesée » à chaque livre pour respecter le poids du pain.

Les Indiens d'Amérique, eux, affirment qu'une miche de pain lestée de mercure et plongée dans un fleuve flottera et s'immobilisera au-dessus de l'endroit où le corps d'une personne décédée est étendu. Cette croyance est connue jusque dans les Îles Britanniques.

Au nord de l'Angleterre, déposer un pain à l'envers après en avoir coupé une tranche porte malheur et l'on dit que pour cet acte, le soutien de famille tombera malade.

Si un pain vous échappe des mains alors que vous le coupez, attendez-vous à des heurts et à des dissentiments dans la famille.

Un trou au milieu du pain représente un cercueil, dit-on, et annonce la mort imminente d'un des vôtres.

Une superstition européenne garantit que le pain pétri la veille de Noël ne moisira pas.

Jeter des miettes aux oiseaux est un acte bienveillant.

Laisser brûler un pain porte malheur.

Une tranche de pain qui tombe du côté non beurré annonce une visite.

La bonne fortune attend une jeune fille qui, à l'heure du thé, mange le dernier toast, puisque la croyance lui promet « un beau mari ou dix mille livres sterling de rente par an ».

PAIRES

Trouver des fruits qui poussent par paire porte bonheur. Si vous en partagez un avec un ami, chacun peut faire un vœu qui sera exaucé.

Cette superstition nous vient de Grande-Bretagne.

En Autriche, on dit que si une femme enceinte mange un tel fruit, il se peut qu'elle ait des jumeaux.

PAON

Le paon, comme le chat, n'est pas tout à fait domestiqué ; il conserve un caractère indépendant et un esprit particulier. Pour cette raison, mais aussi pour son maintien et son indéniable beauté, il n'est pas difficile de comprendre qu'il ait toujours été considéré comme un oiseau royal.

Cependant, la superstition est formelle au sujet des plumes de paon ; elle prétend qu'en avoir dans une maison ou en porter attire la malchance.

Les spécialistes pensent que ces superstitions sont nées dans les temples de la Grèce antique où l'oiseau vivait. Nous savons qu'à cette époque lui arracher ne serait-ce qu'une plume était un crime puni de mort.

Une autre théorie affirme que les ocelles dessinées sur les plumes de sa queue sont la marque de l'œil du diable donc, une des pires formes de malédiction.

Cependant, l'oiseau prédit la pluie puisque quand il criaille il indique un changement de temps imminent.

PAPILLONS

La croyance la plus connue à propos des papillons est sans doute celle qui prétend qu'ils sont les âmes de personnes disparues. Depuis les temps les plus reculés, on traite ces créatures avec égard et gentillesse.

Cependant, les Anglais prétendent que si chaque année vous laissez la vie au premier que vous rencontrez, douze mois d'infortune vous attendent.

Dans le même esprit, si le premier papillon que vous voyez est jaune, la maladie vous guette. Néanmoins, certaines personnes affirment que la vue d'un papillon n'annonce rien d'autre que le beau temps.

En Écosse et en Irlande, on accorde foi à une ancienne légende qui dit qu'un papillon d'or planant autour d'un cadavre est de bon augure et garantit son bonheur éternel.

Si vous voyez trois papillons sur une feuille, et ce, à n'importe quel moment, vous n'avez pas de chance et si vous en apercevez un voler la nuit, sachez qu'il annonce la mort.

PARAPLUIE

Qui n'a entendu dire : « Il porte malheur d'ouvrir un parapluie dans une maison. » Cette affirmation est valable tant pour la personne qui le fait que pour les habitants du lieu. On pense que cette superstition est originaire d'Orient, où l'ombrelle (qui donna sa forme au parapluie) était l'apanage de la royauté.

A l'origine, l'ombrelle était naturellement associée au soleil tant par sa forme que par sa fonction. Le temps passant, il a été considéré comme maléfique d'en ouvrir une n'importe où, à l'intérieur, quand il fait un temps splendide.

En Europe, ouvrir un parapluie quand il fait beau attire la pluie. Les Américains pensent pour leur part que ne pas porter de parapluie assure le beau temps !

Si vous laissez tomber votre parapluie, laissez à autrui le soin de le ramasser puisque les présages ne sont pas bons, surtout pour vous, Mesdames ! Une coutume américaine avertit que passer outre, c'est décider de rester vieille fille...

PAROLE

Nombreux d'entre nous connaissent la bizarre expérience de dire exactement la même chose que quelqu'un d'autre en même temps.

Si les deux personnes concernées font un vœu avant de prononcer autre chose, leurs désirs seront exaucés.

Tendre les petits doigts et répéter le nom d'un poète favorise aussi la chance.

En Grande-Bretagne, on dit que si quelqu'un arrive alors que vous parliez de lui, il vivra vieux. Cependant, si au beau milieu d'une phrase, vous avez un trou de mémoire, cela prouve que vous alliez mentir.

PARRAIN OU MARRAINE

En Allemagne, on rencontre deux superstitions concernant le parrain ou la marraine.

La première veut qu'aucune femme enceinte ne soit marraine, sinon son propre enfant ou son filleul mourra ; la seconde qu'un homme ou une femme ayant perdu un filleul ne parraine plus aucun enfant, sinon le même destin s'abattra sur celui-ci.

En Grande-Bretagne, on ne demande jamais à un couple de fiancés d'être parrain et marraine, cela compromettrait leur mariage.

On prétend aussi qu'un filleul ressemblera à son parrain ou à sa marraine si l'un d'eux regarde l'eau baptismale durant la cérémonie.

PASSEREAU

Le passereau est un oiseau de mauvais augure dans la plupart des pays européens. On dit qu'il était présent lors de la crucifixion du Christ et qu'il encouragea les Romains à le torturer en criant sans cesse « il est vivant, il est vivant ».

C'est la raison pour laquelle les passereaux sautillent et ne courent pas, leurs pattes paraissant attachées par un fil invisible en châtiment de leur manque de compassion. Il n'est donc pas surprenant d'entendre dire qu'un passereau volant dans une maison est un présage de mort.

Le malheur s'abat sur celui qui les capture, les met en cage ou les tue.

Quand il gazouille avec frénésie, le passereau annonce la pluie.

Les Britanniques, eux, lui vouent une affection toute particulière et le considèrent comme le symbole de la famille et du bonheur conjugal.

PÂTISSERIE

L'art qu'ont les ménagères d'utiliser les restes de pâte laissés au fond du bol pour faire de petits gâteaux destinés à ieurs enfants semble avoir des origines superstitieuses. Pourtant, les femmes concernées l'ignorent souvent.

Depuis des siècles, on croit que gâcher la farine ou le froment restants après que le dernier gâteau a été enfourné ruinera toute la pâtisserie, à moins que ces restes ne servent à confectionner une douceur pour les enfants. Les jeter, c'est courir à la catastrophe.

Compter le nombre de pains ou de gâteaux — même quand ils sont sortis du four — porte malheur. On affirme que dans ce cas, ils rassissent plus vite. Si une miche de pain sort cassée d'un four, un étranger viendra la partager avec vous.

PAUME

D'après une superstition quasi universelle, si la paume de votre main droite vous démange, c'est signe d'argent ; si c'est la gauche, vous aurez des revers de fortune.

Le seul endroit qui fasse exception à la règle est l'Amérique, où on soutient le contraire.

PAVOT

Le pavot serait, pour les Britanniques tout au moins, une plante de mauvais augure.

Quel écolier ne s'est pas entendu dire qu'il deviendrait aveugle (temporairement toutefois) s'il observait le cœur de cette fleur ?

On dit également que placer des pavots dans une maison porte malheur parce qu'ils rendent malade. Cette croyance repose, sans doute, sur les propriétés narcotiques bien connues de certaines variétés.

PÊCHE A LA LIGNE

Les pêcheurs à la ligne partagent un certain nombre de superstitions avec les marins.

Cependant, la pêche à la ligne possède quelques croyances particulières qui méritent d'être citées.

Ainsi, on dit qu'il est maléfique de changer de canne au cours d'une partie de pêche ; qu'un flotteur qui a eu du succès par le passé, ne doit pas être échangé contre un nouveau supposé plus performant. On dit encore qu'il est de mauvais augure de mettre une épuisette dans l'eau avant d'avoir fait une prise ; que demander à un pêcheur combien de poissons il a attrapés lui porte malheur et qu'il ne prendra plus rien ce jour-là. Ajoutons qu'un pêcheur assis sur une nasse retournée rentrera bredouille !

PÊCHER

Une superstition chinoise assure qu'une branche de pêcher en fleur, suspendue au-dessus de la porte d'entrée, tient en respect tous les mauvais esprits.

PEIGNE

D'après une tradition hongroise, un peigne ayant appartenu à une personne décédée ne devra plus jamais être utilisé : il invite la mort.

En Grande-Bretagne, on dit qu'une mère sera bien avisée de ne jamais peigner un enfant avant qu'il ait fini de faire ses dents ; sinon, pour chaque dent du peigne cassée, une des dents de l'enfant tombera bien avant le moment prévu !

PENSÉES

Une superstition déconseille de cueillir des pensées si le temps est beau. Certains auraient constaté, paraît-il, que cette action attirait la pluie.

PERCE-NEIGE

A cause de sa couleur blanche, cette charmante petite fleur suggère la pureté. Pourtant, un peu partout, elle est considérée comme un présage de mort ; on ne doit jamais en offrir à une personne malade.

De toute manière, on pense qu'il est maléfique d'avoir des perce-neige sous son toit puisque même si nul n'est malade, un membre de la famille mourra avant que les perce-neige ne refleurissent.

Cette croyance est le fruit d'une association d'idées : les perce-neige ne fleurissant qu'en hiver et cette saison étant riche en maladies et en décès, on peut considérer qu'un tel rapprochement était inévitable dans les esprits primaires de nos aïeux.

PERSIL

Le temps a fait tomber dans le gouffre de l'oubli les superstitions jadis en usage et respectées par les gens de la campagne à propos de cette plante.

Jeter du persil, c'était chasser sa chance et le transplanter rendait votre jardin vulnérable aux machinations du diable. Cette croyance a, semble-t-il, des origines romaines, puisque les Romains l'utilisaient pour border leurs tombes.

Certaines paysannes se souviennent encore d'un vieil on-dit garantissant que planter du persil, c'était planter des bébés.

En Angleterre, on croyait qu'une fille enceinte alors qu'elle ne le désirait pas pouvait se débarrasser du fœtus en mangeant beaucoup de persil !

Et, il n'y a guère, toujours en Grande-Bretagne, on racontait aux enfants qu'ils étaient nés dans un massif de persil. A chaque pays ses légendes !

PETITS PAINS

Les délicieux petits pains que les Anglais fabriquent spécialement à Pâques ont des racines antérieures au Christianisme. Ils ont la forme des gâteaux à base de farine utilisés aux fêtes païennes.

Les petits pains sont investis de plusieurs propriétés spéciales incluant la guérison de certaines maladies et l'on dit même qu'ils ne moisissent jamais.

Accrochés dans les maisons, ils protègent du diable et du feu.

Les marins croient qu'en emmener en mer leur évite de faire naufrage.

Et, certains fermiers pensent qu'ils ont le pouvoir de garder les rats hors du grenier.

PETITS POIS

Trouver une cosse de petits pois ne contenant qu'un seul pois est un présage de grande chance.

Dans le même esprit, si vous découvrez une cosse renfermant neuf pois, alors jetez-en un par-dessus votre épaule droite, faites un vœu, il sera exaucé.

PHOTOGRAPHIE

De par le monde, il y a encore une infinité de personnes qui n'aiment pas être prises en photo, persuadées que cela leur portera malheur.

L'origine de cette superstition réside dans l'ancienne idée que le visage étant le miroir de l'âme, le photographier chasse — d'une façon ou d'une autre — l'âme de son propriétaire.

Quiconque s'empare de la photo de quelqu'un peut exercer un pouvoir sur lui et s'il le désire faire agir les esprits maléfiques à son encontre.

Nombreux se gausseront d'une telle idée mais hésiteront à déchirer la photo d'une personne vivante par crainte de lui faire mal.

PIE

Il existe plusieurs présages associés à la pie qui, dit-on, est une créature maléfique parce que c'est le seul oiseau qui refusa d'entrer dans l'Arche de Noé, préférant rester perché sur le toit de l'embarcation.

Il est de mauvais augure d'apercevoir deux pies volant de conserve et voir un groupe de pies jacasser entre elles ne vaut guère mieux.

Les Allemands ont des idées bien arrêtées à propos du nombre de pies que vous voyez, à savoir : une porte malchance ; deux annoncent un divertissement ou un mariage : trois, une journée agréable ; quatre, de bonnes nouvelles et cinq, une visite.

Quant aux Écossais, ils pensent qu'une signifie la colère ; deux, la gaieté, trois, un mariage, quatre, une naissance, cinq, le paradis, six, l'enfer, mais sept est le chiffre même du diable, donc...

Pour être honnête avec l'oiseau, notons qu'une superstition veut que si une pie se perche sur votre toit, elle assure que votre maison ne s'écroulera jamais. Cependant, si l'une d'entre elles vole autour en jacassant, elle annonce la mort d'une personne de la famille.

Il porte malheur de voir une pie quand vous partez en

voyage. Si l'une vole devant vous lorsque vous allez à l'église, c'est également un présage de mort.

En fait, il vaut mieux traiter l'oiseau avec respect et bien des gens pensent qu'il est bon de se signer à son passage. Pour être absolument certains d'éviter les ennuis, quelques paysans retirent leur chapeau et lui adressent un petit salut !

Seuls, les Chinois considèrent que la pie est de bon augure et que le malheur s'abat sur quiconque en tue une.

PIÈCES (de monnaie)

La superstition investit certaines pièces de monnaie de pouvoirs spéciaux — surtout celles offertes à un communiant. Si deux ou trois de ces pièces sont données derechef à une personne souffrant de rhumatismes, puis frottées aux endroits douloureux, la guérison sera rapide.

Durant de nombreuses années, des pièces particulières à l'effigie du Diable vaincu ont été frappées en Grande-Bretagne et distribuées aux pauvres dans l'espoir qu'elles les garderaient de la maladie.

Nombre des fameuses pièces prétendues posséder des pouvoirs spéciaux et demeurées en possession de certaines familles à travers les âges, n'étaient rien de plus.

A différents endroits, on croit que recevoir une pièce trouée — soit en cadeau, soit en échange — porte chance.

En Europe, il existe une superstition plus qu'amusante. Elle affirme que si les deux pièces qu'on place quelquefois sur les yeux d'un défunt sont trempées rapidement dans un verre de vin que boit ensuite une personne mariée, cela « l'aveuglera » sur toutes les escapades et les infidélités de son compagnon ou de sa compagne !

Posséder une pièce frappée l'année de sa naissance porte bonheur.

Dans le même esprit, on ne connaît pas de façon plus chanceuse de trancher une question qu'en jouant à pile ou face — aussi longtemps que l'on gagne s'entend !

En Autriche, toute pièce trouvée sous une violente averse est précieuse ; on prétend qu'elle vient du paradis et donc qu'elle renferme des charmes bénéfiques.

217

PIEDS

Si, accidentellement, vous vous tordez le pied droit en marchant le long d'une rue, une superstition britannique vous promet que vous rencontrerez sous peu un ami ; si c'est le pied gauche, le présage veut que vous vous attendiez à quelque déception.

Dans de nombreux pays d'Europe, on dit que si vos pieds vous démangent sans cause, vous entreprendrez prochainement un voyage dans un pays où vous n'avez jamais été auparavant.

Qui possède un orteil supplémentaire aura beaucoup de chance toute sa vie. En Écosse, on dit encore qu'un individu avec un second orteil plus long que le premier a mauvais caractère.

On ne peut passer sous silence la croyance rencontrée à Brookline (Massachusetts) voulant que si votre voûte plantaire est suffisamment cambrée pour laisser passer de l'eau en dessous, vous êtes de bonne naissance. En revanche, les gens qui ont les pieds plats sont de mauvais augure, et rencontrer une telle personne quand vous sortez un lundi vous vaudra une semaine épouvantable.

Pour finir, précisons qu'il ne porte pas chance d'entrer dans un endroit le pied gauche en avant.

PIERRES

On connaît une superstition très ancienne affirmant que les pierres « poussent » si elles sont étendues sur la terre recevant, ainsi, leur nourriture à travers une « veine » qui les relie au sol.

On ne peut nier que cette idée ait inspiré bien des traditions.

Toute pierre présentant un trou en son milieu est réputée porter bonheur à celui qui la trouve. Il doit la porter autour de son cou, grâce à une chaîne ou l'attacher à un anneau de clés.

Les marins accordent une grande importance à ces pierres s'ils les trouvent sur le rivage et les pêcheurs croient qu'en avoir une à bord de leur bateau favorise leurs prises.

Une tradition américaine veut que si une telle pierre est

suspendue au-dessus du lit d'une femme en couches, la naissance de l'enfant sera moins douloureuse.

En France et en Irlande, on prétend également que les dolmens ont le pouvoir de rendre une délivrance plus facile pour les femmes enceintes qui se sont laissées glisser depuis leur sommet jusqu'à terre. D'aucuns affirment qu'ils aident les jeunes filles qui s'asseyent dessus à trouver un mari !

Et, n'oublions pas ces fameuses pierres monumentales supposées accorder chance et santé à ceux qui se faufilent au-dessous ou les touchent.

PIERRES PRÉCIEUSES

La tradition enseigne que certaines pierres portent bonheur si elles sont offertes à celles (ou ceux) dont les anniversaires correspondent à la pierre de leur mois de naissance.

Voici la liste et son interprétation :

Janvier : grenat (*constance*) ;
Février : améthyste (*sincérité*) ;
Mars : sanguine (*courage*) ;
Avril : diamant (*pureté*) ;
Mai : émeraude (*espoir*) ;
Juin : perle ou agate (*santé*) ;
Juillet : rubis (*satisfaction*) ;
Août : onyx (*fidélité*) ;
Septembre : saphir (*repentir*) ;
Octobre : opale (*amabilité*) ;
Novembre : topaze (*gaieté*) ;
Décembre : turquoise (*générosité*).

Une superstition veut qu'une bague de fiançailles montée avec des perles « apporte » des larmes au couple.

L'opale ou « pierre des pleurs » a toujours été considérée comme une pierre maléfique à moins qu'elle ne soit portée par quelqu'un né en octobre ou, selon les Américains, assortie de diamants. Certains experts pensent que les origines de cette superstition tiennent à la fragilité de la pierre. Pour les Orientaux, l'opale était une pierre porte-bonheur puisqu'elle indiquait mieux que toute autre l'état de santé de ceux qui la portaient.

Voyons, à présent, certaines des qualités attribuées à quelques pierres :

L'ambre porte chance parce qu'elle est, entre toutes, la plus facile à trouver sur les plages, en conséquence, on dit que c'est une pierre proche du peuple.

L'agate peut guérir la fièvre et les empoisonnements.

Le corail est une arme puissante contre la sorcellerie et le mauvais œil.

Le jade porte bonheur et est très recherché en Orient puisqu'en cette région, c'est la seule pierre verte hormis l'émeraude.

La superstition impute les changements de couleur du rubis à l'état de santé de la personne qui le porte — qu'elle présente ou non des symptômes de maladie.

La topaze, dit-on, signifie à la fois l'argent et les amis. Elle est donc considérée comme une pierre bénéfique.

La turquoise avec ses feux éblouissants est l'emblème de la prospérité. Offerte par des mains aimantes, elle repousse l'animosité et apporte bonheur et bonne fortune. L'intensité de ses feux indique l'état de santé de la personne qui la porte et tout changement soudain les dangers. D'aucuns imaginent qu'elle réveille les ardeurs sexuelles !

La perle fine symbolise les larmes et c'est la raison pour laquelle on ne la monte que rarement sur les bagues de fiançailles, pas plus que sur les broches et les colliers.

Le diamant, la plus populaire de toutes les pierres précieuses, représente le bonheur conjugal — courage pour l'homme et fierté pour la femme. Les feux magnifiques qu'il lance seraient l'aura des dieux emprisonnés accordant le bonheur à celle qui le porte.

Pour finir, mentionnons deux superstitions d'ordre plus général. La première veut que toutes les pierres précieuses ou semi-précieuses trempées dans le miel deviennent plus brillantes et la seconde qu'un montage de diamants et de saphirs rende un homme invisible et une femme irrésistible !

PIGEON

Le pigeon est, depuis l'aube des temps, un oiseau souvent associé à la superstition.

Voir un groupe de pigeons, serrés les uns contre les autres, sur le faîte d'un toit annonce une tempête, alors qu'un pigeon blanc, solitaire, perché sur une cheminée indique que sous peu un décès aura lieu dans cette maison.

Un pigeon qui vole dans une maison ou qui, soudain, se comporte comme un oiseau apprivoisé est également un présage de mort.

Si l'un de ces volatiles se pose sur la table de la cuisine, quelqu'un tombera malade.

En Grande-Bretagne, on prétend que placer sous la tête d'un agonisant un oreiller en plumes de pigeons lui prolongera la vie.

« PINCE-MOI »

L'expression « pince-moi, pour voir si je rêve » a des origines très lointaines.

Jadis, quand les hommes prenaient la mer, ils restaient absents des années durant. Leurs familles n'avaient pas la moindre idée de ce qu'ils devenaient — ni même s'ils étaient toujours de ce monde — jusqu'à leur retour. Donc, quand un homme parti en mer réapparaissait, la première réaction pouvait très bien être la surprise, voire l'incrédulité. Le seul moyen dont disposait le marin pour convaincre sa famille qu'il n'était pas un fantôme était de dire « pince-moi et vois ».

Une variante de cette coutume était encore en vigueur il y a peu parmi les habitants des côtes de Grande-Bretagne : ne pas pincer un marin rentré au port de fraîche date portait malheur !

PISSENLITS

Les fleurs de pissenlits servent de présages d'amour selon le savoir populaire.

Si une jeune fille célibataire cueille un pissenlit et souffle sur son aigrette, le nombre de fois qu'elle souffle pour que toutes les « graines volantes » s'envolent indiquera le nombre d'années qu'elle aura à attendre pour se marier.

PLANTES

En de très rares endroits des Îles Britanniques, l'usage veut encore que lorsqu'une personne meurt, on l'apprenne en murmurant à ses plantes favorites faute de quoi elles se faneraient et mourraient.

D'aucuns disent même que les plantes continueront à se bien porter, si on les pare de petits crêpes noirs pendant quelques jours.

PLEURS

Un adage, encore très répandu en Europe, nous apprend qu'un enfant qui « pleure longtemps, vivra longtemps ». Vrai ou faux, de toute façon, c'est une consolation comme une autre après une nuit blanche !

PLUIE

Au fil des pages de ce dictionnaire, on rencontre bon nombre d'animaux ou d'oiseaux dont les faits et gestes sont supposés prévoir le temps et annoncer la pluie. De nos jours, ces superstitions sont, encore, tenues en grande estime un peu partout.

D'aucuns parmi nous sentent la pluie prochaine quand leurs cors aux pieds ou leurs rhumatismes se réveillent. La science a réellement prouvé que les changements de temps peuvent affecter ceux qui souffrent de tels maux.

En Angleterre, une légende est devenue une prédiction de temps. Elle concerne saint Swithin, fêté le 15 juillet, et veut que s'il pleut ce jour, il pleuvra pendant quarante jours. L'origine de cette superstition concerne les tentatives entreprises par certains moines, à Winchester, pour exhumer la dépouille de saint Swithin d'une sépulture qui, d'après eux, ne lui convenait pas. Le saint avait demandé à être enterré sous le parvis de la cathédrale. Les moines souhaitaient qu'il repose en un lieu plus respectable.

Le travail débuta le 15 juillet et la pluie tomba sans discontinuer pendant quarante jours, rendant ainsi le transfert impossible. La croyance grandit donc parmi les moines que l'humble saint avait lui-même envoyé la pluie parce qu'il souhaitait rester là où il était.

En Europe, on croit qu'on peut faire pleuvoir en plongeant une relique sainte, une image religieuse ou un crucifix dans une rivière ou dans un lac. En Grande-Bretagne, le même résultat peut être obtenu en brûlant des fougères, mais à certains endroits on recommande la bruyère.

Dans les pays anglo-saxons, s'il pleut au moment où les jeunes mariés quittent l'église, on croit que leur union ne sera pas heureuse ou encore, qu'il auront beaucoup d'enfants !

Mais, en France, on dit « mariage pluvieux, mariage heureux ».

En Cornouailles, on rencontre une charmante superstition ; les gens prétendent que s'il pleut le jour d'un enterrement, la pluie indique que l'âme du disparu a atteint saine et sauve le paradis.

Dans les campagnes, beaucoup de vieilles personnes affirment que l'eau de pluie est un bon remède pour les yeux douloureux et que l'argent lavé dans cette eau ne sera jamais volé.

Au Pays de Galles, on croit qu'un nouveau-né baigné dans cette eau parlera plus tôt que les autres.

En d'autres lieux, on répète une superstition quelque peu bizarre voulant que pour faire cesser la pluie, l'aîné des enfants doit sortir, se déshabiller entièrement et faire le poirier !...

PLUVIER

D'une certaine façon, le pluvier peut être considéré comme un oiseau de mauvais augure puisqu'une superstition promet à ceux qui n'ont pas un sou en poche quand ils l'entendent pour la première fois, au printemps, qu'ils seront désargentés pour le reste de l'année.

Voir sept pluviers est de très mauvais augure. Mais on ignore pourquoi !

PLUVIER DORÉ

Au Pays de Galles, entendre le cri perçant et mélancolique du pluvier doré est considéré comme un présage de mort.

En maintes contrées, on prétend que ces oiseaux abritent les âmes des juifs qui participèrent à la crucifixion du Christ, d'où la tristesse de ces créatures errantes.

POINTS NOIRS

La superstition connaît un remède à ce désagrément alors que la médecine moderne, elle, reste impuissante : repérez un roncier formant une arche, par un jour ensoleillé, glissez-vous dessous, rampez d'avant en arrière aussi près que possible des épines. Si elles ne vous déchiquettent pas, vos points s'évanouiront et disparaîtront.

POIREAU

Au Pays de Galles, les pouvoirs du poireau sont établis de longue date. En des temps très reculés, les Gallois frottaient le légume sur toutes les parties de leur corps, persuadés qu'il les rendrait invulnérables dans les batailles et leur épargnerait les blessures.

Avoir un poireau sur soi — certains sportifs le font encore — est la continuation inconsciente de cette vieille superstition.

POISSON

Bien avant que la valeur nutritive du poisson fût connue, les mères pressaient leurs enfants de manger leur part pour grandir fort et sage — exactement comme elles le font encore aujourd'hui.

Dès les premiers temps, le poisson a été considéré comme porteur de sagesse et de savoir, et manger sa chair c'était acquérir ces qualités.

Aux États-Unis, la tanche jouit depuis des générations d'une excellente réputation. Elle avait la faculté de guérir certaines maladies — d'où son surnom, « docteur poisson ».

Le pêcheur en eau douce est, lui aussi, superstitieux. Parmi les croyances les plus connues le concernant, il y a celle qui veut que s'il arrête de compter le nombre de poissons qu'il a attrapés à un moment quelconque, il ne fera plus aucune prise ce jour-là. On dit aussi qu'un pêcheur à la ligne, droitier, ne doit pas lancer sa ligne de la main gauche (et inversement).

Rencontrer un perce-oreille en allant à la pêche est de bon augure ; les Écossais maintiennent que la seule façon de remédier à une situation quand le poisson ne mord pas est de jeter un pêcheur à l'eau puis de le tirer hors de l'eau comme une prise de concours ! Après avoir assisté à un tel spectacle, dit la tradition, le poisson ne pourra résister et suivra l'exemple de l'homme !

Au sujet de la pêche en mer, une des plus étranges superstitions dit que si un pêcheur et sa femme ont une querelle qui se poursuit jusqu'à ce que l'homme prenne la mer, alors il peut attendre une bonne pêche. La dispute, bien sûr, doit être naturelle et non simulée à dessein. Si un homme blesse sa femme et qu'elle saigne, la pêche sera exceptionnelle !

Bien des gens des régions côtières disent qu'il porte malheur de rencontrer une personne qui louche ou une femme qui porte un tablier blanc en se rendant à son bateau. Le seul moyen pour éviter le malheur est de rebrousser chemin et d'attendre la prochaine marée.

Un peu partout les pêcheurs croient que les poissons pressentent les périodes troublées et qu'ils désertent les côtes ravagées par des conflits, mais il est de bon augure que le premier pris du premier coup de filet soit une femelle.

Les Écossais ont un certain nombre de superstitions concernant la mer ; ainsi, il est très malchanceux pour un pêcheur qui jure d'utiliser le nom de Dieu à moins qu'il ne touche ensuite une pièce de métal. Ils croient, de plus, que les mots « cochon », « truie » ou « pourceau » ne doivent jamais être utilisés quand les filets sont mis à la mer ou la pêche sera perdue. Pourtant, l'antidote est à la portée de tous : il s'agit de toucher les clous de ses chaussures.

En certains points du monde, on pense qu'il est malchanceux en mer de nommer les choses appartenant à la terre par leurs vrais noms et, ainsi, certains substituts ingénieux, pour ne pas dire invraisemblables en résultent.

Dans le Yorkshire, on croit que la meilleure façon d'assurer une bonne pêche est de faire une petite entaille dans un des

225

flotteurs quand les filets sont mis à la mer et d'insérer dans la fente une petite pièce de monnaie. Elle sera prise, dit l'ancienne tradition, par le roi Neptune comme paiement des poissons retenus dans les filets. Et, il existe une autre croyance antique précisant qu'il est malchanceux de pêcher chaque jour de la semaine puisque c'est un signe d'avidité ; l'acte mérite donc une punition des dieux des profondeurs.

POMME

Selon la tradition, la pomme est le fruit avec lequel le Diable tenta Ève dans le jardin d'Éden.

La légende dit qu'en croquer une sans l'avoir, au préalable, fait briller, c'est lancer un défi à Satan.

En dépit de cette connotation, le pommier est universellement reconnu comme l'arbre du bonheur. Depuis les temps les plus reculés, les hommes considèrent que le fait de détruire pommiers ou vergers porte malheur.

Il existe bon nombre de croyances qui associent la pomme et l'amour. La plus populaire d'entre elles autorise une jeune fille à découvrir qui sera son futur mari. Pour ce faire, elle doit peler une pomme d'une seule traite et jeter l'épluchure au-dessus de son épaule gauche. Si la spirale reste en un morceau, elle tombera en dessinant la forme d'une lettre représentant l'initiale de l'homme en question. Si elle se casse, la demoiselle restera vieille fille

En Australie, on dit qu'une fille peut apprendre son avenir en coupant une pomme en deux la nuit de la Saint-Thomas, et en comptant les pépins. Un nombre pair signifie qu'elle se mariera prochainement, mais si un ou plusieurs pépins ont été fendus, sa vie sera perturbée et elle ne trouvera pas chaussure à son pied.

En Europe, on affirme que si une fille a plusieurs prétendants et qu'elle est incapable de choisir l'un d'entre eux, un pépin de pomme tranchera pour elle. Elle doit en prendre un et le jeter dans les flammes en prononçant le nom d'un de ses soupirants. S'il explose avec un bruit sec, l'homme « brûle » d'amour pour elle ; si le pépin reste muet, l'homme n'est pas amoureux.

En Allemagne, une croyance dit que si la première pomme

d'un jeune arbre est ramassée et mangée par une femme qui a eu beaucoup d'enfants, il vivra vieux et donnera de nombreux fruits.

Un adage, anglais celui-là, dit qu'un pommier qui fleurit hors saison alors qu'il porte encore des fruits est présage de mort dans la famille ; cependant, sur le continent européen, la même maxime signifie que le propriétaire peut aller chercher ailleurs la bonne fortune.

Laisser au sol une ou deux pommes tombées assure le bonheur aux esprits errants et porte chance.

En fin de compte, le proverbe « une pomme le matin chasse le médecin » est profondément enraciné dans la superstition, puisque la pomme est le fruit des dieux. La science lui reconnaissant maintenant des qualités bénéfiques, il y a donc plus qu'un fond de vérité dans cet axiome !...

POMME DE PIN

Les pommes de pin permettent, elles aussi, de prévoir le temps.

Si elles restent ouvertes, le temps est au beau fixe mais dès qu'elles se ferment, il faut s'attendre à de la pluie.

POMME DE TERRE

De nombreuses personnes accordent toujours foi à l'ancienne superstition prétendant que le meilleur remède contre les rhumatismes est de porter dans la poche de son manteau ou de son pantalon une pomme de terre. A la condition expresse qu'elle soit nouvelle et conservée jusqu'à ce qu'elle devienne noire et aussi dure que du bois.

En Europe, on dit que les pommes de terre ne doivent jamais être plantées le Vendredi saint ou elles ne pousseraient pas, et que la récolte sera bonne si chaque membre de la famille goûte celle du premier pied arraché.

N'oubliez pas de faire un vœu quand vous mangez des pommes de terre nouvelles, pour la première fois de l'année.

Aux États-Unis, on pense que si des pommes de terre cuites à l'eau sont desséchées, c'est signe de pluie.

PONT

En Europe, on considère que prendre congé d'un ami sur un pont est de mauvais augure. Cela signifie que vous ne le reverrez plus jamais.

Et encore, que passer sous un pont ferroviaire — à pied ou en voiture — quand un train le franchit n'apporte que des peines !

PORC

Plusieurs des activités des porcs sont, dit-on, des présages.

Ainsi, voir un porc tourner dans une porcherie ou dans un champ avec de la paille dans le groin annonce une tempête.

L'animal peut aussi pressentir un décès dans la famille de son propriétaire en poussant des geignements particuliers.

En Irlande, on affirme qu'un porc voit vraiment le vent — mais cette idée tient plus de la légende que de la superstition.

Les pêcheurs sont extrêmement superstitieux à propos de l'usage des mots « porc » et « cochon » ; s'ils les prononcent avant de lancer leur ligne, disent-ils, leur prise du jour sera maigre.

Un porc qui croise votre chemin est de mauvais augure dans de nombreux pays du monde et vous seriez bien avisé de vous retourner en attendant qu'il ait disparu.

En revanche, voir une truie en compagnie de sa portée est bénéfique et ce, quelle que soit votre occupation du moment.

PORTE

Dans le monde entier, on rencontre la même superstition qui veut que quand un enfant naît ou qu'une personne meurt, il convient d'ouvrir les portes afin que le processus se déroule le mieux possible.

Voici à présent deux croyances qui remontent à la nuit des temps :

— ne jamais quitter une maison dont toutes les portes sont ouvertes.

— ne pas ouvrir la porte d'entrée, si celle du jardin est fermée.

Ceci pour éviter que les mauvais esprits ne se faufilent à l'intérieur.

Les Romains, eux, considéraient qu'entrer du pied gauche

dans une maison portait malheur. Afin que cela ne puisse se produire, un serviteur, précurseur du suisse des temps modernes, était posté à l'entrée.

En Allemagne, les paysans prennent encore grand soin de ne pas claquer une porte dans une maison où quelqu'un vient de s'éteindre de peur de frapper son âme.

Toujours dans le même ordre d'idées, en Afrique, les indigènes veilleront au cours de l'année qui suit un décès à ce que la poussière balayée ne franchisse pas le seuil d'une porte de crainte qu'elle ne blesse l'âme délicate de leur défunt.

PORTRAIT

Comme pour les superstitions relatives au miroir, si un portrait ou une photographie tombe d'une étagère ou d'un mur, sans raison apparente, on dit qu'il annonce le décès de la personne représentée.

Les Américains sont convaincus qu'il est de très mauvais augure de placer un tableau la tête en bas et que le malheur s'abattra sur l'individu concerné.

Les Allemands croient, pour leur part, que la photo d'un être aimé suspendue au tableau de bord d'une voiture protège le conducteur du malheur.

POUDRE DE RIZ

Une superstition américaine veut qu'il est de mauvais augure de se mettre de la poudre de riz sur le visage. Le faire présage d'une dispute avec un ami.

POULE

« Une femme qui siffle ou une poule qui lance le chant du coq n'est bon ni pour Dieu, ni pour les hommes », dit une très ancienne tradition britannique dont les origines se perdent dans la nuit des temps.

La poule est un oiseau de mauvais augure et, si l'une d'entre elles caquette près d'une maison ou va se percher à une heure inhabituelle, elle annonce une mort dans la famille de son propriétaire.

On dit d'une poule qui commence à détruire ses œufs

qu'elle « a le diable en elle » et doit être tuée puisqu'elle pourrait apprendre à ses congénères à l'imiter.

En Grande-Bretagne, il était d'usage d'amener une poule dans la maison d'un jeune couple pour leur assurer le bonheur.

On dit encore que si les poules se rassemblent sur une butte ou un monticule et commencent à se nettoyer les plumes, c'est signe de pluie.

Les vignerons redoutent leurs poules, créatures très friandes de raisins. C'est la raison pour laquelle le jour de la Sainte-Judith ils cueillent des fleurs de vigne et les jettent dans l'eau destinée aux gallinacées. Ils récitent ensuite ces paroles incantatoires :
« Poule, poule blanche ou poule noire,
Ne va pas manger mon raisin blanc ou noir. »

POULETS

En Europe, nombre de paysans croient que si une poule pond un nombre pair d'œufs, il convient d'en enlever un, sinon les poussins n'écloront pas.

D'un autre côté, si tous les œufs d'une même ponte deviennent des poulets, cela portera chance à leur propriétaire et à sa famille.

De tout œuf pondu le Vendredi Saint, on dit que, préservé intact, il octroie vigueur et fertilité au poulailler.

Une superstition très commune dit que si une poule lance le chant du coq, elle annonce le Diable. Si un coq chante à la porte du jardin, la maîtresse de maison recevra la visite d'un étranger.

Dans les Midlands (Grande-Bretagne), une croyance veut que juste avant la mort d'un fermier, ses poules se perchent à midi et non à leur heure habituelle.

POUPÉES DE PAILLE

De nouveau au goût du jour, les charmantes petites poupées artisanales faites de paille sont considérées comme messagères de chance.

A l'origine, on les réalisait avec les gerbes des dernières moissons et l'on racontait qu'elles contenaient l'esprit du blé.

Malheureusement, à présent, en raison de la mécanisation, de telles traditions ne sont plus guère observées.

PRÉNOMS

En de nombreux points du globe, on rencontre une croyance superstitieuse tout aussi sinistre que tenace.

Elle dit que donner à un nouveau-né le même prénom que celui d'un autre enfant de la famille mort en bas âge, c'est le condamner au même sort.

D'aucuns prétendent que si on affuble un enfant et un animal domestique du même nom, le malheur frappera tant l'enfant que la bête.

Pendant des années, on a pensé qu'il portait malheur de révéler à des étrangers le prénom d'un enfant avant qu'il n'ait été baptisé.

Il porte bonheur, dit-on, de donner à un enfant le prénom d'une personne célèbre puisqu'on suggère que l'enfant héritera d'un peu de la bonne fortune de cette personne.

Dans les Midlands, en Grande-Bretagne, une curieuse croyance veut que toutes les filles prénommées Agnès deviennent folles tandis que tous les garçons portant le prénom Georges ne seront jamais pendus. Ce qui explique peut-être la popularité du prénom !

Pour finir, si vos initiales forment un mot, elles vous portent bonheur, mais une jeune fille doit se garder d'utiliser le nom propre de son futur époux, sinon le mariage n'aurait pas lieu.

PRÉSAGES DE GUERRE

De soudains et inattendus désordres électromagnétiques dans le ciel ont longtemps été considérés comme des présages de guerre. Deux des exemples les plus connus et les mieux observés ont été les éclairs vus au-dessus du Northumberland avant la rébellion des Stuart en 1715 et le célèbre désordre électromagnétique au-dessus du Michigan et de l'Ohio juste avant l'attaque japonaise de Pearl Harbor qui fit entrer les États-Unis dans la Seconde Guerre mondiale.

De grandes étincelles rouges vues dans les feux d'une

aurore boréale sont également des présages de guerre, selon une tradition européenne qui assimile lesdites étincelles au sang qui sera versé au cours d'un conflit.

En Suède, les vieilles personnes à la campagne croient que l'apparition de la huppe est signe de guerre — c'est étrange puisque l'oiseau est très fréquemment aperçu dans le pays... et pourtant chacun sait que les Suédois vivent en paix depuis un grand nombre d'années !

Pendant des siècles, les Anglais ont prié pour qu'il fasse beau et ensoleillé à la Saint-Paul (25 janvier) ; ils pensaient que si le soleil ne se montrait pas du tout ce jour-là, il fallait s'attendre à une guerre ou à d'autres catastrophes pour le pays dans un avenir très proche.

De tout temps, on a cru qu'il portait malheur de tuer un martinet ; à certains endroits, on croit que si ces oiseaux se battent entre eux, ils annoncent la guerre et la misère pour les êtres humains.

Quand à un moment donné, il naît plus de garçons que de filles, on dit que la nature se prépare à remplacer les jeunes hommes qui trouveront la mort dans le prochain conflit. Dans le même esprit, la superstition prétend que, pendant une guerre, il naît plus de garçons que de filles.

Les Vosgiens savent que deux volées de corbeaux se croisant au zénith augurent d'une guerre. Ailleurs, on dit la même chose d'un feu qui crépite dans une cheminée comme une mitraillette.

Les Anglais soutenaient, jadis, qu'un tambour appartenant à Francis Drake, l'illustre navigateur, battrait quand le pays serait en danger.

Les Américains pensaient, eux, que le fantôme d'Abraham Lincoln apparaîtrait à la Maison-Blanche lorsqu'un risque de guerre se profilerait à l'horizon.

Et pour finir, citons une superstition qui date quelque peu et qu'on ne peut plus tenir pour vraie, sinon nous serions constamment en lutte, puisqu'elle déclarait tout simplement que lorsque les enfants commençaient soudain à jouer à la guerre dans la rue, c'était le signe annonciateur d'un conflit réel.

PRÉSAGES DE MORT

Tout au long de ce dictionnaire, on rencontre un grand nombre de présages de mort.

En voici quelques-uns parmi les plus connus à travers le monde.

Trois coups frappés dans une chambre où une personne malade se repose annoncent que la mort a l'intention d'emporter une autre âme.

Voir un oiseau à la gorge blanche près de la chambre d'un malade ne vaut guère mieux.

Au Pays de Galles, découvrir la galerie d'une taupe dans la cuisine ou la buanderie signifie que la maîtresse de maison mourra au cours de l'année.

Parmi les autres faits et gestes des animaux supposés annoncer la mort, on trouve les chiens aboyant devant une porte ouverte, les poules pondant des œufs avec deux jaunes et les poissons émettant un bruit étrange quand on les sort de l'eau.

Il est intéressant de remarquer que le nécrophore doit son nom à une superstition selon laquelle l'entendre dans une maison annonce un décès dans la famille. L'insecte creuse le bois en silence et quand il émet un son rythmé, il appelle ses congénères.

Une ancienne tradition juive prétend qu'il est possible à un couple d'apprendre qui de l'homme ou de la femme mourra le premier. Il faut calculer la valeur numérique des lettres de leur nom (la formule étant A = 1, B = 2, ...). Si le résultat obtenu est un nombre pair, l'homme partira le premier ; si c'est un nombre impair, ce sera la femme.

PRÊTRES

En France, une étrange superstition — tout à fait inexplicable — veut que les prêtres soient plus prédisposés à être frappés par la foudre que l'immense majorité.

Aux États-Unis, on dit que rêver d'un prêtre est de très mauvais augure.

PRIMEVÈRES

Les Gallois croient que si les primevères fleurissent en juin, elles apportent la mauvaise fortune.

A la campagne, on recommande toujours d'offrir les primevères en bouquet.

Offrir une ou deux de ces fleurs, c'est non seulement offrir le malheur à la personne qui les reçoit mais aussi attirer le mauvais sort sur ses volailles.

Toutefois, ces fleurs sont une arme efficace contre les esprits du mal si elles sont nombreuses et entrent dans la composition de nombreux remèdes populaires, en particulier pour les insomnies.

PUCE

Ignorant le côté désagréable de la chose, les Allemands disent que si une puce vous mord la main, elle vous prédit qu'on vous embrassera ou que vous recevrez de bonnes nouvelles.

Une superstition européenne très originale assure que les puces n'entreront jamais dans un lit, s'il a été soigneusement aéré le Jeudi Saint.

Ajoutons que l'on-dit voulant que les puces désertent le corps de quelqu'un à l'approche de la mort est très connu.

PUDDING DE NOËL

Mélanger la pâte du pudding de Noël porte chance à tous ceux qui le font. Mais il est absolument essentiel de respecter le sens de la course du soleil (c'est-à-dire d'Est en Ouest) puisque cette coutume est une réminiscence d'une des plus anciennes façons d'honorer le dieu Soleil.

Chaque personne qui mélange la pâte peut faire un vœu et, aussi longtemps qu'elle le taira, il pourra devenir réalité.

PUITS

Un peu partout dans le monde, on connaît des puits au-dessus desquels on peut se pencher et faire un vœu.

Chacun d'eux a des pouvoirs particuliers.

Si la chance est attachée aux puits — du moins à certains — c'est parce que, jadis, on croyait qu'ils étaient le lieu de résidence des esprits, donc des endroits sacrés.

On disait qu'une pierre jetée dans l'eau révélerait ce que l'avenir réservait. Si des cercles apparaissaient à la surface de l'eau, les augures étaient bons ; mais si l'eau devenait trouble, la personne devait se méfier.

Précisons que de nos jours, une pièce de monnaie « marche » bien mieux qu'une pierre... Commerce oblige !

Q

QUARTZ

Les Basques accordent des pouvoirs bénéfiques au quartz — qu'ils nomment « fiente d'étoile » — s'il est débarrassé de sa gangue par une nuit de pleine lune.

R

RAIE

D'après une superstition commune à tous les pays d'Europe, une femme qui se lave les cheveux et découvre une raie inhabituelle mais naturelle dans sa chevelure peut interpréter ce fait comme la promesse qu'elle sera veuve un jour.

RAMONAGE

Une très ancienne superstition assure que si une jeune mariée rencontre un ramoneur en sortant de l'église, c'est un signe de chance et de bonheur pour le reste de ses jours. Voilà qui explique la popularité de ces « messieurs » aux cérémonies de mariage. Mais, bien sûr, pour s'attacher la bonne fortune, la mariée doit embrasser son visage tout barbouillé de suie.

Pourquoi les ramoneurs portent-ils chance ?

Cette croyance a la vie dure en Europe, en Grande-Bretagne et aux États-Unis.

On a suggéré qu'un jour, un ramoneur avait sauvé la vie d'un roi d'Angleterre et que pour montrer sa gratitude, le monarque se découvrit et s'inclina devant son sauveur. Cependant, le roi et ses courtisans n'avaient aucun moyen pour reconnaître l'homme parce qu'il était tout noir de suie, mais nul ne désirait offenser un homme qui avait fait montre d'un si noble courage. On prit donc l'habitude de témoigner du respect à tous les ramoneurs. Ce pourrait être l'origine de la superstition.

Tous les turfistes qui croisent un ramoneur en se rendant sur le champ de courses peuvent parier, ils gagneront.

De toute manière, pour se concilier la chance, il faut toucher l'homme ou, mieux encore, lui serrer la main.

A ce propos, l'anecdote suivante est intéressante. En 1947, avant son mariage avec la Princesse Elizabeth — l'actuelle Reine Elizabeth —, le futur Prince Philipp quitta son appartement de Buckingham Palace pour serrer la main d'un ramoneur qui flânait dans les environs !

La suie, quant à elle, est annonciatrice d'un autre mariage. Mais si, pendant les agapes d'un repas de noces, de la suie tombe dans l'âtre, c'est un présage de mauvais augure. Il signifie, en effet, que le couple ne profitera pas ensemble du meilleur de la chance promise.

RASOIR

Il est maléfique d'offrir à un parent ou à un ami un rasoir : cela « coupe » l'amitié.

En Europe et aux États-Unis, trouver un rasoir est un présage de malchance et de désillusions.

RAT

Voir des rats déserter un navire alors qu'il est encore au port est de très mauvais augure.

Cette superstition est toujours rencontrée un peu partout à travers le monde, en dépit du fait que ces créatures soient de moins en moins nombreuses à notre époque.

En revanche, si des rats montent à bord d'un nouveau bâtiment, il n'y a pas de souci à se faire.

L'origine de cette croyance réside dans l'ancienne idée que les rats contenaient les âmes de défunts et étaient donc des créatures inquiétantes dont les actions devaient être prises en compte.

Des rats quittant une maison, sans raison apparente, annoncent, dit-on, son écroulement, tandis que si, soudain, ils rentrent dans une habitation, un membre de la famille va mourir.

Si ces animaux commencent à ronger des meubles en

particulier ceux d'une chambre, c'est également un présage de mort.

Il existait nombre de charmes et de remèdes pour se débarrasser des rats mais tous semblent être tombés en désuétude avec l'apparition des pesticides modernes.

Un peu partout dans le monde, on entend dire qu'un enfant qui perd une dent doit la jeter en demandant aux rats de lui en « envoyer une plus résistante ». Une fois adulte, il aura, affirme-t-on, une bonne dentition.

RATEAU

Les vieux jardiniers britanniques disent d'un râteau qui tombe, par accident, les dents en l'air qu'il annonce pour le lendemain une pluie diluvienne.

RELIGIEUSE

Aux États-Unis, une superstition prétend que regarder un couvent de religieuses porte malheur.

A une certaine époque, il en fut de même en Grande-Bretagne, et les marins pêcheurs pensent encore qu'il est maléfique de rencontrer une religieuse, un prêtre ou un pasteur avant d'embarquer. Face à cette situation, il n'y a aucune alternative, il faut se résoudre à rebrousser chemin et à ne pas prendre la mer.

Les religieuses sont regardées avec crainte si elles se joignent aux passagers d'un avion. Pourtant, jadis, les groupes d'au moins trois religieuses étaient supposés porter bonheur.

En certains lieux, on va jusqu'à dire qu'en crachant au passage des religieuses on peut se concilier une chance extraordinaire !

REMARIAGE

Les Allemands ont une charmante croyance à propos du remariage d'un veuf. Ils disent que le fantôme de sa première épouse prête attention au mariage : si « il » apprécie son choix, « il » ne troublera pas l'assemblée. Mais, méfiance, si « il » n'apprécie pas !

RENARD

Les Gallois croient que voir un renard solitaire est signe de chance, mais il n'y a rien de bon à espérer si une bande de ces carnassiers croisent votre chemin. Des renards qui courent près d'une maison indiquent qu'un désastre, voire une mort, suivra leur passage.

REQUINS

Des requins qui suivent un bateau, surtout s'ils sont trois, annoncent un décès à bord sous peu.

Les marins superstitieux disent que les requins flairent la mort. Mais, de nos jours, la présence de ces créatures s'explique par leur espoir de recevoir les restes de nourriture jetés par-dessus bord.

D'ailleurs, on connaît un bien meilleur exemple d'un animal qui prévoit la mort, il s'agit du vautour planant au-dessus du voyageur épuisé dans le désert.

RESTES

Aux petites Anglaises et aux petites Allemandes, on a dit pendant des générations que si elles finissaient les restes d'un plat, elles resteraient vieilles filles !

Gageons, cependant, que l'objectif premier de cet avertissement était l'acquisition des bonnes manières.

Les fillettes américaines ont plus de chance puisqu'on leur apprend que celle qui mangera le dernier morceau de gâteau, à l'heure du thé, se mariera la première.

RÊVES

Les superstitions et les présages relatifs aux rêves sont légion ; les gens, depuis les temps les plus lointains, sont convaincus que les images produites pendant le sommeil prédisent l'avenir. C'est un sujet si vaste qu'il demanderait un ouvrage à lui tout seul.

D'après certains peuples, comme les Indiens d'Amérique du Nord, les rêves seraient causés par l'âme qui quitte le corps durant le sommeil et se promène en d'étranges régions.

Les Britanniques comme les Américains disent qu'il porte chance d'oublier ses rêves de la nuit précédente mais si vous faites le même rêve trois fois de suite, vous pouvez être assuré qu'il se réalisera.

Dans plusieurs pays, l'Inde et le Japon par exemple, les rêves sont interprétés comme signifiant l'opposé de ce que vous avez rêvé.

Maintes gens s'accordent à dire que si vous avez fait un mauvais rêve, vous pouvez vous débarrasser de ses effets ultérieurs en crachant simplement trois fois dès que vous vous éveillez !

RHUMATISMES

Les superstitions concernant les remèdes contre les rhumatismes sont innombrables ; elles enjoignent de porter une pomme de terre dans sa poche ou la patte d'un lapin, de ramper sous un roncier ou même de se faire piquer par des abeilles à l'endroit affecté !

Le poivre vert sous les ongles est réputé dispenser une odeur qui éloigne « l'esprit » du rhumatisme, tandis que les Gallois croient que le seul moyen de soulager quelqu'un est de le dévêtir entièrement, puis de l'enterrer jusqu'au cou dans un cimetière pendant deux heures. Ce procédé peut être répété, sans inconvénient, tous les jours jusqu'à ce que la guérison soit effective !

Quant aux Américains, ils clament qu'un fil rouge noué autour de la région atteinte est un remède satisfaisant ; toutefois, s'il s'agit des chevilles, le coton semble plus indiqué.

RIRE

A la campagne, dans de nombreux pays, les gens qui rient pour un oui, pour un non, sont mal vus. On dit d'eux qu'ils sont possédés par l'hilarité du démon et qu'ils ne vivront pas vieux.

Dans certains coins, en Grande-Bretagne, on entend dire que rire avant le petit déjeuner signifie qu'on pleurera avant la nuit.

ROITELET

De nos jours, le roitelet est bien considéré, tout comme le

rouge-gorge ; mais, des générations durant, il a été chassé sans merci à des fins commerciales.

On croyait que les plumes de l'oiseau protégeaient les individus de la noyade. Aussi, un commerce vivant et profitable s'était-il développé autour des marins et des pêcheurs.

Fort heureusement, cette cruelle et vaine superstition a disparu. Dorénavant, il porte malheur de tuer cet oiseau, surtout pour les marins et les fermiers.

Les Anglais croient que quiconque s'en prend à l'oiseau ou détruit son nid, se brisera un membre peu de temps après.

En France, nous racontons à nos enfants que s'ils touchent au nid du roitelet, ils auront une poussée de très vilains boutons !

ROMARIN

Jadis, on racontait que le romarin était une protection contre la sorcellerie s'il poussait près de la porte d'une maison.

En Europe, il entrait dans la composition de différentes potions pour chasser les prétendues sorcières.

Dans le Nord de l'Angleterre, une superstition veut qu'un brin de romarin porté à la boutonnière assure le succès et surtout fortifie la mémoire.

Parmi les superstitions les plus curieuses à son propos, on trouve : il ne pousse que là où une femme porte la culotte ; les cuillères faites en bois de romarin donnent bon goût à la nourriture la plus insipide ; en France, on dit même qu'un peigne en bois de romarin fait pousser les cheveux et qu'une pincée de romarin dans un baril de bière empêche tous ceux qui en boivent d'être ivres !

RONCIER

Ce buisson est réputé efficace pour guérir nombre de maladies allant des points noirs aux furoncles en passant par les rhumatismes et la coqueluche. Le remède est simple, pour guérir, le malade doit passer sous l'arche naturelle d'un roncier (Voir Mûres).

ROSE

Si, en saisissant une rose, les pétales tombent et que vous n'ayez plus que la tige en main, sachez que vous mourrez bientôt.

On dit qu'il porte malheur d'éparpiller les feuillages de roses au sol.

Si les roses fleurissent à l'automne, elles annoncent un malheur quelconque durant l'année suivante.

Comme tant d'autres superstitions, celles associées aux roses nous viennent des Romains qui croyaient que la rose protégeait les morts des mauvais esprits et l'utilisaient pour décorer leurs tombeaux.

Toutes les croyances relatives à la rose ne sont pas sinistres. Une jeune fille peut deviner qui sera l'homme de sa vie grâce à elle. Pour ce faire, la veille de la Saint-Jean, elle doit envelopper soigneusement une rose dans un papier blanc et la conserver en parfait état jusqu'au jour de Noël. Si elle la porte au revers de son col, qui que soit le premier homme à lui en faire compliment, il lui est destiné !

ROSEAU

Le roseau est, dit-on, maléfique s'il est planté près d'une maison puisqu'il mène à la mort.

ROSÉE

En Europe, à la campagne, une croyance superstitieuse dit que la rosée peut être utilisée par les femmes en tant que produit de beauté et, si on se fie aux histoires racontées à propos de ses bienfaits, elle est de loin bien plus efficace que tous les produits de toilette disponibles de nos jours sur le marché !

La rosée recueillie à l'aube du 1er mai et étalée sur le visage assure une carnation splendide pendant les années à venir tandis que celle recueillie le 1er février confère à la peau de votre corps une grande douceur.

Aux États-Unis, on entend dire que si l'herbe est mouillée le matin, il ne pleuvra pas, en revanche, si elle est sèche, il pleuvra.

ROUGE-GORGE

La superstition maintient que cet oiseau a reçu sa fameuse gorge rouge en essayant de retirer les épines de la couronne du Christ.

Cela suffit pour qu'on en ait déduit que la plus implacable malchance s'abattrait sur ceux qui les tueraient ou les mettraient en cage.

D'ailleurs, une croyance très vivace promet aux mêmes personnes que celle de leurs mains qui tuera l'oiseau tremblera à tout jamais.

Les Irlandais croient que si vous tuez un rouge-gorge, une excroissance de chair se formera dans votre main droite et vous empêchera de travailler.

Dans le Yorkshire (Grande-Bretagne), les paysans disent que si le coupable possède une vache, elle donnera un lait couleur de sang.

Faire du mal au rouge-gorge est, de toute façon, de mauvais augure ; ainsi, si vous lui cassez une aile, vous vous casserez un bras, etc. Si vous cassez un de ses œufs, quelque chose vous appartenant se brisera...

Le rouge-gorge est, également, un présage de mort. Si, empruntant une fenêtre ouverte, il vole dans une maison ou s'il frappe à la vitre d'une chambre où repose un malade, celui-ci mourra.

Les activités du rouge-gorge permettent de prévoir le temps.

Voir un rouge-gorge abrité dans les branches d'un arbre ou d'une haie est signe de pluie, tandis que s'il est installé sur une branche découverte et qu'il piaule — qu'il fasse sombre ou qu'il pleuve à ce moment-là — le beau temps arrive. Pour les gens de la campagne, qui vole les œufs d'un rouge-gorge court à la catastrophe.

Même le chat, dit-on, respecte le caractère sacré de l'oiseau.

Quand vous apercevez le premier rouge-gorge de l'année, faites un vœu — mais vite — car, si l'oiseau disparaît avant que vous n'ayez décidé ce que vous désirez, vous n'aurez pas un seul jour de chance durant les douze prochains mois.

ROUILLE

Bien que vous puissiez trouver très ennuyeux que vos clés ou vos couteaux rouillent continuellement, rassurez-vous en songeant à l'ancienne superstition affirmant que quelqu'un, quelque part, gagne de l'argent dont vous hériterez plus tard !

ROYAUTÉ

Les rois et les reines étaient, jadis, regardés comme des demi-dieux ; un certain nombre de superstitions se développèrent donc autour des monarques dont une ou deux sont encore entendues de nos jours.

Ainsi, en Grande-Bretagne, quand un roi meurt — quelle que soit la saison — on dit qu'il y aura une période de mauvais temps connue sous le vocable « la tempête royale ».

RUBAN

Un ruban rouge ceignant la tête d'une fillette lui porte chance et la protège des mauvais esprits, d'après une superstition allemande.

En Grande-Bretagne, un ruban de soie autour de la gorge combat la maladie.

En Orient cependant, les rubans de couleur ne doivent jamais être portés sur la tête après le crépuscule puisqu'ils attirent l'œil du diable.

S

SAIGNER DU NEZ

Saigner du nez est de mauvais augure.

Cependant, une vieille superstition anglaise dit que si la personne est en compagnie d'un individu du sexe opposé pour lequel elle ressent une attirance, c'est la preuve que leur amour est réciproque.

Une seule goutte de sang s'écoulant de la narine gauche annonce la bonne fortune. Plus d'une goutte de sang prédit une maladie sérieuse pour l'un des parents du patient.

De nos jours, beaucoup des anciens remèdes à cette affliction ont été abandonnés. Ils étaient si complexes et si désagréables que nul ne s'en étonnera !

Ainsi, un remède prescrivait au patient de transpercer un crapaud et de porter sa dépouille dans un petit sac autour du cou !

La seule superstition ayant survécu suggère d'appliquer une clé à la base du cou, mais la recommandation ajoutant que la tête doit être renversée en même temps trahit le « secret » de la guérison — aider l'écoulement de sang à s'arrêter par ses propres moyens.

Dans certains États américains, les paysans prétendent qu'une hémorragie nasale peut être stoppée en introduisant la queue d'un chat dans la narine et, si cela échoue, ce n'est pas grave — il y a mieux ou plus simple selon les opinions — : placer un petit tampon de papier journal au-dessus de la lèvre supérieure !...

SAINT CHRISTOPHE

Les médailles à l'effigie de saint Christophe sont, depuis quelques décennies, de plus en plus populaires, en particulier accrochées dans les automobiles.

Saint Christophe serait le patron des voyageurs et, à ce titre, protégerait du danger tous ceux qui sont sur les routes.

Toutefois, il existe un doute certain tant parmi les historiens que parmi les ecclésiastiques quant à l'existence réelle de saint Christophe.

SAINT-JEAN

En haute Provence, une vieille coutume commande aux fiancés de passer la nuit la plus courte de l'année près de l'ermitage de Saint-Jean-du-Désert pour que leur union soit heureuse. Ils s'assurent une protection magique en brûlant, à minuit, qui des sexes masculins en paille, qui des simulacres de sexes féminins. Ils se recouvrent ensuite le visage de boue et dansent en farandole.

SAINT VALENTIN

Le jour de la Saint-Valentin (14 février) est, sans conteste, le jour le plus important pour les amoureux.

L'idée originale voulait qu'hommes et femmes échangent des cartes qu'ils avaient imaginées et dessinées eux-mêmes ; cette charmante coutume est tombée dans le gouffre de l'oubli, cédant sa place à la très prospère industrie des cartes postales imprimées.

Saint Valentin était un jeune prêtre qui fut tué pour avoir défié un édit interdisant aux jeunes gens de se marier puisque le mariage faisait d'eux de pauvres soldats. Cependant, la même date honore deux dieux grecs qui, eux, symbolisaient la femme et le mariage.

Le crocus jaune est l'emblème du jour et une jeune fille rencontrera sûrement un prétendant si elle en porte un à sa boutonnière.

Les Britanniques et les Américains disent qu'une fille peut deviner quelle sorte d'homme elle épousera selon le premier oiseau qu'elle aperçoit le jour de la Saint-Valentin. Voici la liste la plus digne de confiance :

Un merle pour un homme d'église ou un pasteur ;

Un rouge-gorge pour un marin ;

Un chardonneret (ou tout oiseau jaune) pour un homme riche ;

Un moineau pour un fermier ;

Un bec-croisé pour un homme raisonnable ;

Une colombe pour un homme bon.

Mais si la jeune fille voit un pic-vert, elle restera vieille fille.

On doit encore ajouter qu'il ne faut jamais signer une carte de Saint-Valentin puisqu'en le faisant, on voue à l'échec son amour !

SAMEDI

Il y a une croyance bizarre à propos du samedi rencontrée dans la plupart des pays européens ; elle veut que le soleil brille toujours ce jour-là — ne serait-ce que quelques instants. Encore faudrait-il le prouver !

En Irlande, on dit qu'un arc-en-ciel un samedi annonce une semaine pluvieuse, tandis que les Écossais prétendent que quiconque, né un samedi, a la faculté de voir les fantômes.

En Europe, en maints endroits, on répète que changer de travail un samedi — ou un dimanche — signifie qu'on tombera malade.

En Inde, le samedi est un jour maléfique parce que dédié à Sani, le dieu du malheur.

Cependant, le samedi est un bon jour pour raconter, à vos parents ou amis, tout rêve agréable que vous avez fait durant la nuit, si vous le faites, le rêve deviendra réalité.

SANDALES

Les Japonais croient qu'il porte malheur de porter de nouvelles sandales, pour la première fois, après dix heures.

SANG

En Grande-Bretagne, dans certaines régions, on rencontre une vieille superstition qui veut qu'une goutte de sang prélevée au petit doigt de la main gauche d'un homme et mise subrepticement dans le verre d'une femme rendra celle-ci passionnément amoureuse de lui.

On soutient également que quiconque saigne la veille de la Toussaint ne vivra guère au-delà.

SANTÉ

Dans les campagnes britanniques, une superstition veut que dire qu'on se porte « très bien » en réponse à une question sur son état de santé est de mauvais augure. Mieux vaut trouver un qualificatif quelconque à moins de préférer les ennuis.

SAUGE

La sauge est considérée comme une plante bénéfique, capable d'apporter la sagesse et de fortifier la mémoire.

Pendant des années, on a dit que si la sauge poussait à profusion dans un jardin, c'est qu'une femme autoritaire vivait dans la maison. Ce qui explique, peut-être, pourquoi tant de jardiniers du sexe dit fort restreignent toujours sa pousse à un petit carré du potager !

La plante est aussi connue pour être un présage de bonne santé ; si un brin est accroché dans la cuisine quand un membre de la famille est en voyage, tant qu'il ne s'abîme pas on peut penser que l'absent est heureux et en pleine forme.

Dans de nombreuses régions, on dit que manger de la sauge en mai assure la longévité, mais qu'en aucun cas il ne faut lui permettre de fleurir ou le malheur s'abattra sur la famille.

SCARABÉES

Un scarabée qui marche sur une chaussure est un présage de mort.

Si l'un d'entre eux sort d'une de vos chaussures abandonnées près de la porte d'entrée, la guigne vous attend.

Une superstition écossaise vous promet la malchance si cet insecte pénètre chez vous alors que vous êtes à table. Et sachez que l'écraser n'arrange pas les choses !

En Europe, on entend souvent dire qu'un scarabée annonce une épouvantable tempête.

Souvenez-vous que partout, le scarabée est le messager du mauvais sort.

SCIATIQUE

A part quelques rituels complexes, maintenant disparus depuis longtemps, certaines personnes à la campagne tiennent encore en grande estime le fait de porter sur soi un os de mouton ou une rondelle de pomme de terre pour prévenir ou guérir une sciatique.

SEAU

Si vous passez près d'un seau plein de liquide — peu importe sa nature — en quittant votre domicile le matin, votre journée s'annonce bonne. Mais s'il est vide, gare aux ennuis !

SEINS

Dans le Devon, on entend dire une chose extraordinaire : une femme qui a les seins douloureux peut guérir en se rendant à l'église à minuit. Une fois rendue dans les lieux, elle doit subtiliser un peu de plomb d'un des vitraux et le modeler en forme de cœur, passer cette amulette dans une chaînette et porter cette parure autour du cou *ad vitam aeternam*.

SEL

Le sel tient évidemment une large place dans la superstition. Qui n'a jamais entendu dire que la malchance tombe sur quiconque ayant renversé du sel n'en a pas jeté une pincée par-dessus son épaule ?

Bien que ce geste soit connu du monde entier, ses origines sont obscures. On pense qu'elles pourraient remonter aux époques où le sel était tenu pour sacré — précisons qu'il n'était pas seulement essentiel mais aussi très difficile à obtenir.

Certaines autorités en la matière avancent que la superstition est en relation avec le fait que Judas prétendit avoir renversé du sel durant le Dernier Repas des Apôtres. En jetant du sel par-dessus son épaule gauche, on se prémunit donc contre l'infamie.

D'aucuns prétendent que les mauvais esprits se cachant du côté gauche, le sel les aveugle et protège de leurs agissements.

Au Danemark, il porte bonheur de renverser du sel s'il est sec, seul le sel mouillé porte malheur !

Dans tous les événements importants de la vie, le sel a une

place privilégiée et bien des gens présentent du sel à un nouveau-né afin qu'il ne manque de rien dans la vie. De plus, l'épice est censée protéger l'enfant des sorcières et des mauvais esprits à cette période vulnérable de son existence. Ces créatures étant contraintes, dit-on, de compter chaque grain avant qu'elles ne puissent entreprendre leurs méfaits, elles n'ont naturellement pas le temps de terminer leur tâche !

En Europe, on rencontre toujours des gens qui portent sur eux une petite quantité de sel pour assurer que leurs entreprises soient couronnées de succès, et en prennent une pincée dans la main quand elles sortent la nuit pour les protéger des hôtes des ténèbres.

On ne doit pas saler ses aliments soi-même, les dîneurs doivent le faire les uns pour les autres.

Le sel étant également un symbole d'amitié, faire tomber une salière annonce qu'une de vos amitiés est sur le point d'être rompue.

En maints endroits en Europe, il est encore en usage de saupoudrer les marches d'une maison neuve avec du sel pour chasser les mauvais esprits, ou encore d'en prendre une pincée en apportant le premier objet dans une nouvelle demeure.

Il est, aussi, associé aux pleurs.

Par exemple, aux États-Unis, on dit que chaque grain de sel renversé, c'est un jour de tristesse. Cependant, il existe un moyen pour ne pas pleurer — les grains doivent être rassemblés et jetés sur la cuisinière (toujours au-dessus de l'épaule gauche) pour sécher les larmes !

En Italie et en Russie, le sel est maléfique ; il n'est jamais directement offert par un ami à un autre, ni par un hôte à un invité.

A la condition expresse d'avoir une bonne vue, on peut utiliser le sel pour prévoir l'avenir. Voici comment procéder : la veille de Noël, laissez un petit tas de sel sur la table ; si le lendemain matin, il est intact, l'avenir s'annonce sous de bons auspices. Mais si quelques grains ont bougé, c'est un présage de mort.

Pour terminer, voici une superstition peu courante, d'origine allemande, qui veut que si une jeune fille oublie de mettre la salière sur la table, cela signifie qu'elle n'est plus vierge !

SEPT

Le chiffre sept est associé à maintes superstitions et considéré tant comme un chiffre mystique que porte-bonheur.

L'origine réside dans un passé lointain et obscur et, bien sûr, fait référence à la création du monde elle-même qui aurait, dit-on, pris sept jours.

Pour se convaincre de son importance, il suffit de relire l'Ancien Testament.

Dans la vie quotidienne, on dit qu'un septième enfant porte bonheur ; que le septième fils d'un septième fils n'est pas seulement béni mais a le pouvoir de guérir la maladie — et, d'après les Écossais, il possède le don de double vue et a la faculté de prédire l'avenir.

Un peu partout à travers le monde, on entend dire que si la date de naissance d'une personne est divisible par sept, elle aura de la chance toute sa vie.

En Grande-Bretagne, une croyance bizarre semble accorder quelque importance aux fameuses « sept années de réflexion ». En effet, d'aucuns pensent que tous les sept ans, la personnalité d'un individu subit une transformation radicale. Cette superstition est liée à l'expression souvent utilisée par les parents des enfants indisciplinés : « Un enfant difficile à sept ans deviendra un enfant modèle à quatorze ans ! »

Ne parle-t-on pas non plus en France de l'âge de raison et des sept premières années de mariage ?

SERRER LA MAIN

Si, par hasard, vous serrez deux fois la main de quelqu'un en quittant une assemblée, recommencez une fois de plus avant de partir ; c'est le seul moyen d'éviter la malchance associée à cette étourderie.

SERVEURS

Les garçons de restaurant partagent tous la même croyance D'après eux, il est de mauvais augure qu'un client s'asseye une place autre que celle qui lui a été désignée.

252

Sans que l'on sache très bien pourquoi, ils prétendent que recevoir tôt dans la journée un bon pourboire augure mal du reste de leur service.

De plus, ils appréhendent de servir un client manchot.

SERVIETTE DE TABLE

Le savoir-vivre enseigne de toujours plier sa serviette de table après le repas. Pourtant une superstition anglaise maintient que si vous le faites lorsque vous rendez visite à quelqu'un, pour la première fois, vous ne reviendrez plus jamais à cet endroit.

Toutefois, si vous y séjournez, pour un certain temps, il est dans les usages de ranger votre serviette et, dans ce cas, il n'y a pas de désagrément à redouter.

SEXE

La survie de la plupart des extraordinaires superstitions qui entouraient le sexe s'explique par le fait qu'il a longtemps été un sujet tabou. Ce n'est que très récemment qu'on a commencé à en discuter un peu plus librement entre jeunes et vieux. Il se peut que la plus connue de ces croyances soit celle selon laquelle un homme ayant de grandes mains et de grands pieds était doté d'un énorme pénis ; dans le même esprit, on disait qu'une femme ayant une grande bouche avait un vagin large.

On rencontrait fréquemment aussi la croyance voulant que les Latins et les hommes des pays chauds possédaient de plus grandes capacités sexuelles que les autres à cause du pouvoir générateur du soleil.

Dans le même esprit, les hommes dont le système pileux était très développé étaient plus puissants que les autres.

A de telles superstitions, on peut ajouter l'idée que les rapports sexuels affaiblissent le cœur et conduisent à la cécité, ou encore que la masturbation est contraire à la santé.

A ces anciens mythes sont venues s'ajouter quelques superstitions modernes assez spéciales. Jugez donc : les lampes à bronzer favorisent l'activité sexuelle ; les jeunes filles qui portent des verres de contact ne peuvent pas prendre la pilule ; et, pour couronner le tout, la cérémonie de mariage confère l'immunité contre les maladies vénériennes !

Les États-Unis sont devenus le foyer des plus étranges superstitions, jamais rencontrées ailleurs.

Ainsi, les blondes y sont réputées muettes mais plus ardentes que les brunes. Cependant, les rousses sont, dit-on, encore plus enthousiastes.

Certains hommes disent qu'avoir des relations sexuelles avec une femme réglée conduit à la calvitie, voire à l'impuissance. Les jeunes filles, quant à elles, affirment qu'une douche au Coca-Cola empêche de se trouver enceinte — vraisemblablement il s'agit d'une version moderne du bain chaud additionné de larges rasades de gin.

Il ne fait cependant aucun doute que tant que les hommes et les femmes prendront plaisir à faire l'amour, de telles superstitions viendront pimenter le sujet.

S'HABILLER

Enfiler un vêtement par la manche gauche porte malheur.

De la même façon, boutonner « samedi avec dimanche » vous apporte l'infortune à moins que vous ne vous déshabilliez immédiatement pour recommencer.

Pour vous assurer la chance quand vous étrennez un vêtement, certains disent que vous devez demander à un ami de vous pincer !

En général, on s'accorde à reconnaître qu'il porte chance de mettre ses vêtements à l'envers mais n'oubliez pas qu'il faut les y garder !

Si en cousant une nouvelle robe, une fille casse son aiguille ou se pique le doigt, on prétend que cette étourderie lui annonce que quelqu'un l'embrassera quand elle la portera.

SIFFLER

En certains lieux, siffler porte malheur.

Ainsi aucun mineur ne sifflera dans la galerie d'une mine par crainte d'un coup de grisou et aucun marin ne sifflera en mer par crainte d'une tempête.

Les gens de théâtre disent pour leur part que siffler dans un théâtre — en particulier dans les loges des comédiens — voue à l'échec le spectacle.

« Une femme qui siffle et une poule qui fait le chant du coq » sont, dit-on, deux des créatures les plus malchanceuses qu'on puisse rencontrer, bien que les explications alléguées ne soient pas convaincantes.

Quelques érudits prétendent que cette idée trouve ses racines dans la légende voulant qu'une femme se soit mise à siffler alors qu'on fabriquait les clous qui servirent à crucifier le Christ.

SODOMIE

Un récent rapport a mis en évidence une extraordinaire croyance encore en vigueur en Iran et en Chine, à savoir que la sodomie était un remède aux maladies vénériennes !

SŒURS

La superstition allemande n'est guère enthousiaste concernant des sœurs qui se marient le même jour (même à une année de distance), et dit que l'une d'entre elles, voire toutes deux, aura un mariage malchanceux.

SOLEIL

En raison de l'adoration que les premiers hommes vouaient au soleil, on croyait qu'il portait malheur de faire des gestes insultants vers lui, tels que le montrer du doigt. Nul n'ignore les dictons « le soleil ne brille que pour les justes » et « heureuse la mariée si le soleil brille ».

Dans de nombreux pays à travers le monde, on rencontre une superstition qui veut que si le soleil « cache son visage », le malheur et les catastrophes ne tarderont pas. Aujourd'hui, on sait que de tels phénomènes ne sont — et n'étaient — que des éclipses, et que la mauvaise fortune ne leur est pas forcément attachée.

Les Anglais disent que quiconque né à l'heure du soleil levant est intelligent et vif tandis que celui né au soleil couchant est fainéant et lent.

SORCELLERIE

La peur du Diable, des mauvais esprits et des sorcières est

sous-jacente dans presque tous les présages et les superstitions.

Le sujet est vaste et il a déjà été traité par un grand nombre d'auteurs.

La crainte des personnes ayant vendu leur âme au Diable atteignit son paroxysme en Europe, au Moyen Age, époque à laquelle les gens essayèrent de fournir des explications surnaturelles à tout ce qu'ils ne parvenaient pas à comprendre immédiatement.

On accusa de sorcellerie bien des hommes et des femmes qui n'étaient rien de plus que de simples guérisseurs, et d'autres furent torturés et mis à mort durant les chasses aux sorcières qui ne prirent fin que sous le règne de Louis XIV, lorsque Colbert gracia les sorciers condamnés à mort par le Parlement de Rouen et interdit aux tribunaux d'admettre à l'avenir ce chef d'accusation.

La peur de la sorcellerie est un phénomène universel — encore vivace de nos jours dans certaines parties du monde. Le nombre de charmes pour s'en protéger est remarquable, d'autant plus que tous sont très semblables dans tous les pays, malgré les distances.

SORT

Pour conjurer le mauvais sort, les marins corses en posant le pied sur la terre ferme sont tenus de ramasser quatre cailloux. Ils dessinent un signe de croix en jetant le premier devant eux, le deuxième derrière eux, le troisième à leur gauche et le quatrième à leur droite.

SOUFFLER LES BOUGIES

Lors d'un anniversaire, souffler les bougies est un acte important. Si la personne fêtée les souffle toutes en une seule fois, il ou elle peut compter sur la chance pour l'année qui vient.

Nous devons cette superstition universelle aux Grecs qui affirmaient que les bougies symbolisaient la vie et que leur nombre devait être égal au nombre d'années qu'un individu avait déjà passé sur terre.

On peut aussi faire un vœu en soufflant les bougies et si l'on parvient à les souffler toutes à la fois, il se réalisera à condition de taire le souhait bien sûr !...

SOURCILS

Un vieil on-dit affirme que « ceux dont les sourcils se rejoignent ne connaîtront jamais de problèmes » et auront toujours de la chance.

Pourtant, dans certains pays européens, une telle personne est réputée menteuse et même être un vampire ou un loup-garou !

SOURIS

Dans plusieurs traditions, on dit que les souris sont les âmes des personnes qui ont été assassinées.

Si une de ces créatures grignote soit un vêtement, soit un sac de farine, durant la nuit, c'est la manifestation d'un esprit malveillant.

Autrefois, la souris entrait dans la composition d'un grand nombre de remèdes de bonnes femmes. Elle était fameuse, une fois grillée, rôtie ou cuisinée, pour son efficacité à guérir la rougeole, la coqueluche et l'incontinence.

En tant que présage, rencontrer une souris durant un voyage est maléfique ; entendre une souris pousser des cris aigus près du lit d'un blessé signifie que ce dernier ne se rétablira pas.

Un peu partout, les gens croient qu'une souris qui grimpe dans une maison où elle n'était jamais allée, auparavant, annonce une mort imminente dans la famille.

Dans certaines régions, en Allemagne, une souris blanche porte bonheur ; inutile de préciser qu'en revanche, en tuer une porte malheur.

Les Écossais ont, eux, une méthode absurde et cruelle pour se débarrasser des souris. Ils recommandent d'en attraper une et de l'accrocher près d'un feu par la queue ; aux cris qu'elle poussera en grillant, toutes les autres détaleront.

SOUS-VÊTEMENTS

Il est très courant d'entendre dire que raccommoder des

sous-vêtements qu'on a sur le dos attire la malchance. (Ce qui d'ailleurs s'applique à tous les vêtements en général.) Il en va de même si vous les agrafez de façon inappropriée.

En revanche, si vous mettez vos sous-vêtements à l'envers, votre journée se présente sous de bons auspices.

Du temps où le jupon était à la mode, on disait que s'il dépassait de la robe d'une fille, il indiquait que son père la préférait à sa mère !

En France, certains pensaient que la jeune fille « cherchait une belle-mère ».

Une autre suggestion coquette avançait que si les sous-vêtements d'une fille glissaient (y compris ses bas), elle pensait à son prétendant ! Mais qu'on imagine ce que la chute des sous-vêtements d'une femme mariée pouvait prouver...

Filer un bas est très contrariant, néanmoins la superstition affirme que lorsque cela se produit simultanément à deux endroits différents, vous recevrez un cadeau la semaine suivante.

Si bas ou collants s'emmêlent en séchant sur un fil, ils indiquent le bonheur ou un nouvel amour.

Les femmes qui portaient des jarretelles disaient que si l'attache leur échappait trois fois des mains alors qu'elles tentaient d'y fixer le bas, elles auraient de la chance toute la journée.

Une ancienne superstition européenne prétend que toute jeune fille qui obtient la jarretière d'une jeune mariée sera bientôt conduite à l'autel.

Les Gallois pensent qu'une fille portant de la valériane dans ses sous-vêtements plaît à tous les hommes — il semble que ce soit, de plus, le déodorant corporel le moins cher du marché !

Dans les Midlands, en Grande-Bretagne, on dit encore d'une fille qui se marie sans sous-vêtement qu'elle sera heureuse toute sa vie.

Cette superstition semble issue de l'usage observé jusqu'au milieu du siècle dernier qui rendait un époux responsable de toute créance engagée par sa femme, même avant le mariage.

On pensait qu'un homme pouvait éviter cette « responsabilité » si sa promise allait à l'autel en portant essentiellement sa robe de mariage. Il était évident que nul créancier n'aurait eu le cœur d'exiger un règlement d'une femme si démunie !

Une jeune mariée qui perd une jarretelle pendant sa lune de miel peut y voir le présage que son union ne durera guère.

On a avancé qu'un bas nylon prenant la chaleur de la jambe on pouvait l'utiliser comme remède contre l'enrouement ; il suffit de le nouer autour de la gorge du patient !

Une superstition allant à l'encontre de l'hygiène la plus élémentaire persistait encore très récemment chez certains paysans allemands ; elle voulait qu'une femme ne change pas de sous-vêtements pendant six semaines après avoir accouché. Si elle ne tenait pas compte de cet avertissement, elle aurait un enfant chaque année. Cette idée semble avoir été, autrefois, une méthode de contraception !

Dans les pays méditerranéens, une superstition naïve promet à une femme enceinte une délivrance facile si sa gaine glisse le long de ses jambes.

On dit que si votre journée a mal commencé, vous pouvez changer le cours des choses en retournant tous vos sous-vêtements !

STORES

En Europe comme aux États-Unis, un store de fenêtre qui, soudain, tombe sans raison, annonce une mort dans la famille.

Aux extrémités des cordons des stores, on trouve souvent des glands parce qu'on croyait, jadis, que le chêne et donc son fruit ne pouvaient être frappés par la foudre.

On dit aussi qu'il porte malheur de regarder un enterrement à travers les stores, ou à travers une fenêtre. Si vous le faites, une superstition d'origine anglaise vous promet que votre tour ne tardera guère.

SUICIDE

Une croyance encore étonnamment répandue veut que l'esprit de quelqu'un qui s'est suicidé doit hanter les lieux où il a vécu.

Une croyance européenne, tombée en désuétude de nos jours, voulait que le corps d'un suicidé ne puisse sombrer.

On disait d'une femme enceinte qui enjambait la tombe d'un suicidé qu'elle ferait une fausse couche.

SUIE
Une superstition d'origine anglaise dit que des flammèches qui se prennent dans la grille du foyer indiquent qu'un étranger arrivera bientôt ; si de la suie descend soudain de la cheminée un des membres de la famille aura une rentrée d'argent. La même chose signifie aussi que le mauvais temps n'est pas loin !

SYSTÈME PILEUX
On connaît une infinité de superstitions et de présages concernant le système pileux. Au fil des temps, un certain nombre sont devenus caducs mais plusieurs exemples fascinants survivent.

Voyons tout d'abord les croyances concernant les hommes.

Une des plus anciennes superstitions dit qu'un homme qui a le torse velu est fort et qu'un tel individu sera heureux dans la vie. Il en va de même pour une barbe bien fournie. Les plus chanceux sont, peut-être, ceux qui ont les bras et le dos des mains poilus puisqu'ils sont destinés à devenir riches.

La chevelure d'un homme peut aussi indiquer s'il vivra vieux ; on dit, en effet, d'un homme ayant des cheveux poussant très bas sur le front mais dégageant ses tempes, qu'il atteindra un âge canonique.

Avoir un épi est de bon augure.

Les femmes peuvent aussi se concilier la bonne chance en veillant à ne jamais faire couper leurs cheveux lorsque la lune est descendante ou ils tomberaient.

En Écosse, on dit que si un oiseau construit son nid avec les cheveux d'une femme, elle aura la migraine.

Une femme dont les cheveux sont implantés de sorte qu'ils forment une pointe sur le front, finira vieille fille.

Une femme qui a soudain deux boucles sur le front alors qu'elle a toujours eu les cheveux raides devra veiller sur son mari puisque ce présage indique qu'il n'a plus très longtemps à vivre.

En général, sous nos latitudes, on dit que les gens ayant une chevelure abondante sont chanceux. Mais, en Inde, une femme qui a beaucoup de cheveux est supposée infidèle à son mari. Les Hindous prétendent aussi qu'un homme qui n'a pas la poitrine velue est ou sera voleur.

On dit que les cheveux raides indiquent une nature rusée alors que les cheveux bouclés sont l'apanage des gens gais, aimants et paisibles.

Les préjugés contre les cheveux roux ont toujours existé et les roux sont réputés être de tempérament emporté. Il n'est pas interdit de penser que cette aversion pour les cheveux roux soit originaire d'Angleterre puisque, précisément, les envahisseurs danois étaient roux. Sur le continent, on l'impute au fait que, selon certains, Judas était roux.

Le jour où l'on se fait couper les cheveux est également sujet à superstition comme le montre cette comptine, toujours vivace dans les campagnes anglaises :

« Ne vous coupez jamais les cheveux le dimanche,
pas plus que le lundi.
Coupez-les jeudi et vous ne serez jamais riche,
ceci vaut aussi pour le samedi.
Mais coupez-les mardi et vous vivrez vieux,
Plus encore si vous le faites vendredi. »

On dit qu'il est très malchanceux de se peigner le soir ; fort heureusement, aucune superstition n'existe à propos de l'utilisation d'une brosse. Cette croyance remonte sans doute aux tout premiers temps, quand on pensait que les cheveux démêlés avec un peigne risquaient d'attirer les créatures nocturnes.

Nul ne doit se couper les cheveux lui-même. Certains auraient, en effet, constaté que les personnes qui le font portent la poisse à tous ceux qu'ils rencontrent ; à moins d'admettre qu'il s'agit d'une invention des coiffeurs, il faut mieux en tenir compte...

Une étrange superstition assure que si, d'aventure, une mèche de vos cheveux ne brûle pas au contact des flammes, elle indique que vous rencontrerez la mort par noyade. Au contraire, si elle brûle vivement, vous vivrez vieux.

261

Perdre soudain beaucoup de cheveux annonce une dégradation de votre état de santé mais aussi de votre sécurité financière.

Si vous trouvez un cheveu sur votre épaule, il indique qu'une lettre importante va vous parvenir. Si vous humidifiez votre peigne pour vous coiffer, ce geste présage d'une future déconvenue.

Outre-Atlantique, nombreux sont ceux qui pensent encore qu'un ruban de chapeau trop serré favorise les cheveux fins. C'est une variante — assez lointaine — de l'ancienne croyance européenne voulant que les mauvais esprits puissent trouver leur chemin dans le corps d'une personne à travers sa chevelure.

Toujours en Europe, pour vaincre la calvitie, on préconise de raser tout à fait le crâne, et l'on dit qu'à moins d'être brûlés après avoir été coupés, les cheveux perdront leur « fluide vital ».

A propos des cheveux grisonnants, malédiction de l'âge mûr, on dit qu'ils ne doivent pas être arrachés puisque pour chacun d'eux, dix apparaîtront !

T

TABLE

On entend souvent dire que renverser sa chaise en sortant de table signifie qu'au cours du repas on a menti.

D'après une tradition américaine, il est de très mauvais augure de ne pas s'asseoir là où on vous l'a dit.

Une fille assise à un coin de table ne trouvera jamais de mari.

Les Américains prétendent encore que quiconque s'allonge sur une table, mourra dans l'année.

Si vous trouvez dans les plis d'une nappe la forme d'un diamant ou d'un « cercueil », c'est signe de mort.

TABLIER

Le tablier a gagné tout seul ses lettres de noblesse. D'abord, bien sûr, parce qu'il fut une pièce du vêtement de la femme, chez elle et hors de chez elle.

En Grande-Bretagne par exemple, mettre son tablier à l'envers par étourderie est signe de chance. Auriez-vous un jour assombri par de petits accidents, vous pourriez changer le cours des choses en retournant votre tablier.

Dans les îles anglo-normandes, on croit qu'un tablier qui tombe est un mauvais présage. En d'autres lieux, la tradition veut que la femme à qui il appartient aura un bébé dans l'année !

En Grande-Bretagne comme en Europe, les jeunes filles interprètent cette même croyance comme étant le signe que leur bon ami pense à elle à ce moment précis.

En Allemagne, il existe deux croyances, toujours très vivaces, à propos du tablier. Voici la première. Si un homme frotte ses mains sur le tablier d'une jeune fille, il tombera passionnément amoureux d'elle. La seconde affirme cependant, qu'une jeune fille fiancée sera bien avisée de ne pas permettre à son promis d'utiliser son tablier de cette façon puisqu'il paraît que querelle s'ensuit.

Pour expliquer ces croyances, on a émis l'hypothèse suivante : l'odeur de transpiration jouant un rôle important dans la sexualité, un homme pourrait être attiré par l'odeur d'une personne du sexe opposé, imprégnée sur un tablier.

TACHE D'ENCRE

Pendant plusieurs siècles, dans les Îles Britanniques, on a cru qu'il était de bon augure de faire une tache d'encre en écrivant une lettre — même si cela gâtait quelque peu la correspondance ! Allez savoir pourquoi.

TARTELETTES

A Noël, dans tous les foyers anglais, même le dîneur le plus rassasié terminera son repas par une ou deux tartelettes à la viande puisque chacune, dit-on, lui assure un mois de bonheur.

A l'origine, la superstition disait que pour avoir de la chance pendant un an, il fallait manger une tartelette tous les matins pendant douze jours, et aussi qu'en manger plus d'une à la fois ne servait à rien.

Dans le Sud de l'Angleterre, on a coutume de dire qu'il vaut mieux manger chacune des douze tartelettes dans une maison différente.

Ces tartelettes furent, sans doute, à l'origine cuisinées à l'époque romaine avec des ingrédients très différents de ceux utilisés de nos jours. Elles étaient oblongues et il se pourrait qu'elles aient acquis leur réputation chanceuse quand elles ont été adoptées par le christianisme, leur forme ayant été perçue par les chrétiens comme le symbole du berceau du Christ.

TAUPE

Cette créature plutôt agréable qu'est la taupe est, dit-on,

souvent un signe de bonne fortune. Dans certains coins, en Angleterre, on prétend que si elle creuse la terre près d'une maison, c'est un présage de mort pour un des membres de la famille. Si la motte apparaît dans la cuisine ou dans la buanderie, la personne condamnée est la maîtresse du lieu.

En bien des endroits, porter sur soi une patte de taupe protège de la maladie et est très efficace pour se débarrasser des crampes et des maux de dents.

TAXIS

Les chauffeurs de taxis croient qu'il porte bonheur d'avoir la lettre « U » sur une plaque minéralogique. Cette croyance s'explique en raison de la ressemblance de la lettre « U » avec le fer à cheval.

Si le nombre sept ou un multiple est contenu dans le numéro d'immatriculation d'un taxi, le chauffeur jouira d'une carrière prospère et réussie.

TÉLÉPHONE

Savoir que le téléphone va sonner est une étrange sensation. Une superstition, à présent très répandue, prétend qu'il est de mauvais augure que le téléphone sonne et qu'il n'y ait personne au bout du fil.

TEMPÊTE

Jadis, la superstition disait que la tempête était l'œuvre des dieux courroucés. Mais au fil des ans, les coupables ont été successivement les sorciers, les géants, les démons et quiconque s'avisait de siffler !

Les vieilles gens en province croient aussi qu'il porte malheur à une femme de coiffer ses cheveux ou de se couper les ongles quand son mari est parti travailler, surtout s'il est en mer — parce que cela permet à un coup de vent de se lever et met donc la vie des hommes en danger.

Dans plusieurs pays du monde, on affirme que les cheveux et les ongles ne doivent être coupés que la nuit ; de plus, il faut brûler les mèches et les bouts d'ongles restants, faute de quoi ils seront volés par les sorcières et utilisés pour attirer les tempêtes.

Une sinistre croyance, d'origine écossaise, dit que si une tempête se déclare alors qu'on descend un cercueil dans un caveau, le défunt a certainement mené une vie très perverse, voire vendu son âme au Diable.

Un peu partout en Europe, les très violents orages sont supposés présager la mort d'une personnalité importante de la région.

Dans certains coins, en Allemagne et en Autriche, une superstition veut que lorsqu'une tempête fait rage, on peut y remédier, en ouvrant une fenêtre et en lançant violemment une poignée de farine à l'extérieur en commandant : « Voilà votre tribut et maintenant suffit ! »

TENNIS

Nul joueur de tennis n'aime jouer avec une balle qui lui a valu une faute. Il en change pour conjurer le mauvais sort.

On ne doit pas non plus tenir en main trois balles en servant, cela porte malchance.

TÉRÉBINTHE

D'après une étrange superstition anglaise, de nos jours partagée tant par les Européens que par les Américains, sentir l'odeur particulière du térébinthe alors qu'aucun arbre de cette essence n'est alentour est un présage de mort.

TESTAMENT

De nos jours, on entend toujours dire que rédiger un testament porte malheur en ce sens qu'il précipite l'heure de la mort.

Dans ce contexte, il est intéressant de remarquer que jadis, on avait coutume de lire les testaments au-dessus du cercueil du défunt avant qu'il ne soit inhumé, peut-être pour lui fournir l'opportunité de protester — d'une quelconque manière — si ses dispositions n'étaient pas respectées.

THÉ

Lire l'avenir dans les feuilles de thé est un passe-temps qui a amusé les gens pendant bien des années. Un des présages les plus connus est qu'une feuille de thé flottant à la surface de la boisson annonce l'arrivée d'un visiteur.

La superstition voulant que des bulles à la surface du breuvage annoncent des baisers au buveur est bien moins connue.

Si vous agitez une théière avant de verser le thé, on dit que vous aurez des ennuis (en particulier, si vous l'avez fait dans le sens inverse des aiguilles d'une montre).

Laisser tomber une théière est un signe de malchance.

Mesdames, soyez très prudentes en autorisant un homme à vous servir du thé ! Une superstition britannique liée au symbolisme sexuel dit qu'il vous fera un enfant.

Dans le Nord de l'Angleterre, on avertit les jeunes filles que si elles acceptent qu'un homme leur serve plus d'une tasse de thé, elles seront incapables de lui résister ! C'est une curieuse variante de l'idée voulant que l'alcool menait une fille à la ruine.

Les gens ont des façons différentes de boire leur thé, mais une superstition, toujours très vivace de nos jours, dit aux jeunes filles qui versent le lait dans leur tasse avant d'y mettre le sucre qu'elles finiront vieilles filles ! Après avoir pris un tel risque, on comprend qu'on puisse avoir besoin des conseils de quelqu'un sachant lire l'avenir dans les feuilles de thé !

TISONNIER

La grande majorité des gens à la campagne insiste pour que le tisonnier et les pincettes ne soient jamais placés du même côté de la cheminée, sinon une querelle éclatera entre le mari et la femme.

On dit depuis des lustres qu'on peut remédier à un feu qui ne tire pas bien en plaçant le tisonnier debout, directement devant l'âtre, formant ainsi une croix.

Cela marche vraiment si vous piquez le tisonnier dans les braises de façon qu'il chauffe ; ainsi placé, la chaleur diffusée fera appel d'air et le feu reprendra.

TOAST

Il n'est jamais agréable et même souvent embarrassant sur le moment de culbuter un verre en portant un toast. Mais d'aucuns affirment que cela porte bonheur et assure la santé au maladroit. Cependant, un verre qui se brise dans la main est un présage de mort.

TOILE D'ARAIGNÉE

Puisqu'on croit qu'une toile d'araignée cacha l'enfant Jésus aux soldats d'Hérode, une certaine mystique s'est développée à leur propos.

En détruire une apporte l'infortune.

Elle est également réputée posséder le pouvoir d'arrêter rapidement une hémorragie ; si on l'applique sur une blessure et pour autant que celle-ci ne soit pas trop profonde, ça marche !

Aux États-Unis, les toiles d'araignées sont associées à deux croyances chères aux amoureux :

Si une jeune fille découvre une toile d'araignée à sa porte, son bon ami fait des avances à une autre, quelque part.

Pour les habitants de Boston, une toile d'araignée dans une cuisine signifie qu'aucun amour heureux ne sera jamais abrité sous ce toit.

TORTUE

Dans un certain nombre de pays, la tortue symbolise l'immortalité et la force. Aussi en tuer une est-il extrêmement malchanceux.

De tout temps, les Chinois ont révéré la tortue et les Indiens d'Amérique du Nord affirment que les tremblements de terre sont causés par les mouvements de la tortue qui supporte le monde.

« TOUCHER DU BOIS »

L'expression « toucher du bois » est si familière à la plupart d'entre nous qu'on songe rarement à la rattacher à la superstition — encore qu'elle en fasse partie et ce, depuis fort longtemps.

En fait, il s'agit de toucher quelque chose en bois, de la main droite, lorsque la conversation porte sur la santé, la prospérité. Ceux qui cherchent la protection du destin pour l'avenir peuvent aussi le faire.

L'origine de cette superstition remonte aux époques où l'homme considérait l'arbre comme le lieu de résidence des puissants « esprits du bois » ; donc, en les touchant avec déférence, on gagnait leur protection. Le temps passant, tous les bois ont été inclus et ce, quelle que soit leur essence. Mais on a toujours une petite préférence pour le bois des arbres qui ont longtemps été considérés sacrés.

Certaines autorités en la matière prétendent que la crucifixion du Christ sur une croix de bois a conféré à tous les arbres une aura de sainteté.

Le geste est associé sous bien des aspects à la crainte de vantardise commune à tous les hommes superstitieux et au besoin de certitude.

Depuis les premiers temps, l'homme a pensé que trop en faire conduisait à des conséquences catastrophiques et qu'il était de la plus haute nécessité d'apaiser les sorts.

Ainsi, en de nombreux endroits, on considère qu'il porte malchance de faire des compliments à un enfant ou de louer la beauté d'une femme au risque d'attirer l'attention des mauvais esprits sur eux.

Le fer joue le même rôle que le bois. Mais, on sait que les enfants qui touchent leur propre tête n'obtiennent que des éclats de rire !

Les Néerlandais, quant à eux, répètent qu'il faut toujours toucher le dessous du plateau d'une table quand on utilise l'expression « toucher du bois ».

TOUX

Un remède contre la toux est encore utilisé dans certaines Îles Britanniques ; ses origines superstitieuses sont incontestables. Il faut faire bouillir trois escargots dans de la tisane d'orge et faire boire l'infusion au patient. La recette précise — et cela n'étonnera personne — qu'il est impératif que le malade ignore la composition du breuvage.

TRÉBUCHER

Pendant des siècles, le fait de trébucher a été considéré comme présage de malheur.

Les gens de la campagne pensent toujours que quiconque

trébuche près d'une tombe n'a plus guère de temps à passer sur terre, tandis qu'une personne qui manque de tomber quand elle sort pour aller travailler ou quand elle débute dans une nouvelle activité n'est pas près de connaître le bonheur.

La morale de cette histoire pourrait être qu'une chute de quelque nature qu'elle soit, si elle n'est pas une catastrophe en elle-même, en annonce une.

TRÈFLE

Un peu partout, on dit que trouver un trèfle à quatre feuilles porte bonheur. De nombreuses personnes perdront volontiers une demi-heure ou plus à se promener dans les champs l'été en espérant en trouver un. Et, précisons tout de suite, qu'ils ne sont pas aussi rares qu'on le suppose.

En Grande-Bretagne, on entend souvent dire que si un jeune homme ou une jeune femme trouve un trèfle à quatre feuilles, ils peuvent s'attendre à rencontrer le grand amour de leur vie, le jour même.

La passion du bétail pour le trèfle est à l'origine de la phrase adressée à une personne bien dans sa peau : « tu baignes dans le trèfle ».

Incidemment, sachez que vous pouvez augmenter votre bonne chance si vous offrez à quelqu'un un trèfle à quatre feuilles.

Le trèfle à quatre feuilles doit, semble-t-il, sa réputation à Ève qui en emporta un avec elle quand elle fut chassée du paradis.

A présent, voici un vieil adage à son sujet :

« Une feuille pour la renommée, une feuille pour la richesse, une feuille pour l'amour sincère,
et une feuille pour la santé.
Elles sont toutes dans le trèfle à quatre feuilles. »

Une autre croyance vante les mérites des extrêmement rares trèfles à cinq feuilles en promettant la richesse à ceux qui en trouvent un.

Enfin, sachez que durant la Seconde Guerre mondiale, une

superstition circula assurant que si un homme portait un trèfle à quatre feuilles à sa boutonnière, il serait exempt de service !

TREIZE

Le nombre 13, existant depuis l'aube de l'humanité, a une place particulière dans la superstition. Les mauvais auspices qui lui sont attachés font souvent référence au dernier repas des apôtres et du Christ. En règle générale, il est redouté pour ses effets.

Seule une âme téméraire invitera treize convives et aucun hôte ne voudrait « faire le treizième ».

D'après la tradition, une des personnes présentes — la première à se lever de table — mourra avant la fin de l'année.

Un bureau, une boutique portent rarement le numéro 13, encore moins les chambres d'hôtel.

Les compagnies aériennes évitent de donner le numéro 13 à leurs vols et aux fauteuils des avions.

Dans des villes entières (Paris, pour certaines rues), on cherche en vain une maison individuelle portant le nombre fatal. Avec un aplomb typique, en France, on contourne la difficulté en numérotant une telle habitation « onze bis ».

Le vendredi 13 est, bien sûr, un jour où il faut être très prudent.

TREMBLEMENTS

D'après une ancienne superstition britannique, les tremble-ments nerveux — en particulier les palpitations du cœur, les battements des paupières ou de n'importe quel muscle — peuvent aussi bien être des présages de chance que de malchance.

Situés du côté droit du corps, les tremblements sont signes de bonne fortune, mais sur la gauche ils n'annoncent rien de bon.

Le cœur étant à gauche, on pouvait s'y attendre !

TREMBLER

Dans plusieurs pays du monde, on prétend que si vous tremblez sans parvenir à vous contrôler, c'est le signe que vous venez d'être frôlé par la mort, ou encore que quelqu'un marche au-dessus de l'endroit où vous serez enterré en fin de compte.

TROIS

Le chiffre « 3 » caractérise une infinité de superstitions tant bénéfiques que maléfiques.

Depuis des siècles, on prétend que les nombres impairs portent bonheur, en particulier le trois et ses multiples. Le lecteur n'aura guère d'efforts à faire pour se remémorer le nombre d'événements de la vie quotidienne devant être répétés trois fois.

De nombreux remèdes populaires demandent que certains gestes soient recommencés trois fois.

Nous avons, en France, résumé l'infortune du trois dans la sentence « jamais deux sans trois » ; les Anglais disent, eux, « une déception puis deux autres ».

On pense que le « 3 » a gagné sa connotation négative parce que Pierre renia trois fois le Christ. Mais une autre explication plus mystique en fait un chiffre bénéfique : le trois est symbole de vie puisque la naissance demande trois personnes, la mère, le père et l'enfant.

TUBERCULOSE

Dans certaines régions de Grande-Bretagne, une superstition toujours tenace et pour le moins bizarre veut qu'avaler de petites grenouilles, le matin, avant le petit déjeuner, guérisse la tuberculose !

U

ULCÈRE

En certains endroits de Grande-Bretagne, on entend encore dire que pour guérir un ulcère, il suffit de manger la langue d'un chien! On a parfois bien du mal à imaginer comment nos ancêtres en étaient arrivés là...

URINE

De nombreuses superstitions considèrent l'urine humaine comme une excellente prévention contre les fantômes et les mauvais esprits.

Elle posséderait également des pouvoirs curatifs.

Il ne fait aucun doute que la moins connue de toutes les croyances relatives à l'urine est une superstition d'origine allemande ; elle soutient que si une jeune fille urine dans la chaussure d'un homme, il tombera immédiatement amoureux d'elle !

V

« V », comme « Victoire »

Le signe « V » connu aujourd'hui à la fois comme un signe de triomphe et d'autorité a des origines superstitieuses.

Ce salut, utilisant le premier et le second doigt de la main droite, signifie le triomphe si la paume de la main est tournée vers la personne à qui il est adressé et la dérision, si le dos de la main lui fait face.

C'est Sir Winston Churchill qui rendit ce signe fameux, mais on ignore s'il savait qu'à l'origine il symbolisait les cornes du Diable. En effet, on racontait que si les doigts étaient pointés vers le sol plutôt que vers le ciel, ce geste contraignait le Démon à retourner en enfer.

On peut supposer qu'à un niveau inconscient, Sir Winston Churchill exprimait ainsi son désir de voir Adolf Hitler vaincu. Pourquoi pas ?

VACHE

La vache est un animal sacré en Extrême-Orient où les croyances religieuses et les superstitions lui confèrent une place particulière dans la communauté.

En Écosse, on dit que le lait d'une vache blanche est de piètre qualité.

Les Américains prétendent, eux, que la viande d'une vache rousse est la plus délicieuse.

Si une vache meugle trois fois sous votre nez, ou fait irruption dans votre jardin, elle présage de la mort prochaine de l'un des vôtres.

Si une vache tient sa queue en l'air, elle annonce la pluie. Si elle bat de la queue contre un arbre ou une haie, le mauvais temps arrive.

Il existe deux autres traditions les concernant mais la première qui fut très en vogue semble avoir totalement disparu : les vaches mangent des boutons-d'or afin que le beurre soit meilleur (en fait, les vaches détestent les boutons-d'or). Quant à la seconde, elle affirme qu'un troupeau de vaches laitières ne donnera plus de lait si la fermière ne se lave pas les mains après chaque traite.

VAGUES

Les marins de bien des pays — et, à présent, les adeptes du surf — croient que la neuvième vague qui déferle est toujours la plus puissante. Mais, aucune raison scientifique n'étaye cette affirmation.

VAISSELLE

Une superstition presque universelle est attachée à la vaisselle. Si vous laissez tomber une assiette ou un plat de faïence, vous pouvez vous attendre à casser deux autres pièces de même valeur avant la fin de la journée.

En général, après avoir cassé quelque chose, on prend garde de ne pas recommencer. Pourtant, si le hasard veut qu'une seconde chose tombe, sachez qu'il existe un moyen très simple pour éviter d'en briser une troisième. Voici ce qu'il convient de faire : prenez une pièce de faïence, déjà ébréchée ou fêlée, et jetez-la au sol.

C'est tout et la superstition vous promet — pour ce jour-là, tout au moins — que vous ne perdrez plus la moindre pièce de valeur.

VANNEAU

Les Écossais pensent que voir un vanneau voler au-dessus de soi en poussant son cri perçant est de mauvais augure. Ils disent que les âmes des hommes damnés ne trouveront jamais le repos éternel dans le corps de ces oiseaux et que leur cri est, en fait, le mot « ensorcelé » qu'ils répètent encore et toujours.

VEAU

Le veau a engendré nombre de superstitions dans les Îles Britanniques et plusieurs autorités en la matière ont rapporté que par le passé, les fermiers dont les troupeaux étaient décimés par la maladie ou la stérilité brûlaient un veau vivant selon l'ancien précepte : « brûler un veau sauvera le troupeau ».

L'origine de cette pratique appartient à la sorcellerie. La maladie du bétail était souvent l'œuvre des sorcières, et l'on croyait que tout ce qui était fait à un animal ensorcelé retomberait sur le responsable de la malédiction.

Dans les Midlands, en Grande-Bretagne, on trouve une superstition moins rigoureuse et moins barbare. Pour guérir les veaux malades, on accrochait la jambe ou la cuisse d'un animal mort à une ficelle à proximité du troupeau. Cette pratique rappelle les sacrifices des premiers hommes aux anciens dieux.

Selon les apparences, le veau vivant porte malheur mais s'il est mort, il porte chance. Ainsi, poser la main sur le dos de l'animal, c'est courir à la catastrophe pour soi-même et présage d'épidémies ou d'accidents pour le bétail. A l'inverse, porter en poche un morceau de langue de veau vous protège du danger et de la misère. Cette superstition est originaire du Northumberland et fait allusion au morceau de la langue dit « le morceau de la chance ».

Beaucoup de fermiers croient qu'offrir une branche de gui à la première vache qui vêle après le jour de l'An porte chance à tout le troupeau.

Au sud de l'Angleterre, à certains endroits, on dit que la malchance guette un fermier dont une des bêtes met bas deux veaux, et l'infortune est encore plus grande si l'un d'entre eux a une rayure blanche sur le dos.

Dans de nombreuses fermes, on n'enjambe jamais un veau étendu au sol ; c'est un mauvais présage tant pour l'homme que pour le bétail.

VEINES

En France, il est encore courant d'entendre dire « qui voit

ses veines, voit sa veine » pour exprimer la chance attachée à un tel individu.

Mais, en d'autres lieux, il existe des superstitions concernant les veines visibles sur le visage d'un enfant.

Ainsi, dans le Maine et le Massachusetts, on croit qu'une veine bleue descendant vers le front annonce que l'enfant rencontrera une mort prématurée.

Toujours aux États-Unis, on dit qu'une veine bleue courant en travers du nez est aussi un présage de mort.

En Europe, certains pensent qu'une telle personne ne se mariera jamais.

VENDREDI

Pour la superstition, le vendredi est un jour fatidique ; on croit en général qu'il a gagné sa funeste réputation parce que c'est ce jour qu'Ève séduisit Adam.

Parmi les activités dites malchanceuses si elles sont pratiquées ce jour, on trouve la naissance, le mariage, commencer un nouveau travail, faire de la voile, emménager et se couper les ongles.

Une vieille sentence dit : « Qui est né un vendredi sera exécrable entre tous les hommes ; il portera le diable dans son cœur, sera voleur, lâche et ne dépassera pas l'âge mûr. »

Les Écossais et les Allemands considèrent que le vendredi est un bon jour pour les affaires de cœur mais, en d'autres lieux, on dit que c'est la nuit du sabbat des sorcières.

En Angleterre et aux États-Unis, il était coutume de pendre les criminels le vendredi et c'est ainsi qu'il y gagna son nom de « Jour des Pendus ».

Si vous êtes né un vendredi, les Hongrois prétendent que votre chance peut revenir en mettant deux gouttes de votre sang sur un morceau de tissu découpé dans l'un de vos vêtements et en le faisant brûler — apparemment, cela « détruit » la malchance.

Dans les rangs de la maffia, on croit que les réunions de malfaiteurs tenues un vendredi ne mènent qu'à l'échec des plans, voir à l'arrestation.

Dans le même esprit, ils pensent que passer en jugement un vendredi est de mauvais augure.

En France, deux vieux proverbes encore très vivaces disent : « S'il pleut vendredi, il fera beau dimanche » et « Qui rit vendredi, dimanche pleurera ».

La seule activité du vendredi qui offre quelque promesse de bonne chance est le sommeil — puisque si vous rêvez durant la nuit et que vous racontez votre rêve le lendemain matin à quelqu'un de votre famille, alors il deviendra réalité. Cela suppose bien sûr que l'on désire que ce rêve devienne réalité !

VENDREDI SAINT

La plus extraordinaire superstition à propos du Vendredi Saint est, sans doute, celle voulant que le pain et la pâtisserie faits ce jour ne moisiront pas. De telles nourritures portent chance et sont capables de guérir des maladies bénignes, comme le rhume ou la coqueluche.

Cependant, c'est un mauvais jour pour mettre une terre en culture, une superstition très ancienne prétendant que, ce jour, le métal ne doit pas pénétrer dans le sol.

Les femmes seront bien avisées de ne pas laver de linge puisqu'elles ne l'obtiendront jamais net.

Cette dernière croyance est vraisemblablement issue de la légende voulant que lorsque Jésus-Christ fut conduit au Calvaire, il croisa une lavandière qui le salua en agitant un linge humide. Ce à quoi il répondit : « Maudit soit celui qui lavera en ce jour ».

Le Vendredi Saint est cependant un bon jour pour sevrer un bébé ; il assure à l'enfant une croissance saine et une vie prospère.

VENTE

Un peu partout en Europe, maints commerçants à la campagne croient qu'une des pièces reçues en paiement de la première vente de la journée doit être rendue pour assurer une bonne recette.

A notre époque d'inflation galopante, la pratique a changé et le commerçant n'est plus tenu qu'à rendre la monnaie pour ce premier achat comme pour les autres d'ailleurs.

Cracher sur la première pièce que l'on reçoit chaque jour porte bonheur.

VER DE TERRE

Le ver de terre constitue, semble-t-il, un moyen de déterminer l'état de santé d'une personne malade.

Une vieille croyance anglaise prétend que si en rendant visite à quelqu'un de malade, vous souleviez une pierre et ne trouviez rien de vivant en dessous, cette personne mourra. Mais, si vous trouvez un ver de terre, elle recouvrera la santé.

VERRE

Une superstition britannique défend de regarder quelqu'un à travers un morceau de verre cassé, sous peine d'avoir immanquablement une querelle avec lui.

VERRERIE DE VENISE

Tout objet fabriqué en verre de Venise est réputé être un révélateur infaillible pour déterminer si la nourriture ou la boisson qu'il contient est empoisonnée ou non. Si tel est le cas, le verre se brisera en mille morceaux quand on le saisira.

Jadis, cette croyance était fameuse à travers toute l'Europe. Seuls certains Italiens y font encore allusion.

VERROU

En Corse, on dit méchamment d'une veuve qui ne tire pas son verrou qu'elle n'est pas inconsolable...

VERRUES

D'aucuns prétendent que si vous plongez vos mains dans de l'eau ayant servi à cuire des œufs, vous attraperez des verrues !

Toutefois, il n'existe absolument aucune preuve pour conforter cette croyance aussi répandue que vivace de nos jours.

Les lecteurs possédant quelque connaissance de la superstition auront vraisemblablement déjà entendu parler de certains remèdes pour guérir les verrues. En réalité, ils sont légion. Les plus intéressants d'entre eux ont déjà été répertoriés sous d'autres entrées.

La ficelle, la viande crue, le bacon, le beurre, le lard, les crapauds et les escargots comptent parmi les ingrédients les plus populaires ! Toutefois, le remède le plus connu dans nos campagnes, de nos jours et certainement le moins désagréable à mettre en pratique, est d'enfermer des cailloux dans un petit sac et une pièce d'argent. De l'abandonner sur une route et quiconque le ramassera et prendra l'argent (c'est l'essentiel) héritera des verrues. On peut néanmoins se demander si l'action est très charitable !

VERT

Depuis de nombreuses années, les Américains et les Britanniques pensent que le vert n'est pas une couleur bénéfique. Aucune jeune mariée espérant un avenir heureux n'envisagera d'en porter le jour ses noces.

L'origine de cette superstition réside dans le fait que le vert était la couleur des fées et qu'il possédait un réel pouvoir d'attraction sur elles ; donc, les fées pouvaient très bien enlever quelqu'un ainsi vêtu.

Maints acteurs et actrices croient aussi que c'est une couleur maléfique et que porter à la scène un costume vert conduit à un four.

On a remarqué aussi que l'usage du vert pour les timbres-poste était de mauvais augure et qu'à chaque fois que les Postes ont passé outre, pour une nouvelle émission, les pays ont, derechef, connu l'agitation inhérente aux grands problèmes sociaux.

A l'inverse, on remarque avec intérêt que dans plusieurs pays européens le vert est considéré comme une couleur porte-bonheur et associé aux esprits des arbres. La superstition dit qu'accrocher des branchages verts au-dessus des portes ne préserve pas seulement du malheur mais éloigne, de plus, les sorcières et les démons.

VÊTEMENTS

De tout temps, la superstition a prétendu qu'enfiler ses vêtements à l'envers portait chance alors que se tromper en boutonnant un vêtement porte malchance.

Quand vous achetez un nouveau manteau ou une nouvelle

robe, il est judicieux de mettre quelques pièces de monnaie dans la poche droite.

Si vous ne le faites pas, dit une superstition très vivace en Europe, vous serez fauché aussi longtemps que vous le porterez.

En plusieurs endroits de Grande-Bretagne, on dit qu'une personne, dont les vêtements sont raccommodés ou recousus alors qu'elle les a sur le dos, sera toujours dans la gêne. Hormis le fait de passer pour un original, sachez que si vous reprisez vos vêtements de couleur avec du fil noir, vous attirez l'infortune.

De nombreux peuples considèrent que les relations entre une personne et ses vêtements sont importantes ; en Russie, par exemple, on dit que si quelqu'un vous a dévalisé ou a cambriolé votre maison en laissant dans sa hâte de petits morceaux de ses vêtements sur les lieux du crime, vous devez les frapper avec une badine. L'homme tombera malade et la Justice mettra plus facilement la main sur lui.

Une superstition américaine dit que si une femme veut vivre un printemps heureux et réussi, elle devra porter trois nouvelles choses le jour de Pâques.

Certains maris penseront sans doute que la chance se paie cher !

Les Américains, toujours eux, prétendent que brûler sa robe, signifie que quelqu'un, quelque part, vous calomnie.

VIANDE

En préparant le repas, gardez un œil sur ce qui arrive à la viande en cuisant puisque des présages peuvent y être lus. Si elle se rétracte, les auspices sont mauvais pour la famille ; mais si elle gonfle, la superstition promet la prospérité à tous ceux qui la mangent. Et, on l'imagine, un bon repas !

VIGNE VIERGE

En raison de son association avec le dieu romain Bacchus, la vigne vierge était souvent plantée devant les auberges et considérée comme une plante bénéfique.

Si elle pousse sur les murs d'une maison, elle protège ceux qui y vivent du malheur et des agissements des mauvais esprits. Mais, si elle meurt, la maisonnée connaîtra le malheur et les déboires financiers.

La feuille de la vigne vierge est une des rares feuilles qui autorise un homme à connaître son futur amour. Il doit rassembler dix feuilles la nuit de Hallowe'en, en jeter une et dormir avec les autres sous son oreiller, alors il rêvera de sa future femme.

Dans le même esprit, une fille peut découvrir qui sera son futur compagnon en arrachant plusieurs feuilles de la plante et en récitant la formule suivante :

« Vigne vierge, vigne vierge, je t'aime,
Dans mon cœur je te porte,
Le premier homme qui me parle,
Mon futur mari sera. »

VIN

Une superstition relative à la façon de servir le vin est encore vivace dans les pays producteurs dont, bien sûr, la France, l'Allemagne, l'Espagne et l'Italie. Elle veut que la bouteille soit toujours tournée dans la direction du soleil. L'ignorer, dit-on, affecte sérieusement la qualité du vin.

Au Portugal, on sert le porto de la même façon, pour les mêmes raisons.

Sur les bords de la Méditerranée, les pêcheurs disent qu'on peut apaiser les eaux agitées en versant un verre de vin dans la mer — sacrifice symbolique aux dieux des profondeurs marines.

VIOLETTES

On est toujours surpris d'entendre certains paysans anglais soutenir qu'une fleur aussi jolie que la violette est de mauvais augure. Ils ne les acceptent qu'en bouquet.

Les fermiers croient qu'une seule violette, chez eux, causera la mort ou la maladie de leurs jeunes poulets et canards.

Si les violettes fleurissent en automne, elles annoncent une mort.

Gageons que les Toulousains ne seront pas de cet avis et rappelons que la violette est le symbole de la modestie.

VIPÈRE

La vipère symbolise la chance !... Au printemps, si vous tuez la première que vous rencontrez, vous triompherez de vos ennemis. Permettre au même reptile de s'échapper sain et sauf, c'est courir au désastre et s'exposer à la mauvaise fortune. D'après une ancienne croyance anglaise, voir une vipère sur le seuil d'une maison est présage de mort.

A travers le monde, dans les régions boisées, une légende veut que si l'on accroche la peau séchée d'une vipère à la cheminée cela attire la chance ; alors que placer une peau sous les combles ou dans l'âtre, préserve la maison des flammes. La plupart des « on-dit » associés à la vipère — qui est le seul serpent venimeux des Îles Britanniques — trouvent leurs origines chez les tziganes. Ce peuple prétend d'ailleurs que le remède le plus efficace contre les rages de dents est de tuer cette créature et de frotter sa dépouille à l'endroit douloureux.

VIRGINITÉ

Les tests de virginité ont été aussi nombreux que variés à travers les âges et la plupart d'entre eux avaient une origine superstitieuse.

Certains sont parvenus jusqu'à nous.

En Grande-Bretagne, peu soucieux du danger de la chose, on disait qu'une fille qui pouvait regarder le soleil en face possédait encore sa virginité.

En Allemagne et en Autriche, seule une fille vierge pouvait ranimer la flamme d'une bougie qui s'éteignait.

En Hongrie, pour prouver sa pureté une fille devait passer à travers un essaim d'abeilles sans se faire piquer. Apparemment, les abeilles ne touchent pas une femme vierge !

De vieux Russes se souviennent encore que l'on avait coutume de dire dans le Caucase que les seins d'une fille ayant perdu son pucelage se développaient.

En Grande-Bretagne, une jeune fille qui oublie de mettre la salière quand elle dresse la table n'est plus vierge.

Dans les régions les plus reculées de Pologne, une affirmation extraordinaire voulut qu'une fille vierge ait le pouvoir de faire rouler l'eau en boules. Une autre, du plus mauvais goût celle-ci, prétendait que les rapports sexuels avec une vierge guérissaient les maladies vénériennes !

Pour finir, voici la croyance la plus bizarre, originaire d'Europe Centrale, à savoir qu'une femme ayant mis au monde sept enfants illégitimes retrouvait sa virginité !

VOLER

Dans certains pays d'Europe Centrale, on rapporte une bien curieuse superstition. Si vous volez quelque chose, le jour de Noël, sans vous faire pincer, vous pouvez voler sans risque pendant le reste de l'année.

Souvenez-vous qu'en Hongrie, on dit que le meilleur moyen d'attraper un voleur sur lequel les autorités ne parviennent pas à mettre la main, c'est de récupérer un fragment d'un de ses vêtements — et de taper dessus. Le voleur tombera gravement malade et il devra interrompre ses coupables activités.

VOYAGE

Nombreux sont ceux qui, partant en voyage, se retournent et agitent la main. Or, la superstition prétend que se retourner vers sa maison, une fois qu'on l'a quittée, est une chose à éviter.

Dans le même esprit, même si on a oublié quelque chose, il vaut mieux continuer son voyage puisque retourner chercher l'objet oublié mettra votre vie en péril. Dans le cas où il est absolument impératif de revenir, il faut s'asseoir et compter jusqu'à dix avant de repartir.

Il est de mauvais augure d'observer un voyageur jusqu'à ce qu'il soit hors de vue ; en ne tenant pas compte de cet avertissement, vous risquez de ne plus jamais le revoir.

Ces superstitions sont en accord avec l'histoire de la femme de Lot qui se retourna pour voir la destruction de Sodome et fut transformée en colonne de sel.

X Y Z

« XYZ »

On dit que pour un auteur avoir les lettres « XYZ » dans la dernière phrase d'un livre porte malheur et signifie qu'il n'en écrira plus jamais d'autre.

L'auteur de ce dictionnaire est décidée à en prendre le risque et pour une fois, défie la superstition.

Mais, bien sûr, vous remarquerez que toutes ces lettres ne figurent pas dans la dernière phrase !

YEUX

A travers le monde, les yeux qui démangent sont soit de bons soit de mauvais présages.

Si votre œil droit vous chatouille, vous allez avoir de la chance mais, si c'est le gauche, les choses iront d'une tout autre façon.

Si cette affliction se prolonge voici un remède : baignez l'œil, ou les yeux, dans de l'eau de pluie recueillie sur les feuilles d'une plante cardère.

On entend dire souvent que si la paupière droite d'un homme se contracte, c'est un signe de bonne fortune alors que la gauche annonce l'infortune. Étrangement pour la femme c'est l'inverse qui est vrai.

Des paysans anglais soutiennent qu'un orgelet peut être guéri en le frottant doucement neuf fois avec une alliance en or ou tout autre petit objet en or massif, lui aussi.

Achevé d'imprimer en novembre 1983
sur presse CAMERON
dans les ateliers de la S.E.P.C.
à Saint-Amand-Montrond (Cher)

Dépôt légal : novembre 1983.
N° d'édition : 8579. N° d'Impression : 1775.
Imprimé en France